L'ermite

Denis Monette

L'ermite

ROMAN

Les Éditions
LOGIQUES

LOGIQUES est une maison d'édition agréée et reconnue par les organismes d'État responsables de la culture et des communications.

Nous remercions le Conseil des Arts du Canada, le ministère du Patrimoine canadien et la Société de développement des entreprises culturelles du Québec pour leur appui à notre programme de publication.

Toute ressemblance avec des personnes vivantes ou ayant existé, des lieux ou des événements actuels ou passés, est pure coïncidence.

Révision linguistique: Jacques Chaput, Nathalie Prince, Claire Morasse
Mise en pages: Édiscript enr.
Graphisme de la couverture: Gaston Dugas
Illustration de la couverture: Gaston Dugas
Photo de l'auteur: Georges Dutil

Distribution au Canada:
Québec-Livres, 2185, autoroute des Laurentides, Laval (Québec) H7S 1Z6
Téléphone: (450) 687-1210 • Télécopieur: (450) 687-1331

Distribution en France:
Casteilla/Chiron, 10, rue Léon-Foucault, 78184 Saint-Quentin-en-Yvelines
Téléphone: (33) 01 30 14 19 30 • Télécopieur: (33) 01 34 60 31 32

Distribution en Belgique:
Diffusion Vander, avenue des Volontaires, 321, B-1150 Bruxelles
Téléphone: (32-2) 761-1216 • Télécopieur: (32-2) 761-1213

Distribution en Suisse:
Diffusion Transat s.a., route des Jeunes, 4 ter, C.P. 1210, 1211 Genève 26
Téléphone: (022) 342-7740 • Télécopieur: (022) 343-4646

Les Éditions LOGIQUES
7, chemin Bates, Outremont (Québec) H2V 1A6
Téléphone: (514) 270-0208 • Télécopieur: (514) 270-3515
Site Web: http://www.logique.com

L'ermite

© Les Éditions LOGIQUES inc., 1998
2ᵉ édition
Dépôt légal: Premier trimestre 1998
Bibliothèque nationale du Québec
Bibliothèque nationale du Canada

ISBN 2-89381-557-X
LX-648

À Francine Fleury,
pour l'encouragement, l'appui...
et la profonde amitié qui nous lie.

Prologue

Un maringouin s'était déposé sur sa main gauche et, d'un geste rapide de la main droite, l'homme l'écrasa tout en marmonnant: «Tu m'prendras pas une goutte de mon sang, toi!» Puis, faisant fi de la chenille qui rampait sur la moustiquaire et de l'araignée qui tissait sa toile entre la poutre et le plafond, Samuel Bourque sortit de son shack pour se diriger vers la bécosse. Besoin naturel accompli, il déversa de la chaux pour atténuer les odeurs tout en chassant du pied une couleuvre qui voulait faire de sa chiotte, son refuge. Samedi 17 juillet 1948. Un jour comme les autres depuis qu'il avait déserté la grande ville pour vivre seul dans cette cambuse dix ans auparavant. Une cabane de bois au sommet d'une butte qui surplombait un lac artificiel à Saint-Calixte. Une cabane louée pour un été et qu'il n'avait, dès lors, jamais quittée.

– Sam, viens icitte une minute. Faut que j'te parle.

C'était Piquet, son unique voisin. Hector Piquette dit «Piquet» parce qu'il était petit, droit et raide comme un pieu, malgré ses soixante et onze ans. Piquet qui habitait depuis quinze ans un chalet un peu plus grand qu'il partageait avec Charlotte, celle que tout le monde appelait «la veuve», avec laquelle il était «accoté». Soixante-dix ans, maigrelette, les cheveux blancs, les doigts jaunis par la cigarette, Charlotte avait rejoint Piquet dans son camp après avoir enterré son mari au village. Et ce, avec la bénédiction du curé qui n'avait pas insisté pour les marier, parce que ni l'un ni l'autre n'avait d'enfants.

Une centaine de pieds séparaient le chalet de Piquet du shack de Sam. Et ils se parlaient chaque jour, leurs voix transmises par l'écho, à moins d'être étouffées par les bruissements d'ailes d'un mariage d'oiseaux.

– Bon, qu'est-ce que tu as à m'dire? Encore une nouvelle de ton journal?

– Non, Sam, c'est sérieux, c'est important.

– J't'écoute. La veuve n'est pas malade, au moins?

– Pas une miette! Elle fait bouillir sa rhubarbe pour faire sa confiture.

– Alors, c'est quoi?

– Une fille! J'arrive du village, c'est l'curé qui m'en a parlé.

– J'comprends pas. C'est quoi, l'affaire?

– Une fille qui vient de Montréal. Elle s'est réfugiée chez l'curé. Y cherche à la caser pour quelque temps. Y'est mal pris. On a pensé à toé…

– À moi? Qu'est-ce que je viens faire dans cette histoire-là?

– Laisse-moé t'raconter. Après, tu décideras.

– Décider quoi?

– Écoute, c'est une fille qui devait habiter chez sa sœur à Saint-Lin. Rendue là, l'autre voulait pas d'elle. Avec son mari pis ses quatre enfants, tu comprends… En plus, paraît qu'elles s'accordent pas. La fille s'est laissé dire que le curé d'icitte se cherchait une servante. Une maudite belle menterie, le curé en a une depuis cinq ans. Pis est encore bonne pour un autre dix ans, la vieille Hortense. Ben, comme on peut pas l'abandonner, y cherche à la caser. Y'a pensé qu'tu pourrais peut-être l'héberger pour une durée. Le temps d'la placer ailleurs, d'lui trouver une famille.

– Es-tu après devenir fou? Pis, l'curé Talbert itou? J'ai pas besoin d'personne! J'ai un shack d'une seule pièce, pis c'est grand comme ma gueule!

– Ouais… t'as raison, mais n'empêche que ça t'ferait une servante. Pis, pour rien à part ça! Juste logée pis nourrie. Juste pour un bout d'temps, Sam. On peut pas sacrer une fille de vingt ans dans la rue!

– Ben, qu'il la garde, lui! Le presbytère est assez grand! Depuis quand qu'un homme de Dieu veut envoyer une fille dans l'shack d'un vieux?

– Voyons donc, Sam, la garder, ça s'fait pas! Les commérages… Le curé est trop jeune, ça ferait jaser. Pis sa vieille servante risquerait de s'choquer pis d's'en aller. Penses-y un peu, Sam! C'est un service qu'y te demande, pas un sacrifice! Juste pour un bout d'temps… Pis, avec un homme de soixante ans, ça risque pas d'faire courir les langues.

– T'es fou ou quoi? Tu sais bien que j'ai pas d'place pour deux, Piquet! Même pour un soir ou deux, c'est un shack que j'ai, pas un chalet!

– T'as quand même un sofa, c'est mieux que d'coucher dans la rue. Le curé m'a dit de pas t'forcer, mais n'empêche que ça lui donnerait un bon coup de main…

– Pourquoi elle retourne pas d'où elle vient? Montréal, c'est pas l'bout du monde, non? Elle couchait sûrement pas dans la rue avant d'arriver ici?

– Reste à voir! Sa mère est à l'asile, elle a pas d'père, pas d'famille…

– Alors, qu'on force sa sœur à la prendre! Pour un bout d'temps, comme dit le curé. Mon shack, c'est une soue à cochons! Tu l'sais, Piquet! C'est pas une place pour héberger une fille qui vient d'la ville! Y'a juste une commode, une table, deux chaises, mon lit pis le sofa. Aussi bien la loger dans une écurie, ce serait plus grand qu'chez moi! Ç'a pas d'maudit bon sens, cette affaire-là!

– J'sais ben, mais avec un brin de bonne volonté…

– Pourquoi tu la prends pas chez toi, Piquet? T'as un sofa toi aussi, non?

– Voyons donc! Avec la veuve, son linge, ses pots de cornichons… On est déjà à l'étroit… Pis, avec les services que j'te rends…

– Quels services?

– Ben… fais-moi pas parler, Sam. La veuve de temps en temps…

– Ça, c'est toi qui l'as voulu! J'ai jamais rien demandé, moi!

– N'empêche que tu la refuses pas quand ça s'présente.

– Peut-être, mais de quoi tu t'mêles, Piquet? Pourquoi veux-tu absolument que j'la prenne, cette fille-là?

– Parce que j'l'ai vue, Sam, parce qu'elle fait pitié. Elle sait plus où aller, elle avait les larmes aux yeux. Une fille pleine de santé. Une fille rejetée… Avec un peu d'cœur, comme disait l'curé…

Piquet connaissait bien le point sensible de son voisin. Il venait de prononcer les mots qu'il fallait pour que Sam baisse la tête, réfléchisse, se gratte le menton. Samuel Bourque fondait devant la souffrance d'autrui. Il ne supportait même pas que la veuve ait un mal de reins sans la frotter avec du camphre. Il avait même pris soin d'un moineau qui s'était brisé une aile, jusqu'à ce qu'il reprenne son envol. Solitaire, ermite dans son shack, Sam avait quand même et sans cesse le cœur sur la main.

— Va m'falloir la nourrir, la fille?

— Oui, mais en échange, elle va travailler, elle va décrotter, elle va aider.

— Aider à quoi? J'm'arrange tout seul depuis dix ans... Pis, la nourrir, ça prend d'l'argent. J'en ai pas...

— Sam, à d'autres, pas à moé... Une boîte de bines, une soupe au chou, un morceau d'pain, c'est pas ça qui va te ruiner.

— N'empêche que ça n'a pas d'bon sens, cette affaire-là! Une fille dans mon shack... Une fille de vingt ans à part ça! J'ai même pas un rideau qui sépare mon lit du sofa.

— Si c'est ça qui t'gêne, la veuve peut s'occuper d'ça. Avec elle...

— Non, laisse faire, j'vais m'arranger avec ça.

— Ça veut dire que t'acceptes? Tu veux ben la prendre pour un bout d'temps?

— Un bout d'temps... pas longtemps! T'as besoin de l'dire au curé! Reste à savoir si la fille va accepter l'arrangement. Pas d'électricité, la bécosse dehors, l'eau à la pompe... Pour une fille d'la ville, ça m'surprendrait que ça fasse son affaire. Pis, avec son linge...

— Juste une valise, Sam, c'est tout c'qu'elle a en plus de c'qu'elle a sur le dos. Pis, t'en fais pas, le curé va vite t'en débarrasser. Juste un service en attendant...

— En attendant, en attendant... En attendant quoi, Piquet? C'est pas par ici qu'elle va s'caser, la fille d'la ville! Les gens sont pauvres comme Job! Des servantes, y'ont pas besoin d'ça...

– T'en fais pas, on va l'installer ailleurs, le curé va y voir. Les brebis égarées, y s'en occupe, lui. C'est sa mission…

– Bon, bon, ça va faire! Si la fille veut vivre dans un shack, va la chercher. Mais si elle fait la moue, j'm'en lave les mains pis j'la retourne au presbytère.

– T'as raison, pis ça, j'vais l'dire au curé. C'est l'shack ou y s'débrouille avec elle. Si demain, ça marche pas, j'la ramène, Sam. Promis, juré craché!

Piquet était reparti au village dans sa vieille bagnole et, resté seul, Sam regardait sa cabane et s'en voulait d'avoir accepté. Un taudis! Une bicoque pour le vieux solitaire qu'il était devenu. Une mansarde d'une seule pièce avec une poutre au plafond pour sécher ses vêtements, un poêle à bois, une vieille glacière pour sa viande et son lait et une tablette pour ses conserves. Que ça… et ses souvenirs enfouis dans une malle sous son lit. Il avait quitté la ville pour se démunir de tout, après avoir travaillé pendant trente ans comme *shoe shine boy* dans un coin du commerce d'un barbier de la rue Sainte-Catherine. Économies dans un bas de laine, il avait loué le shack pour ne plus le quitter. Économies dans son tronc d'arbre, il vivait des jours paisibles, images du passé fluides dans sa tête, loin du tumulte, loin de tout, loin de Gisèle, sa «grande amoureuse», laissée derrière lui. Et voilà qu'à soixante ans, ancré dans sa solitude, épris de sa cabane, une fille allait partager pour quelque temps l'air pollué de son refuge, sa soupe, ses araignées. Lui qui, le matin même, ne s'était pas levé du bon pied. Lui qui avait maugréé contre une couleuvre de trop dans… sa chiotte.

Chapitre 1

Elle était là, debout devant lui, sa valise à ses pieds. Sam la regarda, se tourna vers Piquet et fronça les sourcils. Ce qui n'échappa pas à la nouvelle venue qui était loin de ce à quoi il s'attendait. Pas très grande, assez dodue, voire grassette, elle portait un tailleur deux pièces d'un bleu azur. Un tailleur de gabardine un peu trop chaud pour le mois de juillet. Elle était brune, cheveux courts et frisés, avait du fard aux joues et portait du rouge à lèvres. Des jambes droites mais robustes et des pieds gras, courts et potelés, dans des souliers de cuir noir à talons cubains. Elle avait les yeux bruns, un nez retroussé, et semblait avoir la peau douce. Et Sam remarqua que la fille de vingt ans avait une… belle croupe. Des hanches fermes, la taille un peu ronde, et des seins qui se retenaient pour ne pas bondir de la blouse blanche qui les renfermait. D'énormes seins comme ceux des femmes qui allaient. Mais des seins fermes, collés l'un contre l'autre, avec la raie en évidence. Elle n'avait rien dit. Elle l'observait, elle affichait un air timide. Mais il l'avait vue regarder de travers la cabane qui allait l'abriter. Sans rien dire, mais avec, dans le regard, une espèce de dégoût qu'elle avait eu peine à dissimuler. À cent pieds plus loin, d'un coin de la fenêtre, la veuve épiait la scène d'un œil sournois. D'un œil presque malsain, car cette «grosse fille» venait lui barrer le chemin. C'était la première fois qu'une autre femme violait son territoire. Et de surcroît, très jeune, et avec de gros seins.

– Sam, j'te présente Pauline Pinchaud, la fille dont j'te parlais...

Une présentation on ne peut plus sommaire. Piquet ne savait que dire, bloqué par le visage de marbre de son voisin de la butte. La fille tendit la main, offrit un doux sourire et marmonna:

– J'suis contente de vous rencontrer, Monsieur... Monsieur?

Sam lui donna une rude poignée de main et dégoisa d'un seul trait:

– Ici, y'a pas d'monsieur. Mon nom, c'est Sam, toi, c'est Pauline, et pas d'cérémonie. Sur la butte, Piquet, la veuve pis moi, on marche au «tu». Même chose pour toi. Ça va?

– Ben certain! J'demande pas mieux, ça va être moins gênant...

Sam ne la laissa pas poursuivre et reprit là où il en était:

– Mon shack, c'est ça! Tout en bois, une seule pièce, avec un sofa pour toi. Pas d'électricité, pas de téléphone, un tiroir de bureau, trois supports pour ton linge. Une pompe pour l'eau, une grande cuve pour le bain et la bécosse dehors. T'as sûrement vu mieux qu'ça en ville...

Elle souriait, avait croisé les bras, ce qui avait incité Sam à s'interrompre.

– J'savais tout ça: Piquet m'a tout décrit. Y'a pas d'surprise pour moi, pis ça va m'arranger pour l'instant. Merci de m'héberger, Monsieur, pardon, j'veux dire... Sam. J'serai pas dans tes jambes longtemps. Juste le temps de m'virer d'bord, de voir ce que l'curé va m'trouver. J'peux-tu rentrer maintenant? En plein soleil avec mon costume à manches longues…

Sam, à son tour gêné, désespéré, placé devant le fait accompli, lui ouvrit la porte qui grinça, et ne se donna même pas la peine de prendre sa valise. Elle la souleva elle-même comme s'il se fut agi d'un oreiller. Pétante de santé, Sam remarqua qu'elle était, de plus, robuste, costaude, avec de bons bras, de bonnes mains et d'assez gros doigts, même s'ils étaient atténués par un vernis à ongles. Piquet avançait, reculait, regardait ailleurs pour éviter le regard de l'ermite. Il craignait encore, il avait peur qu'à la dernière minute… mais Sam lui lança:

— Ça va, Piquet, on n'a plus besoin d'toi. Tu peux rentrer, ta part est faite, j'me charge du reste.

Le petit homme s'éloigna, jugeant qu'il en avait pour son compte, et, à mi-chemin, l'écho le servant bien, il entendit Sam dire à son invitée:

— J'te parlais de la cuve pour le bain mais, en été, y'a le lac. L'eau est bonne, pas trop froide, et c'est là que tout l'monde se lave.

La porte à la moustiquaire trouée refermée, Sam se rendit compte que la fille examinait la pièce dans laquelle elle serait confinée. D'un seul coup d'œil, elle avait tout vu. Tant de choses les unes sur les autres, la table pas nettoyée, les mouches autour des tasses et une chenille qu'elle écrasa du pied. Ce qui fit dire à son hôte:

— Si t'as pas peur d'user tes semelles, t'as pas fini! Une chenille attend pas l'autre, les fourmis sont chez elles, pis y'a des araignées, des mouches noires, des maringouins. C'que tu vois, c'est c'que j'ai. C'est pas très invitant…

Elle s'était retournée, lui avait souri, pour ajouter très gentiment:

– Quand j'aurai fait l'ménage, tu r'connaîtras plus rien.

– J'ai pas demandé ça en échange au curé. J'ai rien demandé. J'ai accepté de rendre service. T'auras pas à t'morfondre...

– J'vais quand même pas rester les bras croisés. J'ai déjà vu pire, tu sais.

– Ça m'surprendrait, mais tu feras bien c'que tu voudras, moi, j'demande rien. Comme j'ai pas les moyens de t'payer en argent...

– Y manquerait plus qu'ça! Tu m'héberges, tu m'nourris, c'est ben assez! Quand j'pense que ma propre sœur...

– Tu m'raconteras ta vie demain si tu veux bien. T'as eu une dure journée, t'es fatiguée. On va souper, tu vas t'installer, t'en as pour la soirée.

Pauline avait encore souri et Sam remarqua qu'elle avait les dents blanches.

– Tu pourras prendre deux tiroirs du bureau si tu veux. J'ai juste des *overalls* dans celui du bas. Pis, si t'as besoin d'un autre support pour ton linge, la veuve en a sûrement un de trop.

– Pour c'que j'ai dans ma valise, ça ira. J'ai pas grand-chose, tu sais. J'ai jeté toutes mes guenilles, j'ai gardé juste c'que j'avais d'mieux. Ça faisait longtemps que j'travaillais pas. C'est pour ça que j'me suis retrouvée chez ma sœur. Pis, là...

– Garde ça pour demain, j'veux rien savoir ce soir. Pis, t'as pas à m'conter ta vie, Pauline. J'suis pas ton confesseur, j'donne juste un coup d'main.

– T'as raison, mais demain, si tu veux... Faut quand même que j'm'explique.

– Tu dois avoir faim? As-tu mangé quelque part avant d'arriver ici?

– La servante du curé m'a servi une soupe pis une sandwiche, mais c'est rendu loin à c't'heure-ci. J'mangerais ben, c'est certain.

– Tu sais faire la cuisine?

– J'me débrouille pas mal. Pas une experte, mais j'ai des connaissances.

– Ce soir, j'ai des bines, des œufs, du pain croûté. Tu peux faire une omelette sur le p'tit rond que j'chauffe à l'huile à lampe?

– Ben, si tu m'montres comment ça marche, oui. J'connais pas ça, ce p'tit poêle-là.

– Pas surprenant, c'est moi qui l'ai patenté. Ça m'sert pour l'été; l'hiver, j'ai l'poêle à bois. Pis, la plupart du temps, l'été, j'mange froid.

Pauline avait retiré le veston de son tailleur et Sam remarqua que sa blouse blanche était très propre et bien… remplie. Pour une fille de la ville, Pauline avait tout ce que ça prenait pour être une rude fille de la ferme. Du genre à porter dix enfants et à être, de plus, la nourrice de plusieurs autres. «Une fille forte. Une brave fille», songea-t-il. «Et bien tournée à part ça.» Et Piquet qui lui disait qu'il n'aurait qu'une bouche de plus à nourrir… À voir ses rondeurs, c'était plutôt un ventre qu'il aurait à remplir. «Ça doit manger comme un bœuf, une fille comme ça!» craignait-il.

Elle avait cuisiné, puis mangé normalement. Pas plus que lui, pas moins non plus. Elle semblait chercher le dessert, du «sucré» sans doute. Il s'excusa, il n'avait rien d'autre que de la confiture pour l'instant. Ce à quoi elle fit honneur sur un gros morceau de pain enduit de beurre.

– Ce soir, pour te laver, j'peux pas tellement t'accommoder. L'hiver, c'est la cuve; l'été, c'est le lac. Y'a quand même la serviette pis l'eau d'la pompe.

– Ça peut attendre à demain. J'irai au lac comme tous les autres. J'ai mon costume de bain.

Pauline ouvrit sa valise et en retira quelques jupes, quelques blouses, une veste de laine, des sandales de plage, un maillot de bain noir, et une petite mallette à cosmétiques. Elle se servit d'un cintre pour son tailleur bleu et sa blouse blanche, «son linge du dimanche», selon elle, et utilisa l'autre cintre pour ses jupes et ses blouses. Un soutien-gorge, des culottes et des bas allèrent au tiroir désigné pour elle, et un imperméable trouva place dans celui partagé avec Sam. Comme produits de toilette, pas beaucoup. Un tube de rouge à lèvres, un fard à joues, un flacon de parfum, une bouteille de vernis à ongles, un savon parfumé, une brosse à dents, un dentifrice et un rasoir pour s'épiler les jambes. Dans son sac à main, un peigne, une brosse, un petit miroir, des photos, quelques papiers et un tout petit réticule. Elle avait tout vidé sur la table, faisant mine de tout replacer dans son sac. Elle voulait que Sam voit de ses yeux le peu de choses qu'elle possédait.

– T'es arrivée à Saint-Lin avec un peu d'argent? osa-t-il.

– Oui, cinq piastres, mais y m'en reste juste trois. J'ai dû en donner deux à l'habitant qui m'a emmenée de Saint-Lin jusqu'à Saint-Calixte. J'ai essayé de l'marchander, mais y'a rien voulu savoir. Je sais qu'y m'a volée, mais c'était ça ou j'restais sur le trottoir.

Sam n'avait pas répliqué. Mal à l'aise pour elle, en peine pour lui, il savait qu'il aurait à débourser pour ses moindres besoins. Lui, sans cesse dans l'insécurité, lui, devenu pingre avec le temps, lui, qui allait rarement dans son tronc d'arbre. Une fois par mois, en hésitant chaque fois.

La noirceur avait fini par éteindre la lumière du jour. La lampe à l'huile éclairait la cabane. Une seule lampe, mais suffisante pour ce modeste réduit. Sam avait dépassé son heure. Couché tôt, levé tôt, il ne savait comment faire le pas jusqu'à son lit. Elle était là, aucune tenture ne séparait le grabat du sofa. De son côté, elle attendait, gênée, de peur d'être impolie.

– Tu sais, Pauline, y'a pas d'rideau entre le sofa pis moi. Tout s'est passé si vite… Peut-être que demain…

– J'en ferai un avec un drap si ça t'arrange, mais moi, ça m'dérange pas, Sam.

– C'est que… heu… seul, j'ai l'habitude, j'ai… j'veux dire…

– T'as l'habitude de coucher tout nu? Et pis après? Fais comme si j'étais pas là, Sam. Change pas tes manies pour moi.

Affichant un certain respect, Sam se dévêtit dos à elle. Une fille sous son toit… lui, nu comme un ver… Il se fit très discret, mais il sentait qu'elle l'observait. Glissé sous la couverture sans s'être exposé, il put, à son tour, la voir se déshabiller. Sans la moindre gêne, elle avait tout enlevé pour ne garder que sa culotte. Elle savait qu'il la regardait et prolongeait, de gestes lents, le moment de se couvrir de la courtepointe du divan. Mine de rien, il lui avait souhaité «bonne nuit», pour l'entendre lui répondre: «toi aussi». Mais il avait été remué. Elle était si belle dans sa presque nudité. Si belle, si fraîche, comparée à… la veuve. Un frisson, une brève pulsion, et il lui tourna le dos pour s'endormir… «au plus sacrant». Elle, repue, inconfortable sur ce divan, tourna de bord maintes fois. Songeuse, elle revivait sa journée, son long chemin jusqu'à ce shack, le mépris de sa sœur, le rejet du beau-frère. Sur le mur, une bestiole s'agitait. Pauline se couvrit la tête de sa couverture. Encore éveillée au milieu de la nuit, aux prises avec des crampes provoquées par les fèves au lard, elle se retenait en se serrant les fesses, pendant que lui, endormi dur... pétaradait.

Levée très tôt, Pauline s'était empressée d'enfiler une jupe, une blouse, et de se rendre, pieds nus, jusqu'aux toilettes rudimentaires. Elle se bouchait le nez d'une main, chassait les mouches de l'autre. Mais, pour ce que la nature exigeait, qu'importait l'endroit. «Pas pire que les gars dans l'armée», se disait-elle. Elle revint vite, pressant le pas, pour être à distance de ce putride endroit. Elle qui, une semaine plus tôt, tirait encore la chasse d'une toilette moderne. Juste avant que la dame chez qui elle logeait se rende compte qu'elle avait subtilisé l'un de ses rouges à lèvres. Ce qui lui avait valu un renvoi sans lettre de références, il allait de soi. Ce qui l'avait amenée, sans y être invitée, chez sa sœur... bien-aimée.

Sam enfilait son caleçon lorsqu'elle entra dans la cambuse. Elle détourna les yeux pour ne pas le gêner, et le brave homme sauta vite dans son pantalon. Torse nu, braguette déboutonnée, il lui demanda comme pour rompre la glace:

– T'as bien dormi? Pas trop dépaysée, ce matin?

– J'ai dormi comme une marmotte, mentit-elle, et j'ai trouvé la bécosse.

– Rien pour ouvrir l'appétit là-dedans, mais que veux-tu, c'est primitif ici. Piquet, la veuve pis moi, on est habitués, mais toi...

– J'vais m'y faire, crains pas. On va pas là pour faire sa vie, ajouta-t-elle en riant.

Sam lui avait souri. Affectueusement souri. Pour la première fois.

– Tu veux déjeuner, Pauline? Tu bois du café?

– Non, juste du thé avec du sucre. Le café, c'est pas bon pour les nerfs.

– À ta guise. Fais bouillir l'eau et, pendant c'temps-là, j'vais aller dehors rôtir des toasts sur ma grille à charbon. Tu aimes les toasts? J'ai encore des œufs si t'aimes mieux…

– Non, des toasts avec d'la confiture. J'en prendrais quatre si c'est pas trop.

– C'est correct, te gêne pas. Faut bien manger pour avoir des forces. J'ai aussi du sirop d'érable si t'aimes mieux ça.

– Là, tu parles! Moi, plus c'est sucré, plus ça fait mon affaire.

Pauline fit bouillir l'eau sur le drôle de rond de poêle «patenté», pendant que Sam s'occupait des rôties. Quatre pour elle, deux pour lui. Son pain croûté venait d'en prendre un coup. Elle mangea avec appétit, trempant ses rôties dans le sirop d'érable. Un bol à soupe de sirop! Étonné, Sam songea qu'à ce rythme-là, son gallon allait vite voir le fond. Sa chemise enfilée, il se rendit chez Piquet qui, chaque matin, descendait au village.

– Salut, Piquet. Déjà prêt à t'rendre au village?

– Sam! Content de t'voir! T'as l'air en forme! Pis, comment ça va avec la fille?

– Pas trop mal. Un peu dérangeante, parce qu'à force de vivre seul… mais avenante. Heureusement que c'est pas pour longtemps. À deux, on étouffe dans ma cabane.

La veuve qui buvait son café n'avait rien dit. Sourire en coin, elle observait l'ermite. Mal à l'aise, se craquant les jointures, il lui avait murmuré:

– Faudra qu'tu fasses sa connaissance, Charlotte. Elle est aimable, tu sais.

La veuve le fixa dans les yeux et lui répondit sèchement:

– Pas intéressée, Sam. J'ai rien à voir avec elle. J'veux pas l'avoir dans les jambes!

– Aie! Qu'est-ce qui t'prend? lui lança Piquet d'un ton maussade.

– La grosse, c'est votre problème, pas l'mien. J'me suis mêlée de rien, moé!

– Voyons, la vieille, entre femmes…

– Appelle-moi pas la vieille, Piquet! Commence pas ça, toé!

– Alors, appelle-la pas la grosse, compris? C'est Pauline qu'elle s'appelle! Et pis, c'est une pauvre fille, une créature du bon Dieu, la veuve. Tu pourrais t'en faire une amie si t'étais moins maline. Tu pourrais même la traiter comme ta fille…

– J'y tiens pas, Piquet! Que Sam s'en charge! Y'est assez vieux pour être son père!

– Bon, bon, si c'est comme ça, j'resterai dans mon shack avec elle! tonna Sam à l'endroit de la veuve. D'la chicane, j'y tiens pas! Pis, oublie pas que c'est Piquet qui m'a forcé à la prendre, cette fille-là!

La veuve se fit doucereuse. Sournoise, elle tenta de calmer «ses» deux hommes.

– Pas si fort, elle risque de nous entendre. On est pas à des lieues d'elle…

– Dans ce cas-là, parle plus jamais contre elle, lui rétorqua Piquet. Tâche de comprendre! On est juste quatre sur la butte, pis elle est pas là pour dix ans, batêche! Si c'est parce qu'elle est dans tes jambes à cause de Sam, y'aura juste à venir icitte de temps en temps. Tu comprends? J'irai bûcher du bois pendant que ça s'passera. Ça t'convient-tu, la veuve?

Charlotte n'avait rien dit. Elle s'était contentée de sourire en regardant Sam de la tête aux pieds. Bien sûr, que ça l'arrangeait. Ce qu'elle avait craint, c'était d'être privée de Sam pour ne coucher qu'avec Piquet. Depuis le temps qu'on se la partageait…

– T'as besoin de petites choses au village, Sam?

– Ouais… c'est certain, avec elle… J'ai pas de provisions enterrées, moi. J'suis pas un écureuil, j'ai rien prévu…

– Tu veux quoi? T'as fait une liste?

– Non, j'le sais par cœur. Rapporte-moi du pain frais, du beurre, des boîtes de soupe aux pois, du foie de porc, pis une livre de bœuf haché. Ajoute aussi trois grosses bières et demande à Gaudrin de mettre ça sur mon compte. J'irai l'payer à la fin du mois.

– Rien d'autre? T'es certain?

– Heu… peut-être deux ou trois p'tits *cup cakes* au chocolat et une bouteille de *root beer* Hires. C'est pour elle, j'ai remarqué qu'elle aimait le sucré. Pis, si c'est encore à cinq cennes, achète-lui une Cherry Blossom pour la soirée.

La veuve avait souri de ses dents jaunes et cariées. Ses dents du bas, puisque celles du haut avaient été enlevées. Et comme elle avait une sainte horreur du dentier… Piquet partit dans sa bagnole, Sam rebroussa chemin, et la veuve, restée seule, les yeux remplis de haine, flattait son gros chat noir. Malgré l'accord de Piquet, Sam n'était pas resté pour faire… la chose.

De retour dans son shack, le vieil homme chauve resta éberlué. Pauline, vêtue d'un short rouge et d'un *alter top* sur les seins, s'était affairée au ménage. Sam n'avait pas remarqué ces pièces de vêtements dans ses bagages. Bien en chair, provocante, la fille, grimpée sur un tabouret, époussetait les bords des fenêtres. La table avait été lavée, la vaisselle propre rangée dans une cuvette. Ça sentait presque bon avec la moisissure sous le savon. Elle s'était débrouillée sans rien lui demander. Elle avait confectionné des torchons à l'aide d'une vieille taie d'oreiller. Elle avait même fait du savon en délayant de la pâte à raser qu'elle avait trouvée dans la petite boîte ronde sous le blaireau. Et elle lui avait dit en souriant:

— Demain, faudrait qu'tu m'achètes du savon en poudre et une bouteille d'eau de Javel. J'ai pas voulu prendre la barre de Palmolive, on en aura besoin pour nos mains.

— T'en fais pas, j'en ai une autre dans mon tiroir. Parlant d'laver, ça t'dirait de descendre au lac après-midi? L'eau est plus chaude que l'matin. Tu pourrais t'baigner, faire ta toilette…

— Ben certain, ça m'fera du bien. Tu vas venir avec moi, Sam?

— J'y vais deux fois par semaine. Le mercredi et le dimanche.

— Oh! mon Dieu! C'est dimanche, Sam! Et j'suis pas allée à la messe! Qu'est-ce que l'curé va dire? Après tout ce qu'il a fait pour moi…

— T'en fais pas, j'lui expliquerai, j'lui dirai que t'étais mêlée dans tes journées.

— Pis toi? Tu vas pas à la messe? Pis l'vieux pis sa bonne femme?

— Moi, j'crois pas en Dieu. Ça fait trente-cinq ans que j'me traîne plus dans les églises. Piquet est allé, y manque jamais sa messe. La veuve y va de temps en temps, mais quand ça lui tente pas, elle fait dire au curé qu'elle a une crise de rhumatisme. Surtout quand y pleut, ça passe mieux.

— Pourquoi tu crois pas en Dieu, Sam?

– Ça, c'est d'mes affaires. J'ai pas envie d'en parler. C'est personnel.

– Excuse-moi, j'voulais pas être curieuse, j'voulais pas fouiner…

– Je l'sais, j't'en veux pas, mais on a d'autres choses de mieux qu'ça à parler. J'paye quand même ma dîme pis mon banc, même si j'suis jamais dedans. Ça fait l'affaire du curé. Mon argent, c'est plus important qu'mes dévotions pour lui.

– Tu disais qu'on avait d'autres choses à parler… J'espère que c'est pas pour me dire de m'en aller… J'sais que j'dérange, mais…

– Non, c'est pas ça, Pauline. Fais-toi pas d'fausses idées.

– Qu'est-ce que tu voulais dire, alors?

– Bon, ce soir, après l'souper, si tu veux bien…

– Si j'veux quoi?

– J'aimerais qu'tu m'parles de toi, que tu m'racontes ta vie. Hier soir, t'étais déjà prête…

– J'demande pas mieux, moi! J'ai l'goût de t'vider mon sac, mais à une condition.

– Laquelle?

– C'est que tu m'parles aussi de toi, Sam.

La cambuse avait changé d'allure. Sans être coquette, ce qui était impensable, elle était propre, rangée, les effets à leur place. Pauline, à l'aide d'un drap blanc, avait réussi à faire une espèce de tenture qu'elle avait épinglée aux deux pans de mur pour que, de chaque côté, règne une certaine intimité. Ce qui avait plu à Sam, qui se sentirait plus à l'aise pour se dévêtir. Vers deux heures de l'après-midi, alors qu'elle étendait du linge trempe sur des branches d'arbre plutôt que sur la poutre du shack trop haute pour elle, Sam en profita pour enfiler son maillot de bain vert retenu par une ceinture de ratine. Quand elle le vit, prêt pour la baignade, elle décida d'aller enfiler son maillot noir pendant qu'à l'extérieur, l'homme faisait les cent pas. De la fenêtre, elle examinait Sam des pieds à la tête. Crâne lisse et bronzé, quelques cheveux gris en couronne, il avait les traits du mâle viril. Visage plutôt carré avec une mâchoire osseuse, le nez droit, une bouche aux lèvres charnues, les yeux pers, il affichait à peine quelques rides sur sa cuirasse semblable à celle d'un Apache. Assez grand, les épaules larges, les biceps comme ceux d'un bûcheron, il avait le torse bombé, une petite touffe de poils gris entre les pectoraux, et le dos bien cambré. Un tour de taille encore svelte, les fesses juste assez renflées, et les jambes droites et musclées sans aucune varice. Il lui faisait penser à certains lutteurs vieillissants qui avaient gardé un corps ferme. Pas une once de graisse, que du muscle, et une tête qui lui rappelait celle des gladiateurs de son livre d'histoire sainte. Un mâle solide, quoi! Comme certains *truckers* qu'elle avait parfois rencontrés au port. Des *truckers* avec lesquels elle s'était «amusée» sans même leur demander leur âge, alors qu'elle n'avait que treize ans. Scrutant Sam par «derrière» comme par «devant», elle se demandait comment un tel homme pouvait dormir sans femme depuis dix ans. Il avait certes dû, dans son jeune temps, renverser les plus belles filles qui soient, de ses bras jusqu'à… son matelas.

«Me voilà, j'suis prête!» lui cria-t-elle en sortant du shack, vêtue de son maillot de bain noir d'une pièce qui la moulait effrontément. On pouvait même deviner qu'elle avait eu du mal à l'enfiler, puisque Sam ne parvint pas à agrafer le dernier bouton du dos, que ses énormes seins faisaient sauter de l'ourlet chaque fois qu'il y arrivait… ou presque. Elle avait mis ses sandales, apporté une serviette et, dans sa main potelée, le pain de savon légèrement parfumé. Ils descendirent la côte jusqu'au lac Bellevue et, à peine arrivés, Piquet descendit à son tour, maillot trop grand pour lui, la peau et les os, les jambes arquées, les fesses plates. Mais il fallait être indulgent. Piquet avait onze ans de plus que Sam. Et, à bout de souffle, avec sa cigarette au bec, sa bouteille de bière à la main... «Le lac à nous tout seuls!» s'était-il écrié, ravi de partager le bain de «ses voisins». Parce que, parfois, des jeunes du village venaient sans permission s'y tremper le derrière. L'eau était froide. Il fallait y entrer un orteil à la fois. Ce que fit Pauline pendant que, d'un seul coup, Sam avait couru pour plonger dans le creux.

— Viens, Pauline, l'eau est bonne, c'est pire à petits pas. Viens d'un coup sec. Tu sais nager, au moins?

— Oui, un peu, en p'tit chien, en grenouille, mais pas comme toi.

— Viens, j'vais t'apprendre, j'vais te tenir, j'te lâcherai pas.

Pauline avança jusqu'à Sam et, ayant de l'eau jusqu'à la taille, elle se jeta en criant dans ses bras.

Premier contact peau contre peau. Des bras mouillés qui s'agrippaient aux muscles fermes et bronzés de l'homme qui était sa bouée. Ils riaient de bon cœur. Elle nagea comme un chiot et sentit, sur son ventre, la main de Sam qui la soulevait pour la faire nager hors de l'eau.

— Pas comme ça, Pauline. Les bras par-dessus l'eau, des brassées, la tête à gauche, à droite, comme ça, c'est ça...

Et, ce faisant, il avait glissé son autre main sous ses cuisses pour la soutenir en forme de planche. Un geste de travers... elle s'apprêtait à couler et s'agrippa vite à son cou, la tête appuyée sur ses pectoraux. Sam sentit un malaise l'envahir. Les seins de

Pauline étaient pressés sur son ventre et il sentait le genou de la fille, dont le pied ne touchait pas le fond de l'eau, appuyé sur son membre. Il s'en dégagea doucement de peur d'une «levée» soudaine et, pendant qu'elle regagnait la berge, il resta dans l'eau pour camoufler son trouble. Sur une pierre, une bière à la main, Piquet avait observé la scène. Sourire en coin, l'œil vicieux, il s'était délecté du manège. La «grosse fille» l'excitait, même s'il n'était plus aussi «vert» que son confrère. C'était à peine si, avec la veuve, il parvenait parfois à ses fins… après un essoufflant jeu de mains. Pauline prit le pain de savon, s'avança dans l'eau jusqu'au cou et, d'une main habile, fit sa toilette sans qu'on puisse la voir, l'eau n'étant pas très claire. Sam n'avait aperçu que ses aisselles et la naissance des seins lorsqu'elle avait levé les bras. Elle entra la tête sous l'eau, la ressortit pour se laver les cheveux au Palmolive, puis, rincés, elle les dégagea de son front, passa le savon à Sam, et revint, en grelottant, s'emmitoufler dans une serviette. Sam se lava de la tête aux pieds et, même s'il avait retiré son maillot, l'eau, plus grise que transparente, ne dévoila en rien ce qui devait rester caché. Pauline ne vit que son nombril. Sur la pierre, à deux pieds de la fille, Piquet, buvant sa bière, se pencha vers elle et lui chuchota à l'oreille:

— D'habitude, on se baigne à poil, Sam pis moé. La veuve aussi.

— Ah oui? Au fait, elle est où, ta bonne femme? Elle se lave quand, elle?

— D'habitude, avec nous, mais aujourd'hui, ça filait pas, les rhumatismes…

Pauline ne répliqua pas, s'allongea sur le sable et laissa le soleil la sécher tout en lui bronzant la peau. Sam était revenu auprès d'elle. Assis à ses côtés, il la contemplait, lui souriait.

– Ça fait du bien, pas vrai? Une bonne baignade, ça ravigote.

La fille regarda cette main si près de la sienne et demanda:

– Qu'est-ce que t'as au doigt, Sam? Qu'est-ce qui t'est arrivé?

– Quoi? Ça? C'est une blessure de guerre. Une cicatrice au majeur de la main droite que je garde en souvenir de 14-18. J'ai failli le perdre tellement il était fendu. L'infection a failli me le faire amputer, mais on l'a sauvé. Tu vois? On l'a cousu en plein centre, à la verticale. Ça fait si longtemps…

Pauline éclata d'un rire franc. Surpris, Sam lui demanda:

– Qu'est-ce qu'il y a de si drôle? Pourquoi tu ris comme ça?

– Excuse-moi, c'est pas poli, mais on dirait une paire de… de fesses.

Ils rirent de bon cœur tous les deux pendant que Piquet répliquait:

– Oui, c'est son doigt-fesses, le doigt de l'amour, comme il dit.

– C'est vrai, Sam? C'est comme ça que tu l'appelles? insista Pauline.

– Ça ne vient pas de moi, ce nom-là, c'était l'expression de Gisèle.

– Gisèle? C'est qui, Gisèle?

– La «grande amoureuse», celle qui juste avant que j'parte… Ah! et pis, laisse faire! J't'en parlerai quand ce sera à mon tour de vider mon sac.

Pauline et Sam remontaient la côte pendant que Piquet, grisé par sa bière, était encore assis sur la pierre. Du haut de la butte, la veuve lui criait: «Lâche la bouteille pis prends l'savon!» Pauline regarda Sam, éclata de rire, et lui murmura:

– Elle semble en beau joual vert, sa femme.

– Pas sa femme, Pauline, sa concubine.

– En tout cas, elle a l'air bête! Je l'ai croisée ce matin, et c'est à peine si elle m'a regardée. Un bonjour sec, pas de sourire, pis elle est rentrée.

– Bah! laisse faire. Elle est pas malcommode, la veuve. Faut juste l'apprivoiser. Tu vas voir, d'ici deux jours, c'est elle qui va venir à toi. D'ici là, plains-toi pas, parce que, dégênée, elle a d'la gueule à donner un mal de tête. Quand on joue aux cartes, elle parle, parle, elle parle tellement qu'on l'écoute, qu'on la regarde pis, pendant c'temps-là, elle triche. Ah! la vieille bourrique! Pas surprenant qu'son mari soit tombé raide mort! Elle a dû lui faire monter la pression jusqu'à c'qu'il éclate!

Ils rirent de bon cœur et Sam, excité par l'eau, la chaleur, la fille, poursuivit:

– Pis, c'est Piquet qui en a hérité. Y'avait jamais eu d'femme, le pauvre, tu comprends? Une veuve pour le torcher et pour... Bref, tu sais ce que j'veux dire. Pour un vieux garçon laid comme un pichet, c'était l'cadeau rêvé. Un bon gars, cependant, un bon diable, sauf que la bière pour lui, ça passe avant l'pâté chinois. Pas surprenant qu'y soit chétif, y mange pas, y boit!

Ils avaient atteint le shack et, pendant que Sam se rhabillait derrière son drap blanc, Pauline en faisait autant sur son sofa. Sauf qu'à son insu, Sam l'avait aperçue puis observée, par une fente discrète du drap usé.

– T'as aimé ton souper, Pauline? C'était à ton goût?

– Oui. Ton foie de porc était bien grillé, j'ai réussi mon riz à la vapeur malgré ton p'tit poêle qui m'fait peur, pis j'te remercie pour les *cup cakes* au chocolat. C'était pas nécessaire, tu sais. Du pain avec d'la confiture, ça m'sucre le bec autant, pis ça coûte moins cher.

– Bah! Des petites gâteries de temps en temps, ça ruine personne et pis ça fait plaisir.

– C'est à soir que j'te raconte mon histoire? On fait ça où? Pas dehors avec les maringouins pis la chaleur…

– Moi, j'ai pensé qu'ici dedans, détendus, à l'aise…

– Qu'est-ce que tu veux dire?

– Oh! rien de mal, en petite tenue, pas plus. Si tu y vois pas d'inconvénient, j'aimerais ça garder juste mon caleçon. C'est pas pire qu'un costume de bain quand on y pense. Toi aussi, tu pourrais t'mettre à l'aise…

– Ben… pas en sous-vêtements. C'est pas pareil pour une fille.

– Pourquoi tu t'attaches pas un drap autour du corps? Une espèce de robe comme les indigènes dans les films de Tarzan? Tu sais c'que je veux dire? Avec ton savoir-faire, ça pourrait aller et tu prendrais l'sofa pis moi, la chaise berçante.

– Oui, c'est pas bête, mais va derrière ton drap pendant que j'm'arrange comme ça. Mets-toi à l'aise près d'la fenêtre, y'a un coup d'vent qui vient de temps en temps. Ça va nous rafraîchir au moins les bras.

– J'ai une grosse bouteille de bière sur la glace. Ça t'dirait d'en prendre un verre?

– Non, j'aime pas la bière, prends-la tout seul, moi, j'vais m'servir un verre de *root beer.* J'ai vu que t'en avais acheté pour moi. C'est vrai, hein? Tu sais qu'j'aime le sucré, c'est même ma liqueur préférée.

– Comme tu voudras, le temps d'enlever tout ça, de sortir pour que tu t'prépares, pis après, j'prends mon verre pis j't'écoute, ma Pauline.

«Ma Pauline!» La fille resta interloquée. À peine vingt-quatre heures sous son toit et il l'appelait déjà «sa» Pauline. Amusée, heureuse de son effet sur lui, Pauline se disait que ce n'était pas demain la veille qu'il la mettrait à la porte. Il avait beau avoir vécu seul depuis dix ans, elle sentait que sa présence ne lui était pas lourde. Elle sentait que, peu à peu, elle se hissait dans son estime. Pas si sauvage que ça, l'ermite, même si le curé Talbert lui avait dit qu'il était difficile de lui plaire, qu'il était rabougri, grognon. Depuis l'après-midi, depuis la baignade, elle avait senti que Sam ne dédaignait pas sa compagnie. Au contraire, elle était presque sûre qu'il serait déçu si elle pliait bagage le lendemain. Le ménage fait, le shack un peu plus propre, Sam revenait progressivement dans son monde d'antan. Elle le sentait, elle n'était point sotte. C'était un homme! Et elle, une créature de… vingt ans.

Sam poussa le drap et apparut dans sa presque nudité. Vêtu d'un caleçon blanc, un sous-vêtement quelque peu défraîchi. Le curé eut certes trouvé sa tenue indécente. Pas elle. Sûrement pas elle qui en avait vu d'autres. Pas la Pauline que tous les maris de ses patronnes avaient tenté de sauter. Pas la servante de la ville qui avait dû, maintes fois, se plier de bonne grâce aux assauts pour ne pas perdre son emploi et ses gages. Elle le regarda, lui sourit. Quelque peu mal à l'aise, Sam balbutia:

– Ça t'gêne pas, au moins? Est-ce que c'est correct?

– Absolument, voyons donc! On a dit qu'on s'mettrait à l'aise.

– Bon, j'sors pour pas t'gêner, mais j'vais aller en arrière du shack. J'voudrais pas que Piquet m'voit comme ça, encore moins la veuve. Elle jacasse avec le curé, celle-là!

Sam sortit et rampa en vitesse hors de portée de vue de ses voisins. Mais, pas assez vite pour que la veuve, toujours à sa fenêtre, n'ait rien vu. Elle avait tiré son rideau et avait maugréé sans que Piquet s'en rende compte. Sam en petite tenue avec la grosse fille dans son shack, c'était trop pour elle. C'était trop évident. La veuve était furieuse juste à l'idée que, désormais, elle n'allait avoir que Piquet. La «grosse» ne perdait rien pour attendre. Dans sa tête, c'était clair, il fallait que «la» Pauline sacre le camp. Elle ferait tout pour que Sam, repentant, la supplie de revenir dans son lit de temps en temps.

Pauline lui cria qu'il pouvait rentrer, qu'elle était installée. Sam revint en rampant comme il était sorti et, d'un bond, il fit irruption dans le shack en fermant la porte derrière lui. Pauline était allongée, couverte d'un drap blanc dont elle s'était fait un peignoir sans manches. Retenu juste à la hauteur des seins, laissant deviner tous leurs charmes. Le drap qui s'ouvrait sur la cuisse permettait d'entrevoir le début de la fesse. Sam fut conquis mais n'en laissa rien paraître. Il se déboucha une bière, offrit un verre de Hires à son invitée et, assis sur la chaise berçante juste en face d'elle, les jambes écarquillées, il attendit que la belle lui raconte l'histoire de sa pauvre destinée. Les jambes grandes ouvertes. Délibérément! Pour qu'en cours de route, le cas échéant, Pauline puisse deviner... son trouble.

«Mon père est mort lorsque j'avais deux ans. C'est ma mère qui a été prise avec les quatre enfants. J'étais la plus jeune, la moins intéressante...

– Quatre enfants? Tu as donc d'autres frères ou sœurs à part celle de Saint-Lin?

– Oui, mais laisse-moi t'raconter. Tu peux m'poser des questions, mais pas à tout bout d'champ. J'en finirai plus sinon...

– Bon, ça va, j'ai compris. Parle, parle, pis moi, j'vais boire.

«Le plus vieux, Albert, est mort à l'âge de douze ans. Écrasé par le *truck* du laitier. J'étais si jeune, je l'ai à peine connu; j'me rappelle plus de lui. Ma mère est donc restée avec trois filles sur les bras: Berthe, Raymonde et moi. Berthe, c'est la plus vieille, elle est aujourd'hui chez les sœurs. Chez les sœurs de la Providence. C'est la seule qui est instruite dans la famille. C'est elle qui s'occupe de ma mère qui est…

Pauline s'était arrêtée, gênée, mais Sam la sortit vite de l'embarras.

– À l'asile, j'sais. Piquet me l'a dit, le curé l'a informé.

– Bon, puisque tu sais…

– Oui, mais comment ça se fait? Qu'est-ce qui lui est arrivé?

«Elle faisait des crises de nerfs de plus en plus, elle perdait la mémoire, elle la retrouvait. Quand elle était en transe, elle ne savait plus qui elle était. Elle cassait tout dans la maison. Elle était dangereuse. C'est à c'moment-là que Raymonde et moi, on est allées vivre chez ma grand-mère. Mémère Pinchaud, la seule qui nous restait. Berthe s'est occupée d'ma mère jusqu'à ce qu'elle mette le feu dans la maison. Là, les docteurs s'en sont mêlés. On l'a examinée, on l'a déclarée folle, pis on l'a enfermée. Elle est à Saint-Jean-de-Dieu depuis ce jour-là. Elle pique encore des crises, elle cherche à s'enfuir, elle hurle, pis on la calme avec une piqûre. C'est Berthe, la bonne sœur, qui veille sur elle. Elle travaille dans un autre hôpital, j'sais pas où, mais elle va la voir souvent. Et ma mère la reconnaît même pas! Parce que Berthe n'était pas une religieuse quand ma mère l'a vue la dernière fois. Elle s'est réfugiée dans un couvent après, et c'est là qu'on a fait une bonne sœur avec elle. J'suis pas certaine qu'elle avait la vocation, mais, en tout cas, elle est là, elle s'occupe d'la mère et elle ne s'est même pas demandé ce qu'on étaient devenues, Raymonde pis moi, après la mort de mémère. Toujours est-il qu'à l'âge de douze ans, j'étais déjà servante dans une maison. C'est ma tante, la sœur à mon père, qui avait comploté tout ça. Elle m'avait retirée de l'école parce que j'avais redoublé ma cinquième année et que j'étais encore la dernière de la classe. Raymonde a travaillé dans un restaurant, elle a rencontré Léo, ils se sont mariés, pis ils sont venus s'installer à Saint-Lin sur la ferme de son père. C'est là que j'ai échoué avant d'venir ici. Ils n'ont pas voulu d'moi. Pas même pour une semaine! Faut dire que Raymonde et moi, on a toujours été comme chien et chat, mais quand même. Avec leurs quatre enfants, y'avait pas d'place pour moi. Pas même un sofa! J'lui ai dit que j'en avais aperçu un dans l'salon, mais elle m'a répondu d'aller au diable. Elle m'a traitée de chienne, de tout c'que tu voudras, pis j'suis partie. Tu connais la suite.

– Oui, mais avant, de tes douze ans jusqu'à maintenant?

«J'ai toujours travaillé comme servante, mais j'perdais souvent ma place. Des fois, c'était à cause des enfants qui colportaient des menteries à leur mère, des fois, c'était parce que j'étais trop jeune, pas assez propre avec ma vadrouille dans les coins. Une fois, c'était parce que la dame en avait trouvé une pour moins cher que moi, même si j'gagnais deux piastres par semaine. À d'autres endroits, c'était l'bonhomme qui avait les doigts longs. J'avais beau me plaindre aux patronnes: c'était moi qu'on sacrait dehors. J'aurais pu m'fermer, rien rapporter, mais j'étais là comme servante, pas comme fille de chambre pour les gros écœurants! Tu comprends? C'est ça ma vie, Sam, rien que ça! J'ai jamais eu d'chance, j'étais toujours blâmée…

– Mais, pour te ramasser ici, qu'est-ce qui s'est passé?

«Ça, c'est le boutte du boutte! Je travaillais chez une vieille maudite, un de ses tubes de rouge à lèvres a disparu, et elle m'a accusée. J'ai eu beau me défendre, elle l'a trouvé en fouillant dans ma sacoche. J'suis sûre que c'est son grand gars qui l'avait mis là. Je refusais ses avances, il était en joual vert, et il a tout comploté pour que j'perde ma place. Sans référen-ces, avec une étiquette de voleuse, j'aurais jamais été capable de m'trouver une autre place en ville. Sans argent ou presque, j'ai pensé que ma sœur me prendrait, qu'elle m'aiderait à m'placer dans l'coin, mais non, elle a rien voulu savoir de moi, pis son Léo s'en est pas mêlé. Elle m'a même dit en pleine face que j'étais du genre à piquer un rouge à lèvres. Imagine! J'ai juste un tube avec moi que j'ai acheté chez Woolworth. J'ai rien d'autre à dire, Sam. Jusqu'à ce que l'curé me case quelque part.»

Sam était songeur. Il avait été touché par tous les malheurs de la pauvre fille. La pauvre fille avec des yeux de biche qui venait… de lui mentir. La pauvre fille qui n'avait pas osé lui avouer qu'elle avait bel et bien volé le rouge à lèvres de sa patronne et que cette dernière n'avait pas de «grand gars» à elle. C'était l'épouse d'un notaire, une femme du monde sans enfant. Et Pauline avait sauté… plusieurs chapitres. Elle n'avait pas parlé de ses aventures avec les débardeurs du port, de ses nuits avec des *truckers* de passage, de tous ses patrons qu'elle avait satisfaits de bon gré, et des gars pour lesquels elle avait souvent retroussé ses jupes. Elle était là, pantoise, innocente, incitant à la compassion, quand elle aurait dû réciter un acte de contrition. Et Sam, dans sa bonté, lui prêta un mouchoir lorsqu'elle se mit à pleurer.

– T'as jamais eu d'ami sérieux, Pauline? Une belle fille comme toi...
– Tu sais, quand on est servante... J'en ai eu un, mais il m'a laissée pour une autre plus belle et de bonne famille.
– Ça m'gêne un peu de te demander ça, mais, mais...
– Pose toutes les questions qu'tu veux, Sam; ça m'dérange pas.
– Es-tu... es-tu encore vierge, Pauline?
Elle baissa quelque peu la tête comme si elle allait confesser un crime.
– Non, Sam, j'ai eu un ami, j't'e l'ai dit, mais ç'a été sans conséquence. Je faisais attention, j'en avais pas confiance. Pis, j'l'aimais plus ou moins. Mais, pour répondre encore à ta question, non, j'suis plus vierge. J'me suis donnée pis j'sais c'que c'est un homme.

Malgré sa compassion, Sam était soulagé. Il avait souhaité de tout son cœur une telle réponse. Une fille abandonnée, une bonne fille, une pauvre petite fille... sans sa virginité. Il était soulagé d'autant plus que, durant son récit, Pauline dévoilait souvent un sein ou une fesse. Par inadvertance, sans s'en rendre compte, mal drapée dans ce lange froissé. Il avait bu sa bière plus vite que d'habitude. Parce que la fille l'excitait, parce qu'il se sentait presque nu devant elle, et parce que la vue d'un sein l'avait forcé à croiser les jambes.

Dehors, la noirceur avait pris. Sam, la bière aidant, sortit du shack pour un besoin pressant. Sans même se rendre à la bécosse pour ne pas revenir auprès d'elle avec l'odeur de cet endroit infect. Derrière la cabane, sur un arbre, personne pour le voir, pas même la veuve. Quand il rentra, il s'aperçut que Pauline était couchée, mais un très bon arôme avait envahi la cambuse. Son invitée s'était parfumée. Une fragrance de piètre qualité, mais pour un shack, c'était comme la fraîcheur d'un lilas de mai.

– J'suis fatiguée, j'veux dormir; j'ai trop parlé, ça m'a secouée.

– J'vais en faire autant. Dors bien, Pauline, fais de beaux rêves. Demain, si tu l'veux encore, j'te raconterai mon histoire. Tu veux bien?

Aucune réponse, la fille s'était endormie ou faisait mine de l'être. De peur de la déranger, de troubler son sommeil, Sam se glissa sur la pointe des pieds jusqu'à son grabat derrière le «rideau» blanc. Couché, le regard dans le vide, il se demandait ce qui lui arrivait, ce qu'il ressentait soudainement. Cette fille, cette intruse d'à peine deux jours, venait de le troubler dangereusement. Les yeux sur le mur où une araignée grimpait, il la revoyait dans l'eau, il la revoyait sur le sofa, il revoyait ce sein duquel était tombé le drap et, haletant, Sam ferma les yeux, non pas sur une pulsion, mais en proie à une violente… érection.

Chapitre 2

La nuit avait été brève pour Samuel Bourque. Il s'était réveillé à maintes reprises, agité, avec de la sueur dans le dos, juste à penser, chaque fois, qu'à quelques pieds de son grabat, dormait celle qui lui causait de tels effets. Il étirait parfois le drap qui servait de cloison entre elle et lui. Pour tenter de l'apercevoir ou, du moins, de la discerner dans le noir. Mais en vain. Il n'entendait que le souffle de celle qui dormait comme un loir. Il distinguait à peine la silhouette de la fille potelée, même si le vent qui traversait la moustiquaire soulevait parfois le drap dans lequel elle s'était enroulée. Il aurait voulu la voir, la regarder, la contempler de ses yeux grand ouverts, alors que les siens étaient clos. En vain. Et ce, jusqu'à ce que les premières lueurs du jour éclairent le shack et que, se réveillant pour la cinquième fois, il eut la joie de la voir de dos, les fesses rondes en évidence, le drap qui la couvrait ayant glissé jusqu'aux mollets. Et Sam la contempla pendant une heure sans qu'elle ne bouge. Comme la femme nue et inerte d'une toile de Gustave Courbet qu'il avait vue dans un livre. Une femme vue de dos, grassette, dodue, à la chair tendre tout comme elle. Un soupir, un bras qui s'étire, et au moment où Pauline allait offrir à sa vue le revers de son corps grassouillet, Sam tira vite son rideau, ferma les yeux, et fit mine de ronfler de peur d'être surpris dans un désir charnel. Il ne voulait pas que la fille sente qu'il la désirait. Il ne voulait pas qu'elle se rende compte du tourment qu'il vivait. Il ne voulait pas, de peur de l'avoir longtemps… «sur les bras». Il craignait pour son argent, le tronc d'arbre n'étant pas creux. Et il avait peur de perdre la face au moindre brin d'audace, lui, si vieux, elle, si jeune. La veuve lui avait dit qu'il était en âge d'être son père, et Sam, plus fort que Charlotte en calcul, savait fort bien qu'il était possible, à soixante ans, d'être le «grand-père» d'une fille de vingt ans. «Trois fois son âge…» se disait-il. Même si ses pulsions, mêlées aux bas instincts, lui répondaient qu'il n'y avait pas d'âge pour deux corps, deux peaux, qui s'effleurent d'aise… reins à reins.

Elle s'était levée la première. Il avait fait mine de dormir jusqu'à ce qu'elle sorte pour griller ses quatre rôties sur la plaque à charbon. Il s'était rapidement levé, habillé, juste au moment où l'eau bouillait dans le «canard» sur le fichu rond du petit poêle… maison. Elle était entrée au même moment et, voyant Sam retirer la bouilloire, elle lui sourit et lui lança très gentiment:

– Pas nécessaire, j'allais l'faire.

Il lui rendit son sourire, la regarda sortir les tasses, prendre le pot de café, un sachet de thé pour elle. Déjà, Pauline était familière avec le rituel.

– Tu veux des toasts? lui demanda-t-elle. J'suis en train d'rôtir les miennes.

– Ben… si y'a encore d'la place, tu peux aussi rôtir les miennes.

«Si y'a encore d'la place», avait-il dit. Comme pour lui laisser savoir que quatre rôties chaque matin, ça réduisait au quart, en deux jours, un pain. Pauline n'avait pas saisi la remarque. Naïve, elle avait cru qu'il ne parlait que de la dimension de la plaque avec le «si y'a encore d'la place». Sans en saisir le double sens. Elle mangea de bon appétit, même si Sam n'avait pas mis le sirop d'érable sur la table. Il lui avait offert un autre pot dont le couvercle était rouillé en lui disant: «Tu vas voir, le sirop de blé d'Inde, c'est encore plus sucré.» Sans oser ajouter que c'était meilleur marché et que c'était Piquet qui le lui avait donné parce que la veuve ne l'aimait pas. Pauline s'en délecta, même si le sirop, figé depuis longtemps, sortait du pot comme de la tire. En autant que c'était sucré! Si sucré qu'elle crut même que Sam voulait à tout prix la choyer. Un copieux déjeuner, un rot pour lequel elle s'excusa, et, sourire aux lèvres, elle lui demanda:

— Ça te dirait d'aller te baigner à matin? Tout de suite si tu veux bien!

— À huit heures? Tu y penses pas! L'eau est froide, on va geler comme des rats! Et pis, on s'est lavés hier, toi pis moi.

— Moi, c'est chaque jour que j'me lave, Sam, pas deux fois par semaine. Y fait chaud la nuit, on sue, on... Quand on est propre...

Il avait compris. Elle s'était arrêtée avant de dire: «on pue». Et elle avait raison. Il lui fallait être plus propre le temps qu'elle serait là. Seul, ça pouvait passer, mais avec elle dans son shack, à deux dans ce réduit, ils n'étaient pas souvent à distance l'un de l'autre. Et puis, s'il fallait que l'un de ces jours, impulsivement, abruptement... Pauline Pinchaud, peau fraîche et jeune, c'était loin d'être... la veuve.

— Moi, l'eau frette, ça m'dérange pas. J'dirais même que ça m'réveille!

— L'eau froide, Pauline, pas «frette». T'es quand même allée à l'école...

– Pas longtemps, Sam, pas assez pour perdre tous les mots d'ma mère. Mais pourquoi tu m'reprends? T'es plus instruit, toi?

– Pas tellement plus, une septième année, mais ça fait dix ans que j'ai le nez plongé dans le dictionnaire. T'as vu mon gros Larousse sur la tablette? C'est avec ça que j'apprends. J'parle pas comme un maître d'école, mais j'me corrige de jour en jour. Je lis, je retiens, je trouve des mots corrects. J'veux quand même pas qu'tu penses que j'ai la langue comme celle de Piquet. On lui a rien mis dessus, lui. C'est moi qui lui ai appris à lire et à compter. Avant, y savait juste écrire son nom en lettres carrées.

– Parlant de lui, Sam, c'est pour ça que j'voudrais aller me baigner à matin. J'aimerais y aller juste avec toi. Pas que je l'aime pas, Piquet, c'est un bon vieux, mais sa bière, sa grosse roche, sa gueule qui s'arrête pas… Pis sa façon de m'regarder avec ses p'tits yeux vicieux. J'suis pas sa bonne femme, moi!

– C'est peut-être ça qui l'agace, Pauline.

– Qu'est-ce que tu veux dire?

– Ben… la veuve… avec la peau pis les os…

Ils éclatèrent de rire et Sam, heureux de constater qu'elle ne le voyait pas du même œil qu'elle voyait Piquet, accepta sans se faire prier d'enfiler son maillot et de descendre au lac avec elle. Et c'est avec le «flic flac» de ses sandales de plage que Pauline le précéda dans la côte, sa serviette sous le bras, son savon parfumé dans la main.

La veuve avait tout vu de sa fenêtre. Piquet aussi.

– Ça parle au diable! s'écria le petit homme. Sam au lac à c't'heure-citte!

La veuve, poussant du pied le chat qui tentait de grimper sur elle, ajouta:

– Tu vas voir! Elle va en faire c'qu'elle veut, la grosse brunette!

– Tu penses qu'y a anguille sous roche, la vieille?

– Toé! Encore une fois «la vieille», pis j'te casse tes dents croches!

– Choque-toé pas, j'fais pas exprès, ça part tout seul, j'y pense pas…

– Ben, penses-y, Piquet! C'est Charlotte ou j'prends la porte!

Le petit homme n'osa rien dire. La veuve semblait sérieuse. Irritable depuis quelques jours, colérique même, quand elle voyait Sam avec l'étrangère. «Qu'est-ce qu'un homme f'rait pas pour d'la chair molle…» susurra-t-elle, pour ensuite ajouter, regardant Piquet droit dans les yeux:

– Toé pis tes idées! Tu pensais qu'ça l'ferait enrager d'héberger la grosse fille? Regarde astheure! Regarde, Piquet! Le vieux snoreau est tombé sur la tête!

Pauline se baignait, se lavait et turlutait en grelottant. Sur les conseils de Sam, elle s'était jetée à l'eau d'un coup sec. Comme lui, qui, avec la peau aussi coriace que l'écorce du chêne, ne sentit pas le froid lui glacer les veines. Pas de leçon de natation, ce n'était guère le moment. Pauline se savonna à un rythme effarant, pour ensuite sortir de l'eau et s'enrouler dans sa serviette en tremblotant. Sam resta quelques minutes de plus. Le temps requis pour se délivrer de la sueur… de la nuit. Mais cette eau froide, la fille aux mollets ronds et blancs… Quelques minutes de plus et une nage lente jusqu'à la rive pour retrouver un état «passable». Les rayons d'un soleil à peine éveillé n'avaient pas encore la force requise pour lui sécher la peau. Et ses muscles ruisselants dégageaient le doux arôme du savon parfumé de Pauline.

– On r'monte, Sam? C'est pas tout à fait l'heure des coups d'soleil.

– Comme tu voudras, Pauline. Un autre café me fera pas de tort.

Ils remontèrent rapidement, évitèrent de regarder chez Piquet sachant que la veuve observait, et regagnèrent la cambuse à grands pas.

– Dis-moi pas que tu t'sens pas mieux après ça! lui lança-t-elle, tout en s'écrasant sur le sofa.

– Oui, le matin, de bonne heure, ça réveille, t'as raison. Pis, maudit qu'ça sent bon! Toi, ton savon, faudra en faire provision.

Comme s'il n'était pas là, sans même lui demander de sortir, Pauline enleva son maillot pour enfiler sa culotte, son soutien-gorge, son short rouge et son *alter top*. Sam était décontenancé. Elle avait fait cela devant lui tout en jasant. Comme un couple qui vit ensemble depuis longtemps. Était-ce par mégarde? Était-ce volontairement? Sam ne savait trop que penser, mais elle n'avait pas bronché lorsque, nue devant lui, il l'avait regardée de la tête aux pieds. Il croyait avoir rêvé, et pourtant, c'était sans scrupule qu'elle s'était dévêtue puis habillée sous ses yeux. Pour se rassurer, il osa, tout comme elle, retirer son maillot sans tirer son «rideau». Avec des gestes lents, en lui parlant, en se séchant les fesses, le pénis droit devant elle. Pauline ne baissa pas les yeux. Le peigne dans ses cheveux courts, elle tentait de démêler quelques boucles tout en gardant les yeux posés sur lui. Sans rien dire, sans être intimidée. Et c'est là qu'il comprit qu'ils n'auraient plus à feindre une pudeur désormais. Il entrevoyait même le moment où le drap qui servait de tenture retrouverait son tiroir. Ils s'étaient vus, ils s'étaient exposés de façon flagrante l'un à l'autre, et ils n'avaient pas bronché. Ni l'un ni l'autre. Sam en était ravi. Il avait même réussi à contrôler les papillons qui avaient quelque peu taquiné sa gêne. Sans même apercevoir, dans les yeux noirs de Pauline, la flamme qui scintillait sous les charbons.

Il avait fait réchauffer l'eau de la bouilloire, il s'était préparé un autre café, pendant qu'elle enduisait ses ongles d'orteils d'un vernis rouge dont l'odeur envahissait la pièce.

– Qu'est-ce qu'on fait aujourd'hui, Sam? Je continue le ménage?

– Moi, j'donne pas d'ordres, Pauline. Je te l'ai dit, tu fais c'que tu veux quand ça t'plaît. Ici, t'es pas une servante, t'auras pas d'commandements. T'es une invitée, Pauline, jusqu'à ce que l'curé…

Il s'était tu. Subitement. À l'aube du troisième jour, déjà, Sam avait peine à terminer sa phrase. S'il fallait que le curé… En plein préliminaire!

– Tu veux que j'te parle de moi? Que j'te raconte mon histoire?

– Oui, mais pas maintenant, Sam. J'aimerais mieux t'poser des questions si ça t'dérange pas. Y'a des choses qui m'chicotent…

– Alors, vas-y, pose-les, tes questions, j'ai rien à cacher, j'suis prêt à t'répondre.

– Ce qui m'chicote, c'est comment tu fais pour vivre ici après avoir connu la ville, après avoir vécu parmi l'monde…

– C'est un choix que j'ai fait, Pauline. Vient un temps où on en a assez du bruit, du tapage, d'la vie nocturne, des sorties, de toutes ces folies. Ici, j'ai trouvé la paix, la nature sauvage, la santé. J'ai…

– Pourquoi Piquet t'appelle l'ermite? Qu'est-ce que ça veut dire?

– Un ermite, c'est un homme qui vit dans la solitude, dans un lieu écarté, un homme qui se retire du monde. C'est moi qui l'ai appris à Piquet. Quand j'suis arrivé ici, y m'a demandé: «Tu veux vivre en sauvage?» Et j'avais répondu: «Non, en ermite.» Et le nom m'est resté. Pas pour tout l'monde, juste pour Piquet de temps en temps. Au village, c'est Sam qu'on m'appelle. Sam pour Samuel, tu comprends? Mais un ermite, c'est pas un moine, Pauline. Autrefois, y'avait des religieux qu'on appelait des ermites, mais dans mon cas, ce serait drôle; j'crois même pas en Dieu!

Sam éclata de rire et poursuivit:

– T'en fais pas, Pauline. J'ai pas d'bâton ni de grande cape avec un capuchon. J'ai juste choisi de vivre dans la solitude, dans la paix totale.

– Mais comment tu fais, Sam? Pas d'électricité, pas d'eau courante, t'aurais pu trouver mieux, non? Tu peux même pas écouter d'la musique. Qu'est-ce que tu fais d'ton temps? T'as connu tout ça avant?

– Oui, mais j'm'en passe, astheure. La musique, ça m'intéresse pas; la radio, ça casse les oreilles. J'aime lire, apprendre, manger, dormir…

– Lire? T'as même pas d'lumière! Juste la lampe à l'huile…

– C'est meilleur pour les yeux. Tu vois? J'porte même pas d'lunettes.

– Mais tu lis quoi, Sam? J'ai pas vu d'livres, pas même un journal.

– Le journal, j'laisse ça à la veuve. Elle le lit et Piquet me colporte toutes les nouvelles. Et tu penses que ça m'intéresse, c'qu'on lit dans le journal? Rien qu'des choses pour te mettre à l'envers! Moi, le premier ministre du Canada, ça m'intéresse pas. Mackenzie King ou Louis Saint-Laurent, y sont juste là pour t'arracher ton argent. J'en ai assez donné! Ici, j'paye plus rien. Pas d'impôts, pas de taxes, pis, mon shack, j'l'ai payé *cash*! Ce que j'lis, j'te l'ai dit, c'est le dictionnaire, Pauline. C'est le meilleur livre que tu peux pas avoir. T'apprends tout là-dedans. Dans la deuxième partie, j'ai tout appris sur les rois de France, sur les musiciens, sur les écrivains et les peintres. J'connais Mozart, Balzac, pis j'ai appris que Van Gogh s'était coupé l'oreille lui-même. C'est ça, s'instruire, Pauline. À force de lire le dictionnaire, j'peux m'débrouiller dans les conversations. Avant, quand j'étais parmi l'monde, j'connaissais juste Joe Louis, le boxeur, John Wayne pis ses films westerns, Laurel et Hardy, Betty Grable pis ses belles jambes, Tino Rossi, Rina Ketty, et si ça n'avait pas été d'ma femme…

— Parce que t'as été marié, Sam?

— Oui, mais ça, ça viendra avec mon histoire. Tu voulais poser des questions? Continue!

— Mais tout c'que t'as connu avant, c'est pas oublié? Tu dois t'rappeler de tout c'que t'as appris, de tout c'que t'as vécu?

— Bien sûr, mais ça fait partie des souvenirs. Tu voulais savoir comment j'vis maintenant? J'te l'dis. As-tu d'autres questions?

— Oui. C'est que… c'est que moi, j'trouve le temps long. J'ai rien à faire, rien à lire… J'te dis pas ça pour me plaindre, t'es assez bon d'm'héberger, mais en attendant, j'veux dire… Tu comprends?

— Pourquoi tu m'l'as pas demandé avant, Pauline? J'ai un jeu de cartes, un jeu de dames; j'ai même des p'tits romans d'amour. Je les ai toujours gardés parce qu'ils appartenaient à Clarisse.

— Clarisse? C'est qui, celle-là?

– Ma défunte femme. Je t'en reparlerai plus tard. Elle achetait des romans d'amour. Elle aimait la lecture. Elle était sentimentale. Ça pourrait t'distraire et j'suis prêt à t'les passer si tu les veux. Sur le bord du lac, ça peut être agréable. T'es pas ici pour la vie, Pauline, alors, en attendant… Je l'savais que tu trouverais ça ennuyant…

– C'est pas c'que j'ai voulu dire.

– Non, c'est moi qui l'ai dit à Piquet avant qu't'arrives. J'ai rien ici, j'reste seul depuis dix ans et j'ai pas l'intention d'changer ma façon d'vivre. J'aime mieux te l'dire, j'suis heureux comme j'suis dans mon shack.

– Pis moi, j'veux rien déranger, Sam. Et j'peux pas dire que j'aime pas ça ici. C'est ben mieux que ben des endroits où j'suis passée. J'ai pas toujours été traitée en invitée, tu sais. J'avais plus souvent une brosse à plancher qu'un livre entre les mains. Oui, ça m'plairait, les livres de ta femme, si c'est pas trop te demander. J'en prendrai soin comme de la prunelle de mes yeux. Moi aussi, j'aime ça, les histoires d'amour. L'année passée, j'ai vu le film *La chartreuse de Parme* et j'ai pleuré. C'était avec Gérard Philipe et je l'trouvais tellement beau. J'aime aussi Humphrey Bogart. Pas juste les beaux hommes, Sam. J'ai pas d'préférence en autant que ce soit un vrai mâle. Pis, j'suis pas jalouse des actrices. Je l'sais que Veronica Lake est plus belle que moi, mais à chacune son genre.

– T'as rien à envier aux actrices, Pauline. T'es une saprée belle fille!

Il était resté figé, elle était médusée. C'était la première fois que Sam lui faisait un compliment. Et le premier homme à lui dire qu'elle était belle. La plupart n'avaient eu d'yeux que pour ses seins volumineux.

– J'ai une dernière question à t'poser, Sam. J'peux?

– À ta guise, j'suis là pour ça, j'ai tout mon temps.

– Celle-là, c'est plus embarrassant, c'est plus personnel.

– Écoute, Pauline, j'ai rien de personnel à avoir honte. Arrête d'être gênée pis pose-la, ta question. Si c'est trop, j'te l'dirai.

– Ben… je m'demandais ce qu'un homme tout seul… J'voudrais savoir comment un ermite s'arrange avec ses besoins… quand ça arrive.

– J'comprends pas, Pauline. Quels besoins?

– Ben oui, tu comprends! Tu veux m'faire parler. J'parle des besoins… sexuels. J't'avais dit que c'était personnel, que c'était gênant…

Sam avait souri. Souri du malaise de la Pauline qui avait rougi. Il but une gorgée de café, et, la regardant dans les yeux, il lui avoua:

– Ça s'arrange, t'inquiète pas. J'ai pas fait vœu de chasteté, tu sais.

– J'imagine, mais tu vis seul, Sam, t'as pas d'compagne.

– Pas nécessaire, Pauline. La «chose», ça s'arrange quand ça s'présente.

– J'veux ben croire, mais comment?

– J'suis pas seul sur la butte, Pauline. Tu devrais l'savoir…

– Savoir quoi? J'comprends pas.

– Pauline! Allume! La veuve, c'est pas une statue de sel!

– La veuve? Tu veux dire que la femme de Piquet…

– Pas sa femme, sa concubine, «la femme» d'la butte. Piquet m'la passe de temps en temps. Pour les besoins, comme tu dis. C'est un marché qu'on a conclu quand j'suis arrivé. J'pensais même pas à ça, mais lui, après quelques mois, y m'a laissé savoir que Charlotte…

– Tu veux dire que tu couches avec elle, Sam? Avec cette vieille bourrique quasi squelettique? T'appelles ça une femme, toi? Avec ses rhumatismes, ses dents cariées, sa face de sorcière? La veuve? J'en r'viens pas!

– Pour les besoins, Pauline. Pour elle comme pour moi.

– Et Piquet qui la nourrit, qui l'entretient... Un vieux fou ou quoi?

– Non, juste un ami, un bon diable qui a l'sens du partage. Tu sais, à son âge, tremblant, à bout d'souffle, ça fait même son affaire.

– Pis la tienne aussi? Une vieille à deux pas d'sa tombe? J'aurais jamais cru...

– Voyons, Pauline, on dirait qu't'es pas contente. Ça fait dix ans qu'ça dure, dix ans qu'on s'arrange comme on peut. C'est pas correct, tout c'que tu viens de dire sur elle.

Pauline se ressaisit, retrouva son calme et, mal à l'aise, rétorqua:

– T'as raison, c'est pas d'mes affaires, Sam. C'est juste la surprise... J'viens d'arriver, tu m'héberges par charité et j'fouine dans ta vie privée. Excuse-moi, ça m'regarde pas. J'suis allée trop loin, j'pense...

– Pantoute! J't'ai dit que j'répondrais à toutes tes questions. En as-tu d'autres?

– Non, j'oserais pas, mais j'comprends maintenant pourquoi elle me regarde de travers. Si j'avais su, j'serais jamais venue...

– Tu penses qu'elle est jalouse? C'est mal la connaître, la veuve.

– Ben... pourquoi elle a l'air si bête avec moi? J'suis sûrement dans ses jambes. Elle est pas venue ici une fois depuis que j'suis là.

– Pis après? Qui t'dit que ça s'passe toujours ici?

Pauline ne savait que dire. Elle tentait de garder son calme, mais elle était contrariée. La veuve et Sam alors qu'elle... Faisant de son mieux pour ne pas paraître déçue, elle demanda timidement:

– Elle t'aime? Elle te l'a déjà dit?

– M'aimer? C'est pas d'l'amour, c'qui s'passe.

– Peut-être, j'sais pas, j'sais-tu, moi? Pis toi, tu l'aimes, la veuve?

– Ben non, voyons! La veuve, c'est juste, c'est juste...

– C'est juste quoi?

– Un soulagement, Pauline! Un service qu'on s'rend... Une pleine lune...

– Vous êtes quand même pas des animaux?

– Peut-être, Pauline, qui sait? Sur une butte où y'a juste trois personnes, avec les hivers longs et froids, faut juste s'arranger pour pas être en manque.

Pauline le regardait. Étrangement. Et Sam en était ébloui. Il avait senti, lors de ce triste aveu, que c'était elle plus que la veuve qui avait du mal à s'imaginer qu'une autre... Même si l'autre était quasi squelettique, avec un pied dans la tombe. Pauline était au seuil de la défaite, elle qui, à vingt ans, s'était imaginée que Sam la reniflait, enfoui dans son tourment. Vaincue ou presque, elle ne savait que dire alors que lui, plus «qu'enfoui dans son tourment», la reluquait. Malgré elle, encore accrochée au sujet qui la tenaillait, Pauline lui demanda:

– Tu fumes pas? T'as jamais fumé?

– Heu... non. Pourquoi cette question?

– Parce qu'elle fume comme une cheminée, qu'elle a les dents jaunes... Oh! excuse-moi, j'suis encore à médire sur son compte. C'est parce que moi non plus j'fume pas et que

Piquet me lève le cœur avec son haleine quand y m'parle nez à nez…

– Oui, t'as raison, mais la veuve, je l'embrasse pas, tu sais.

Constatant que cet aveu lui redonnait confiance, Sam s'empressa d'ajouter ce qui devait venir à bout de toute résistance.

– J'suis plus une jeunesse, tu sais. Y faut qu'tu comprennes. À part la veuve, j'me demande qui pourrait bien vouloir de moi.

Il avait éclaté de rire. D'un rire nerveux. D'un rire… en quête. Pauline avait levé les yeux vers lui, avait souri, et Sam ne put savoir ce qu'elle pensait de sa lancée à la dérobée, puisqu'elle ne répondit rien.

Le soir venu, ils se déshabillèrent l'un devant l'autre. Avec la même impudeur qu'au retour de la baignade. La lampe à l'huile tamisée éclairait faiblement les deux corps qui n'étaient qu'à quelques pas l'un de l'autre. Sam se coucha les mains derrière la nuque et observait, du coin de l'œil, celle pour qui son sang giclait dans ses veines. Pauline éteignit la lampe et se coucha en se couvrant du drap, en lui tournant le dos. Sam, dans son désarroi, sentit que l'heure n'était pas encore venue. Pauline, songeuse, choquée, boudeuse, n'avait pas digéré sa liaison avec la… vieille morue!

Deux jours s'étaient écoulés et Sam se rendait compte que son invitée avait changé d'attitude. Plus distante quoique courtoise, Pauline s'affairait dans la cabane, au point qu'il lui fallait sortir pour ne pas être dans ses jambes. La lessive, l'époussetage, la vaisselle, la cuisine rudimentaire, la fille n'arrêtait pas de travailler, au grand désespoir de l'ermite, peu habitué à un tel remue-ménage. Un après-midi, alors qu'elle était à genoux, la brosse à plancher entre les mains, il lui avait dit: «Est-ce vraiment nécessaire, Pauline? Un plancher de bois aussi usé...» Elle lui avait répliqué: «Ça l'empêche pas d'être propre, ça sent la crasse à plein nez!» Le lendemain de l'odieuse révélation, elle était descendue seule au lac pour se laver. À son retour, il lui avait demandé: «Pourquoi tu m'as pas attendu? J'serais allé avec toi...» Et elle lui avait répondu: «J'ai pas insisté. J'veux rien changer à tes coutumes, Sam. Tu m'as dit qu'avant, tu t'lavais deux fois par semaine.» Il sentait qu'il avait eu tort de lui avouer sa relation avec la veuve. Mais il le fallait bien, car tôt ou tard, elle l'aurait appris. Et il avait préféré que ça vienne de lui. Même si son idée première avait été de la contrarier. Il avait cru, par cet aveu, précipiter les choses, mais ce lui fut défavorable. Il les avait reculées.

– Piquet, attends-moi, j'descends au village avec toi.

– Toé, Sam? Au village? Batêche! Y va tomber d'la marde!

C'était la première fois que l'ermite quittait sa butte depuis l'automne dernier, alors qu'il était allé acheter deux tuiles pour rapiécer son toit.

– Pauline, vu que t'as pris l'shack en main, j'descends chez Gaudrin avec Piquet. J'te laisse la place, j'reviens dans trois quarts d'heure au plus. As-tu besoin de quoi qu'ce soit pendant que j'serai là?

La fille avait levé la tête, songé, puis elle avait répondu:

– Si c'est pas trop te demander, j'aimerais bien avoir une Cherry Blossom pour à soir. Pour me sucrer l'bec en lisant mon p'tit roman.

– Ben certain... T'as encore d'la liqueur?

– Oui… mais un *cream soda*, ça pourrait faire changement.

– Pas d'problème, j'te rapporte tout ça. Pis, j'serai pas
parti pour longtemps.

Sam laissa échapper un soupir de soulagement. Pauline
semblait avoir retrouvé le sourire. Elle était plus joyeuse, elle
avait l'œil rieur. La blessure causée par l'aveu s'était sans
doute atténuée. Tout n'était pas perdu. Avec le temps, elle fini-
rait par comprendre… Avec le temps? Comment avait-il pu
penser de la sorte? Quel temps? Combien de temps? La fille
n'allait quand même pas moisir dans ce shack bien longtemps.
D'ici quelques jours, peut-être, le curé lui dirait… Il préférait
ne pas y penser. Depuis si longtemps seul, depuis si peu à
deux, et c'était comme s'il s'était «accoutumé». La Pauline
avec son savon parfumé, sa cuisse ronde, son rire gras, ses
cheveux frisés… Sam imaginait mal le jour où la cambuse
redeviendrait silencieuse, morne, crasseuse et morte. La
Pauline, en quelques jours, y avait mis tant de vie. Il regrettait
déjà d'avoir troqué sa solitude contre une présence. Il savait
qu'il aurait mal au cœur, au ventre, à l'âme, le jour où la
«grosse fille» repartirait avec sa malle. Il regrettait de s'être
laissé imposer son sourire, ses… Puis, non, il ne regrettait rien.
C'était bête, rien n'était encore derrière, tout était à venir. Et
pourtant… Samuel Bourque était complètement chambardé.

– L'ermite! J'veux dire, Monsieur Sam, ça fait longtemps
qu'on vous a pas vu en personne par icitte, vous! scanda
madame Gaudrin.

– Oui, c'est vrai que j'descends pas souvent. Piquet s'en
occupe. Votre mari va bien?

– Très bien. Y'est parti à Montréal pour acheter des nou-
veautés. Vous savez, un marchand général, y faut qu'ça s'ap-

provisionne régulièrement. Avec tout ce que l'monde nous demande! Faudrait quand même pas qu'les paroissiens s'en aillent acheter à Saint-Lin. Ça nous prend du nouveau *stock* tout l'temps. Si ça continue, je m'demande où on va tasser tout ça. Vous avez besoin de quelque chose de spécial aujourd'hui?

Sam commanda le chocolat, le *cream soda,* quelques boîtes de conserves, du pain, des *cup cakes* aux fraises, etc. Puis, profitant de l'absence de Piquet qui était allé au clos de bois, il se pencha vers la dame et lui murmura:

— Dites donc, vous n'auriez pas un p'tit bijou à m'vendre pas cher? C'est pour la fête d'une cousine. Quelque chose que je pourrais lui envoyer par la malle.

Emma Gaudrin avait souri. Comme si elle ne savait pas que le cadeau en question était pour la fille qu'il gardait dans son shack. On commençait même à jaser au village. On trouvait ça curieux que le curé l'ait casée là. Faisant mine de rien, elle lui demanda:

— Une dame âgée, votre cousine?

— Heu… pas trop, j'sais pas, mais j'voudrais quelque chose de joli, pas trop *fancy.*

— J'ai reçu de belles épinglettes. Pas trop chères, solides, pas mal belles.

Sam regarda dans le comptoir, posa ses yeux sur l'une d'entre elles en forme d'étoile avec des petites pierres bleues collées au centre, et demanda:

— Celle-là, elle est abordable? Vous savez, avec les moyens qu'j'ai…

— Cinquante cennes, Monsieur Sam, pas de surplus.

— Heu… vous pourriez pas faire mieux? C'est juste une cousine…

— Ben, voyez-vous, avec la boîte pis la ouate, c'est déjà pas cher, mais pour vous, j'baisserais à trente-cinq cennes, pas une cenne de moins. À c'prix-là, c'est l'prix du gros, j'fais pas d'profit.

— Correct, j'la prends, mettez-la sur mon compte. Piquet va tout vous régler ça à la fin du mois.

— Vous en faites pas, rien à craindre avec vous, j'ai toujours été bien payée.

Et, pendant que la dame fourrait ses victuailles dans un sac, Sam glissa furtivement la petite boîte de carton dans sa poche. Une minute de plus et Piquet, qui rentrait, l'aurait pris sur le vif.

— Attends-moi dehors, j'arrive, j'ai fini, le temps de dire bonjour.

— Merci, Monsieur Sam, et revenez nous voir de temps en temps. Mon mari serait content de piquer une jasette avec vous. On vous voit pas souvent.

— À un d'ces jours, Madame Gaudrin, et merci, vous êtes bien aimable.

Sam sortit en vitesse et, dès que la bagnole fut en marche, Emma Gaudrin s'empressa de téléphoner à la maîtresse de poste.

— Allô, Gertrude? C'est Emma. L'ermite vient d'sortir d'icitte avec une épinglette qu'il doit maller à sa cousine. Surveille ça d'près. Moi, j'suis sûre que c'est pour elle. Tu sais de qui j'parle, n'est-ce pas? Quoi? Qu'est-ce que tu dis? Voyons donc, Gertrude! Y'a jamais fait d'cadeau à personne. Y'a même pas d'parenté. Pis, pour venir icitte lui-même, en personne…

Pauline était encore dans le grand nettoyage. Sam en profita pour aller au lac après avoir enfilé son maillot dans la chiotte. Lavé, séché, il était remonté et la veuve l'avait apostrophé de sa fenêtre.

— On peut pas dire qu'on t'voit souvent, toé!

– T'as juste à nous inviter, la veuve, on habite juste à côté.

Le «nous» de sa phrase l'ayant choquée, la veuve avait tiré son volet en sacrant, pendant que Sam, derrière un arbre cette fois, enfilait son pantalon.

– Dis donc, ça sent bon ici dedans. Tu t'es démenée en pas pour rire!

– J'ai nettoyé, désinfecté, pis t'as besoin d'pas salir mon plancher, Sam!

Il éclata de rire et, profitant de l'espace qu'elle lui allouait, rangea ses victuailles dans le placard.

– J'ai tout acheté c'que t'as demandé. J'ai même des *cup cakes* aux fraises.

– Ben gentil, j'avais justement l'goût de quelque chose comme ça après ma sandwiche que j'vais m'faire pour dîner.

– J'ai d'la soupe aux légumes si t'aimes mieux ça.

– Non, y fait trop chaud pis j'ai assez sué comme ça. Parlant d'repas, qu'est-ce qu'on va manger à soir?

– Ce soir, Pauline, pas à soir…

– Tiens! Tu m'reprends encore? Comme si tu parlais mieux qu'moi, Sam Bourque! T'as beau lire le dictionnaire, tu parles comme tout l'monde. Moins pire que Piquet, mais pas mieux qu'moi, en tout cas.

– C'est quand même pas par ici que j'peux mettre en pratique tout c'que j'apprends, Pauline. Même au village, ça parle comme ça marche! Les gens éduqués sont rares à part le curé pis la maîtresse d'école. Mais comme j'les fréquente pas… Avec qui veux-tu que j'parle de Victor Hugo?

– C'est qui, celui-là?

– Tu vois? Même toi, tu l'connais pas, pis t'es allée à l'école. C'est un écrivain, Hugo. J'ai même un livre de lui, mais tu comprendrais rien. T'es mieux avec les p'tits romans de ma défunte. Et pis, c'est pas l'temps d'se chamailler. Parle comme tu voudras, j'te reprendrai plus, j'te l'promets. Pour souper, j'ai d'la saucisse de porc pis des patates. Pour demain, j'ai pensé à un macaroni aux tomates.

— Ça, j'aime ça, mais comment veux-tu que j'fasse ça sur ton p'tit rond?

— Ben... tu feras bouillir le macaroni pis, moi, pendant c'temps-là, j'ferai chauffer le jus de tomates sur la grille à charbon. Ça va prendre un peu d'temps, mais ça va être aussi bon. J'le fais comme ça depuis dix ans.

— As-tu au moins du fromage pour y donner un peu d'goût?

— Non, j'en ai pas, mais j'ai du persil, du poivre, pis d'la moutarde sèche.

Pauline s'apprêtait à se rendre au lac. Le plancher du shack l'avait fait suer. Elle se déshabilla devant Sam comme si de rien n'était. Ravi, voire enchanté, il se rinçait l'œil. Outrecuidante à ce point-là, Pauline lui donnait l'impression qu'elle était presque sa femme. À l'aise comme devant son mari! Mais c'était juste une impression, parce qu'il ne la «tâtait» que du regard.

— Sam, j'aurais une faveur à t'demander, mais j'voudrais pas t'choquer.

— Vas-y, y'a pas grand-chose qui m'dérange, moi.

— En faisant le ménage, j'ai remarqué que tu prenais toujours un verre pour faire tremper ton dentier.

— Oui, pis après? Le même verre chaque soir avec du sel dedans...

— Ça t'dérangerait de prendre la tasse verte? Celle qu'on voit pas à travers?

— Ben non... Pourquoi?

– C'est pas que j'suis dédaigneuse, mais j'aime pas ça voir un dentier à travers un verre. Ça m'fait tout drôle, c'est pas tellement beau à voir. Dans la tasse verte pas transparente, ça s'rait plus discret, plus privé, tu comprends?

– Ben, si c'est rien qu'ça, t'as juste à mettre la tasse verte sur ma commode, Pauline.

– C'est déjà fait, Sam.

La fille descendit la côte pour se rendre au lac et, en chemin, elle croisa Piquet qui la regardait de ses petits yeux croches et malicieux.

– Tiens! La belle fille! Ben nourrie chez Sam? On dirait qu't'as pris des rondeurs, toé!

– Pis après? Ça t'dérange, Piquet?

– Non, non, moé, j'aime ça bien en chair, une créature.

Sautant sur l'occasion, Pauline le toisa du regard et lui lança:

– Ben, si c'est comme ça, on peut pas dire que t'es gâté avec la veuve, toi!

La bouche ouverte, Piquet ne savait plus que dire. Ce qui lui valut:

– J'pourrais peut-être lui en passer, ça t'en ferait un peu plus à tripoter. Comme c'est là, deux paquets d'os ensemble, ça doit faire du bruit quand ça s'rassemble. Ça doit craquer des deux côtés!

Elle éclata de rire et poursuivit sa marche pendant que le vieux lui criait:

– Tu t'penses fine, la Pauline? Toé, si jamais j'te mets la main dessus…

– Penses-y pas, Piquet, une main d'squelette, ça casse avant d'pogner!

Le soir du macaroni aux tomates était arrivé. Sans être bon, ça bourrait la panse et, pour se débarrasser du goût âpre de la moutarde sèche, Pauline se tartina deux tranches de pain de sirop d'érable. Après un dernier rot, sans se mettre «à l'aise» cette fois, elle dit à Sam:

— J'aimerais que ce soit à soir, pardon, «ce soir», que tu m'racontes ton histoire.

— T'as pas plutôt l'goût d'lire? Ton roman semble intéressant.

— Oui, mais je l'étire. T'en as juste trois, Sam, pas cinquante. Non, j'aimerais mieux que tu m'parles, que tu m'dises d'où tu viens, que tu m'parles de ta femme, de…

— Bon, bon, va pas plus loin, j'ai compris. J'vais te l'vider, mon sac.

Sam prit place dans la chaise berçante, Pauline, sur le sofa, les deux pieds sur un pouf déchiré. Il s'était débouché une bière pour se donner le courage de se retremper dans son passé. Elle, un verre de *cream soda* dans la main, attendait, telle une enfant, le récit du… vieux monsieur.

— J'sais pas par où commencer, Pauline. J'ai pas l'habitude.

— Commence par tes parents, Sam. T'es pas né dans une feuille de chou, non?

— Ça r'monte à loin, ça. J'veux quand même pas t'conter ma vie.

— C'est juste pour partir, après, tu vas voir, ça va sortir tout seul. Comme moi, l'autre soir.

Sam regarda au plafond. Malgré le ménage encore frais, une araignée tissait sa toile; le désinfectant n'avait pas réussi à anéantir son territoire.

«Mes parents, mes parents... Ils sont morts tous les deux depuis longtemps. J'avais quinze ans quand l'père a levé les pattes et dix-neuf quand ma mère est allée l'rejoindre. Comme j'étais fils unique, j'ai pas eu à m'battre pour l'héritage. Pour ce qu'ils avaient! On vivait à logement, j'ai hérité des meubles que j'ai vendus pour me faire un peu d'argent. J'étais déjà *shoe shine boy,* mais j'travaillais pour un *boss.* Avec mon argent, j'ai pu être à mon compte dans un coin du commerce d'un barbier. J'avais deux chaises, ma cire, ma brosse pis mes clients. Tobie, ce brave Tobie, me chargeait presque rien pour être là, parce que mes clients devenaient les siens pour la coupe de cheveux et le rasage. Je r'vois encore les derniers temps, y'avait une machine à boules à cinq cennes...

– Pas si vite, Sam! Tu sautes des bouts! T'étais marié en arrivant là?

– Ah, oui, c'est vrai, j'étais marié. J'venais à peine de me marier. J'ai même marié Clarisse avec la bague pis le jonc d'ma mère.

– Tu l'avais rencontrée où, ta femme?

– Dans l'voisinage. C'était une bonne fille, une belle fille à part ça...

Puis, retournant en piste pour la valse de son passé, Sam poursuivit:

«Clarisse, c'était la plus vieille de la famille. La seule qui était belle. Ses deux sœurs, Luce et Fernande, étaient laides à faire peur. Elles avaient hérité du visage de leur père avec un gros nez, des p'tits yeux, pis la bouche croche. Clarisse, c'était l'portrait tout craché de sa mère. Elle avait des cheveux blonds, des yeux bleus et une voix magnifique. Une voix de soprano ou, si tu préfères, une voix de chanteuse d'opéra. Il fallait l'entendre chanter *L'Air des clochettes.* On en revenait pas! Et j'ai retrouvé sa voix dans celle de Lily Pons trente ans plus tard, en écoutant un disque qui venait de sortir chez Archambault avec *L'Air des clochettes* d'un côté, pis un autre air d'opéra de l'autre. J'aurais juré qu'c'était Clarisse! J'en avais des frissons jusque dans l'dos. Elle aurait pu devenir une grande artiste dans son temps, mais elle a préféré l'amour et le mariage.

– Tu l'aimais, Sam? Vous étiez en amour tous les deux?

– Je l'aimais comme un fou! À n'en pas voir clair! Elle était si douce, si féminine… Et elle m'aimait aussi. J'étais le premier gars dans sa vie.

– Toi, t'en avais eu d'autres?

– Bah… des p'tites filles du quartier, des amourettes, du tassage dans les coins, mais rien d'sérieux, j'avais quinze ou seize ans. C'est quand j'ai connu Clarisse que j'suis devenu amoureux. Amoureux fou, cette fois.

– Et vous vous êtes mariés?

– Oui, sans même se fiancer. Une belle noce, sa belle robe blanche, mon complet noir. Son père ne m'aimait pas tellement parce que j'étais pas instruit. Il aurait préféré quelqu'un d'mieux pour sa fille, pas un *shoe shine boy,* mais il a fini par céder. Clarisse lui avait piqué une de ces crises qui lui avait fait peur. Elle menaçait de s'en aller, de partir avec moi. Pour éviter le scandale, le père a plié, mais j'suis jamais retourné chez eux avec elle. Je sentais que j'étais pas le bienvenu, que ses sœurs m'haïssaient, que sa mère… Elle, j'ai jamais su si elle m'aimait ou pas, elle se taisait, c'était le père qui menait.

– Elle les voyait sans toi? Elle te défendait pas?

– Aie! Vas-tu m'interrompre tout l'temps comme ça? Tu voulais m'partir et c'est fait. Laisse-moi t'raconter, tu m'fais perdre le fil.

– Excuse-moi, Sam. J'te fais c'que j'te reprochais lorsque c'était mon tour l'autre soir. Vas-y, continue, j'vais m'taire, j'vais t'écouter.

«Mon mariage a été de courte durée. Dix-huit mois à peine…

– Mais pourquoi?

– Parce qu'elle est morte, Pauline! Parce que Clarisse est morte avec l'enfant qu'elle portait, un mois avant l'accouchement.

Pauline était figée sur le sofa. Sam avait une larme au coin de l'œil. Elle n'osait plus parler, encore moins le questionner. Elle sentait qu'il souffrait, qu'il n'avait jamais oublié. Sam, désemparé, torturé, aurait voulu atténuer l'effet que le récit produisait sur son «invitée». Mais comment? Il avait eu peine à amoindrir le sien en plein cœur de sa douleur. Prenant son courage à deux mains, il regarda par terre, avala une gorgée de bière, regarda encore par terre, et reprit d'une voix cassée.

«C'était un p'tit gars. Un p'tit gars qu'on aurait appelé Paul ou Laurent. Elle hésitait entre les deux prénoms, il n'en a jamais porté un. Mais lui, je l'ai pas connu même si j'y pense encore. Ce qui m'a fait l'plus mal, c'était d'avoir perdu ma femme. Elle avait ton âge, Pauline. Elle rayonnait de santé. Sa grossesse était pénible, ça allait mal, on prévoyait du trouble, mais pas ça… J'ai eu d'la peine à en mourir. Ça m'a pris des années à m'en remettre. Je l'entendais encore chanter *L'Air des clochettes* et je pleurais. Je l'ai tellement pleurée que je n'ai pas été capable d'en aimer une autre après elle. Clarisse, il n'y en avait qu'une. J'ai tout vendu, j'ai rien gardé, pas même un portrait. J'ai son visage dans ma tête pour toujours, juste pour moi, pour personne d'autre. J'ai tout vendu, pis j'me suis loué une chambre sur la rue Sainte-Catherine. Une chambre dans une maison de chambres que j'ai habitée jusqu'à ce que je parte il y a dix ans. Une chambre pas loin de mon travail, à trois coins de rue du barbier Tobie. J'ai jamais revu sa famille, j'sais pas ce qu'ils sont devenus. C'était Clarisse, ma vie, le reste du monde n'existait plus. Sans elle, tout seul, j'me suis jeté dans mon travail. Et j'en ai ciré des souliers! Du matin jusqu'au soir! Pis, y'a eu la Première Guerre. J'ai été enrôlé, j'suis allé combattre, j'ai failli crever plusieurs fois, mais j'm'en suis sorti avec un doigt-fesses en souvenir. Pas même une médaille, juste un doigt cousu pour la patrie. Après la guerre, j'ai repris mon commerce. Tobie m'attendait, personne n'avait pris ma place. Et c'est là, dans le sous-sol de l'édifice où Tobie coupait les cheveux, que j'ai passé ma vie. Avec ses bons pis ses mauvais côtés, avec ses plaisirs, ses malheurs, jusqu'à c'que j'me ramasse ici. J'ai... j'ai pas grand-chose à dire de plus, Pauline.»

Elle le regardait avec compassion. Sam essuyait la trace d'une larme tombée. Sentimentale, Pauline avait écouté le récit avec autant d'émoi que lorsqu'elle lisait son roman. L'un des romans de Clarisse, un livre qu'elle avait tenu entre ses mains, jadis. Un roman aux pages jaunies rempli de sentiments. Désignant le roman qu'elle avait près du sofa, Pauline lui murmura:

– Tu disais que t'avais rien gardé...

– Ouais... j'sais. J'ai voulu le brûler, mais il était encore imbibé de son parfum. C'que tu lis, Pauline, c'est c'qu'elle lisait deux jours avant d'mourir. Elle n'a pas eu l'temps de l'terminer. Le coin d'la dernière page qu'elle a plié, c'était là qu'elle était rendue. J'y ai jamais touché avant de te l'donner avec les deux autres que j'ai aussi gardés à cause de leur odeur. Curieux que tu aies commencé avec celui qu'elle n'a pas terminé.

Pauline frissonnait. De tels propos l'effrayaient. Elle qui avait peur des morts, elle avait choisi le roman inachevé de… la morte. Elle ne disait rien, elle respirait par saccades. La nuit venait et elle ne voulait plus que Sam lui parle de sa femme. Elle qui voulait savoir… ne voulait plus entendre. Elle aurait pu jurer que le souffle de Clarisse embaumait l'air du shack. Superstitieuse, elle se disait que les coups de vent, certains soirs, étaient soufflés par la défunte sur l'homme qu'elle avait aimé. Se rendant compte de son trouble, Sam lui murmura tout bas:

— Tu préfères qu'on arrête? J'ai peur que ça t'cause un mauvais rêve.

— Oui, Sam, c'est assez pour ce soir. J'pensais jamais… Oh! si seulement y'avait d'la musique dans cette cabane, j'aurais moins peur.

— T'as pas à avoir peur, Pauline. Pas de Clarisse. C'est une sainte, cette femme-là. Elle n'aurait pas fait d'mal à une mouche. Douce comme de la soie…

— Arrête, Sam! Parle plus d'elle! J'ai pas peur, mais j'en frissonne encore. Moi, les drames, ça m'secoue. Parle-moi d'autre chose, parle-moi de n'importe quoi, mais parle plus d'elle. J'en ai des sueurs froides, Sam!

— Ça t'dirait de jouer une partie de dames?

— Non, c'est trop silencieux. Ah! si seulement t'avais la radio! De quoi pour me changer les idées… Écoute! Il y a du bruit dehors!

— Allons, Pauline, c'est sans doute un chat sauvage. Avec les vidanges, tu sais… Pas une bête puante parce qu'on la sentirait.

Il avait esquissé un sourire dans le but de lui en soutirer un. Mais Pauline, effrayée, avait les yeux comme des billes, le dos raide, les mains crispées. Sam les prit dans ses mains chaudes et les pressa fermement.

– Allons, calme-toi, Pauline, les morts, ça revient pas.

Un long soupir s'échappa de sa poitrine. Détendue par le contact rassurant de la poigne de Sam, Pauline ne se rendit même pas compte que l'ermite lui tenait les mains... pour la première fois. Mais pas lui qui, aux aguets, n'attendait que l'occasion propice pour serrer dans ses paumes les doigts potelés de celle qu'il convoitait. Elle manifesta le désir de se coucher, de s'endormir au plus tôt, d'oublier ce drame, en espérant qu'aucun cauchemar ne vienne entraver son sommeil. Sam se dirigea vers son lit, se déshabilla dans le noir et, du sofa, la fille lui demanda dans un ultime effort:

– Dis-moi, Sam, c'est depuis ce jour-là que tu crois plus en Dieu?

Sam, nu comme un ver, se glissa sous le drap frais lavé.

– Tu m'réponds pas?

Dans un murmure, le sexagénaire marmonna:

– J'ai-tu à l'faire, Pauline?

Elle s'empara de son oreiller qu'elle pressa contre elle et s'endormit non sans quelques soubresauts de son cœur exténué. Sam, les yeux rivés vers le ciel et non sur elle, s'endormit ce soir-là, non pas sur un «malaise charnel», mais sur un sentiment réel.

Chapitre 3

Piquet était entré en trombe dans le shack de Sam, sans frapper, sans même penser que Pauline pouvait être couchée ou en petite tenue. Et sans le faire exprès, puisqu'il était agité, nerveux, heureux, comme s'il venait d'hériter. Sam et Pauline terminaient leur déjeuner, habillés tous les deux, assis l'un en face de l'autre, comme un couple normal, ensemble depuis une éternité. Heureusement! Car, le jour précédent, ils avaient déjeuné en très petite tenue, ce qui aurait fait tomber raide par terre la langue sale de leur voisin chétif.

– Sam, as-tu entendu c'qu'on dit au village?

– Ben sûr que non, j'me mêle de mes affaires, moi.

– Écoute, c'est important! Paraît qu'on a découvert un remède contre l'arthrite! Ça s'appelle la cortisone! On dit qu'ça va faire des miracles!

– Et pis après? Qu'est-ce que ça va changer dans ta vie?

– Pas moé, Sam, mais la veuve! C'est à Charlotte que j'pense!

– La veuve? Qu'est-ce qu'a vient faire dans ton histoire?

– Penses-y, Sam! Ses rhumatismes, batêche! Depuis l'temps qu'on la frotte avec du camphre. Aie! C'est tout un remède...

– Les rhumatismes, c'est pas de l'arthrite, Piquet.

– Pas sûr, moé! On dit qu'ça finit par virer en arthrite, c'te maladie-là.

– Pis? Même si c'était l'cas, qu'est-ce que ça va changer pour elle?

– Batêche! Ça va la soulager! Ça peut même la guérir!

– Voyons donc, Piquet! À son âge! On fait pas du neuf avec une vieille carcasse, tu penses pas? La veuve est usée jusqu'à la moelle!

Pauline éclata d'un fou rire, mais cessa net lorsque Piquet répliqua:

– T'as pas toujours dit ça, Sam. T'as la mémoire courte, toé. Y'a pas si longtemps…

Piquet avait fixé Pauline droit dans les yeux en faisant cette allusion. Il s'était arrêté parce que Sam avait froncé les sourcils et qu'il le sentait en rogne… ou presque. Mais Piquet n'admettait pas qu'on se paie devant lui la tête de la veuve. Surtout pas venant de Sam après tous les «services» rendus. Et ce n'était pas parce qu'il avait une jeune poulette dans son shack qu'il allait dénigrer la bourrique qu'il avait reléguée aux oubliettes. Piquet avait la fidélité à la bonne place. Et il savait que, «la grosse» partie, son ami Sam aurait besoin, certains soirs, des bras maigres de la veuve. Il n'endurait pas qu'on puisse rire de celle qui s'était donnée sans merci pour leur «survie». Sentant que le maigrelet n'était pas content, Sam reprit un air sérieux pour lui dire avec une complaisance simulée:

– Mais ton remède, Piquet, c'est sûrement pas par ici qu'on va l'trouver. C'est quand même pas chez l'marchand général qu'on va l'vendre.

– Non, ça, j'le sais, mais le docteur du village lui a dit que, bientôt, il l'aurait. C'est pas une pilule, Sam, ça s'donne en piqûre.

– Ben, si ça peut la soulager, tant mieux pour elle! Imagine-toi pas que ça m'fait pas d'quoi d'la voir se tortiller depuis des années. Et si ça peut la guérir, c'est encore mieux, mais moi, les découvertes, j'ai d'la misère à croire en ça. Tu m'connais, Piquet?

– Oui, toé, t'es comme saint Thomas! Y t'faut mettre le doigt dans l'trou pour croire!

Pauline avait ri de nouveau et Sam, devant la tournure de la phrase, dissimulait à peine un sourire en coin.

– À part ça, rien d'neuf, Piquet? Tu m'parles même pas d'la pinte de lait qui a augmenté de deux cennes? C'est pourtant écœurant! D'un coup sec, la pinte est rendue à dix-huit cennes! Si ça continue comme ça, on va être plus gagnant à s'acheter une vache pis la traire nous-mêmes!

Piquet éclata de rire et Pauline put voir deux dents cariées qui se balançaient. Ce qui lui fit détourner promptement la tête. Piquet lui donnait la nausée. Juste à le voir, et sa dernière gorgée de thé remontait.

– Bon, j'vous laisse, la veuve m'attend, on s'en va au village pour voir si on en parle dans l'journal. T'as besoin d'quelque chose, Sam?

– Non, pas aujourd'hui. J'ai tout c'qui m'faut jusqu'à lundi.

C'était le samedi 31 juillet 1948. Presque deux semaines que Pauline était sous son toit et Sam était sans nouvelles de qui que ce soit, pas même du curé, face à sa pensionnaire. Loin de lui ce souci, Pauline avait maintenant sa place dans son shack. Sans elle… il s'en grattait déjà la tête. Mais ce qui le minait, c'était le rituel. Levés tôt, couchés tôt, la baignade, son roman, la «mangeaille». Oui, surtout la bouffe qu'elle consommait sans même s'en faire avec ce que cela coûtait. Et Sam qui plongeait de plus en plus la main dans son tronc d'arbre. Elle se contentait de n'importe quoi, mais en quantité chaque fois. Le beurre à double couche sur ses rôties, le sirop de maïs déjà à sec, la confiture dont elle grattait le fond du pot, et les *cup cakes,* un luxe, qu'elle avalait en deux bouchées. Sans parler du reste qui, en double, vidait les poches de l'ermite au fur et à mesure. Et le lait qui venait de grimper de deux cennes! Comme si l'argent de Sam poussait dans les arbres! Et toujours rien en retour. Même s'ils se dévêtaient chaque soir l'un devant l'autre, même s'il lui exhibait, parfois tendu, son membre en quête… et pour cause. Non pas que Pauline ne se «tortillait» pas sur le sofa. Elle était certes en manque, elle aussi. Sam l'attirait. Sam la tenaillait. La chair appelait la chair… Lui comme elle attendait que l'un des deux fasse les premiers pas ou que la nature s'en charge. Mais le moment n'arrivait pas, et c'était l'attente qui mettait Sam dans tous ses états. Il aurait voulu qu'elle… Elle souhaitait que lui… Et, pendant que Sam s'endormait sur ses pulsions, elle, sur ses désirs, ils étaient tous deux «voyeurs». Voyeurs l'un de l'autre, dans une espèce de fausse pudeur.

— J'commence à être mal à l'aise, Sam, mal à l'aise d'être ici.

— Pourquoi? Qu'est-ce que tu veux dire?

— J'sais pas, mais on dirait qu't'es plus pareil avec moi.

— J'comprends pas, j'suis toujours le même…

— Non, Sam, même si tu fais tout pour le cacher. Écoute, ça fait deux semaines que j'suis à ta charge, que j'suis dans tes jambes, que j'te dérange. Pis, comme j'ai pas une maudite cenne…

— J't'en ai-tu demandé, Pauline?

— Non, mais j'sais que ça t'coûte cher, que t'es obligé de dépenser plus qu'avant. J'sais que j'fais l'ménage pis la vaisselle, mais comme t'as déjà dit, une servante par ici... Surtout pour toi dans un shack d'une seule pièce. Pis, comme tu t'arrangeais tout seul avant, t'as sûrement besoin d'une servante comme d'un trou dans la tête.

– Voyons, Pauline, si c'était l'cas, j'te l'aurais dit avant, non? Et pis, t'es pas une servante, ça, j'te l'ai déjà dit, t'es une invitée...

– Que t'as pas invitée, Sam! Une invitée qui t'est arrivée d'force. J'comprends pas que l'curé se manifeste pas! Y devait m'caser, m'trouver une place, pis, on en entend pas parler. Y fait l'mort pendant qu'toi, tu m'as sur les bras...

– Allons, arrête de parler comme ça, t'es pas bien ici? Pourquoi dis-tu que j'ai changé, Pauline?

– C'est que... que...

– Que quoi? Sors-le!

– C'est que les repas sont moins copieux. Y'en a de moins en moins dans mon assiette.

– Ben là, c'est ton trouble, c'est toi qui les prépares, les repas.

– J'sais ben, mais j'peux pas faire des miracles avec c'que j'ai pas. T'achètes de moins en moins, j'ai même pas d'croûtes pour un pudding au pain.

– T'as juste à m'demander c'que t'as besoin, Pauline. J'peux pas savoir...

– Ben, c'est pas mal gênant, t'as même dit à Piquet qu'on avait besoin de rien jusqu'à lundi...

Sam, embarrassé, trop fier pour lui avouer qu'il était pingre par insécurité, balbutia:

– J'parlais du savon, de la pâte à dents, des choses comme ça... J'sais pas c'qui manque comme nourriture, moi. On a encore d'la viande hachée, une boîte de Kam, d'la soupe aux pois, des tomates pis d'la salade. J'pensais qu'on pouvait s'rendre jusqu'à lundi avec ça. Mais, si y manque du pain, du beurre, du lait, faut m'le dire, Pauline. C'est toi qui es en charge de la cuisine pour tout le nécessaire.

– Oui, on manque de pain pis d'lait, mais ça s'arrête pas là.

– On manque de quoi à part ça?

– Ben… j'ai plus de confiture, plus d'sirop, plus rien d'sucré pour mes desserts, Sam. Pas même d'la cassonade pour mettre sur mon pain beurré.

– C'est ben simple, on va demander à Piquet d'y retourner après-midi.

– Tu vois qu'c'est gênant pour moi? Tu comprends, Sam? J'commande pis j'ai rien à payer. Pas même une piastre pour t'en clairer la moitié…

Elle avait l'air d'une petite fille en peine et Sam, confus, repentant devant ce beau visage au bord des larmes, mit sa main sur la sienne en lui disant:

– T'en fais pas, ma Pauline, on va régler tout ça. Piquet va y retourner dès qu'y va revenir. D'ailleurs, j'ai oublié d'régler le compte du mois. Pis, dis pas qu'j'ai changé. Moi, j'suis ben content qu'tu sois là. Pis, oublie le curé, ça prendra l'temps qu'ça prendra. Là, fais une liste, marque dessus tout c'qui manque, pis ça va régler l'cas.

– J'pourrais-tu….

Elle était timide, elle baissait les yeux.

– J'pourrais-tu quoi?

– Ben, j'pourrais-tu ajouter des *cup cakes* pis une Cherry Blossom?

Sam était allé une fois de plus dans son tronc d'arbre. Plus creux que la dernière fois, moins creux que… la prochaine. Non pas que la cachette n'était pas garnie. Quelques milliers de piastres, ça pouvait le garder en sécurité pour bien des années, mais avec elle… Avant son arrivée, rares étaient les fois où il avait à sortir un billet bleu. Il le faisait pour régler son compte chez Gaudrin les fins de mois. Mais là, avec sa «pensionnaire», les bleus s'envolaient à un rythme tel qu'il voyait presque, déjà, la liasse des mauves. Et Sam était inquiet. Pétant de santé, fort pour durer jusqu'à cent ans, il s'inquiétait, sachant que les billets de banque ne se reproduisaient pas comme les fourmis qui les entouraient. Donc, à ce rythme-là… Mais Sam oubliait son péché capital dès que Pauline, le soir venu, retirait devant lui le soutien-gorge qui lui étranglait les seins… et les bourrelets.

Piquet était retourné au village sans maugréer. Tout pour son ami Sam! La veuve incluse! D'autant plus que madame Gaudrin le recevrait révérencieusement, avec l'argent du compte de l'ermite et une autre belle commande. Parce que Pauline, rassurée et plus à l'aise, n'y était pas allée avec le dos de la cuiller pour les besoins du ventre. Elle s'était même permis, sans le dire à Sam, trois bouteilles de Kik Cola, «quinze cennes» de *jelly beans,* et un gros sac de guimauves à la vanille.

Pendant que le vieux était en route pour la seconde fois, elle et Sam se rendirent au lac. C'était nuageux, mais les rayons du soleil des derniers jours avaient eu leur effet sur l'eau calme. Arrivés sur la berge où ils se croyaient seuls, ils eurent la surprise d'y voir la veuve qui sortait de l'eau précipitamment. Vêtue d'un maillot jaune, aussi jaune que sa peau et ses dents. Elle avait regardé Pauline et cette dernière, polie, lui avait dit: «Bonjour, Madame». La veuve, sans le moindre sourire, lui avait répondu: «Bonjour», en s'empressant de se couvrir de sa serviette. Mais, pas assez vite pour que Pauline ne voie pas ses bras maigres, ses seins de la grosseur d'une prune, et les varices sur ses petites jambes arquées. Pas fardée, pas coiffée, la veuve était le complément direct de son Piquet décharné. «Comment Sam avait-il pu? Comment pouvait-il?» songea Pauline, en observant cette vieille dinde maigre et désossée. «Lui, avec son corps de lutteur! Fallait-il qu'il soit en peine!» s'était-elle exclamée dans son for intérieur. Sam, mal à l'aise devant «l'ancienne» avec la «petite nouvelle», regardait partout, sauf dans les yeux de Charlotte. Voyant qu'elle s'apprêtait à remonter en vitesse, il eut la courtoisie de lui demander:

– On a vraiment inventé un nouveau remède pour…

Elle ne l'avait pas laissé terminer. Cinglante, pliant bagage, elle avait rétorqué:

– Oui, mais c'était pas dans l'journal!

Puis, le regardant après avoir regardé la «grosse fille», elle ajouta doucereusement:

– Tu sais, le camphre, ça m'fait encore un bon effet, Sam.

Elle était repartie en lui adressant un sourire, sans le moindre regard sur elle. Pauline, rouge et en rogne, attendit qu'elle soit hors de portée de vue pour dire à Sam:

– T'as vu? Elle m'a même pas regardée! Un p'tit bonjour de force pis rien d'autre! Vieille toupie! L'as-tu vue dans son costume déteint? Aussi drabe que sa peau, aussi usé… Et dire que Piquet m'a dit qu'elle se baignait à poil des fois! Pis avec lui pis toi à part ça! Ça doit pas être beau à voir, c'te vieille-là tout' nue! Franchement, Sam, t'as l'cœur fort en maudit ou… ou t'as besoin d'lunettes!

Il avait éclaté de rire et elle, revenue de sa torpeur, se mit à rire aussi. Ils se lavèrent, nagèrent un peu et Pauline, soutenue par le doigt-fesses de Sam enfoncé dans la cellulite de sa cuisse, progressait dans ses élans de côté. Ils étaient remontés et Sam rentra les sacs que Piquet avait laissés sur la première marche. Pauline rangeait, Pauline savourait des yeux, Pauline «mangeait» déjà tout ce qu'elle avalerait de bon cœur au cours de la journée. Apercevant le sac de guimauves, Sam lui lança:

– Tu t'es payé la traite? T'as l'goût de t'sucrer l'bec?

– Tu m'en veux pas, au moins? Ça faisait si longtemps que j'avais envie d'ça…

– Non, non, t'as bien fait. Gâte-toi de temps en temps, attends pas après moi tout l'temps.

Puis, regardant le ciel, il ajouta:

– Y fera pas beau ce soir, ça sent la pluie, ça sent l'orage.

– Pas grave. Avec tout c'que j'ai pis mon roman…

– Tu t'ennuies pas trop, ma Pauline? Tu trouves pas ça plate, ici?

– Non, pas une miette! On s'habitue vite, tu sais. Pis j'aime mieux être ici qu'avec une patronne qui m'suit des yeux pis qui m'donne des ordres.

Le soir était venu, plus frais, avec ce vent qui secouait les arbres. Elle s'était mise à l'aise dans sa robe de chambre en chenille rose, rien en dessous, les deux pieds sur le pouf éventré, le dos sur un coussin du sofa, son roman dans une main, sa Cherry Blossom dans l'autre. Et elle s'était parfumée. D'un bon arôme selon le nez de Sam, même si la bouteille étiquetée Fresh Wind avait encore le prix collé à l'endos: *Ten (10) cents.* Un parfum on ne pouvait plus commun, acheté chez Woolworth un an plus tôt. Sam se dévêtit, garda son caleçon, et prit place à la table avec son jeu de cartes.

– Pendant qu'tu vas lire, j'vais faire mon jeu d'patience.

– Tu verras assez clair? J'ai mis la lampe à l'huile à côté d'moi.

– T'en fais pas, j'vois. D'ailleurs, ce jeu-là, j'pourrais l'réussir les yeux fermés.

Il la regardait de temps en temps. Le pan de sa robe découvrait la cuisse, elle le remontait mais, sur de telles rondeurs, il retombait. C'était vrai qu'elle avait engraissé. Piquet ne s'était pas trompé. Elle avait pris du poids, mais aux meilleurs endroits. Aux cuisses, aux hanches, aux seins. Et pour Sam qui aimait les femmes bien en chair…

Une idée surgit. Il n'avait pas oublié, il n'attendait que le bon moment. Se levant de sa chaise, Sam se rendit jusqu'à sa malle sous son lit, de laquelle il retira la petite boîte de carton. Puis, s'approchant de Pauline, il la lui tendit en lui disant:

– Tiens, c'est pour toi.

– Pour moi? Qu'est-ce que c'est? demanda la fille tout en étirant le bras.

– Bah… juste un p'tit quelque chose en passant.

Pauline souleva le couvercle et resta estomaquée devant la broche en forme d'étoile agrémentée de pierres bleues incrustées. Surprise, pantoise, elle était renversée et demanda une seconde fois:

– Pour moi? C'est pour moi? Pourquoi, Sam? C'est pas ma fête?

– Je l'sais, c'est pour rien. Juste un p'tit cadeau en passant. Ça te plaît? Tu penses pouvoir t'en servir?

– C't'affaire! En plein c'qui m'faut pour mon costume bleu! Quelle belle épinglette! T'es ben *blood,* Sam, mais t'avais pas à dépenser en fou, ça coûte cher, les bijoux…

– Oublie ça. En autant qu'ça t'plaise, moi, ça m'fait plaisir.

Pauline avait enlevé la ouate prise dans les pierres et, fière, elle faisait mine de l'épingler à son corsage. Ce qui permit à Sam d'entrevoir un sein ferme qui sortait de sa robe de chambre. Un sein volumineux, jeune et frais, plus rose que blanc. Un sein qui, par sa lourdeur, se frappait contre l'autre qui n'avait rien à lui envier. Des seins qui sautaient parce qu'elle sautillait de joie devant le cadeau inespéré. Elle se leva et déposa un baiser sur la joue de Sam en lui disant:

— T'es ben fin! J'suis gâtée! C'est la première fois qu'on m'fait un cadeau.

Sam, embarrassé, les yeux sur ses cartes, se contenta de répondre timidement:

— Fais-en pas une montagne, Pauline. C'est pas la mer à boire, c'est juste un p'tit rien en passant.

Le ciel s'était assombri davantage et la pluie avait commencé à tomber. Légèrement, puis de plus en plus fort, au point où Pauline demanda:

— La toiture n'est pas trouée, au moins? Faudrait pas qui pleuve dans l'shack.

— T'en fais pas, j'ai changé deux tuiles l'année passée. Pis, la pluie, ça va faire du bien. Le gazon est jaune, brûlé par le soleil. J'ai mis la cuve dehors au cas où tu voudrais t'laver à la main demain matin. L'eau d'pluie, y'a rien d'mieux pour la peau. C'est d'l'eau fraîche, c'est pas comme celle du lac. Pas d'l'eau dans laquelle Piquet a pissé.

Pauline éclata d'un rire gras et lui rétorqua:

— Heureusement qu'y a une chute au milieu du barrage, ça fait au moins passer les microbes du paquet d'os!

Sam avait souri. Que souri. Parce que Piquet était son vieil ami et qu'il ne voulait pas pousser trop loin les moqueries.

Pauline pouvait se le permettre, mais pas lui. Pas après tous les services rendus par son voisin.

Il faisait plus noir que d'habitude avec ce ciel sombre, sans la moindre étoile, et le tonnerre qui grondait déjà au loin. Sam, ayant rangé ses cartes, se leva et lui demanda:

– Il est bon, ton roman? Depuis l'temps que t'as le nez dedans...

– C'est bon, tu peux pas savoir. Pis romantique à part ça. La femme a un mari pis un amant. Mais là, le mari...

– Ça va, Pauline, j't'ai pas demandé de m'le conter. Moi, si ça t'fait rien, j'm'en vais m'coucher. J'suis fatigué.

– Comme tu voudras. Moi, j'finis ma page, pis j'me couche aussi. Avec un temps pareil, les châssis fermés, y fait chaud dans l'shack.

– Ben, moi, j'ai laissé celui près d'mon lit entrouvert. La pluie tombe de l'autre côté pis faut quand même pas qu'on étouffe ici dedans.

Pauline était étendue sur le sofa, le roman lui cachant le visage, la robe ouverte sur son corps potelé qui s'exposait d'un côté, puis de l'autre. Sam la regardait, Sam était dans tous ses états. Il n'arrivait plus à contenir le désir qui nageait dans ses veines et qui se manifestait... dans son caleçon. Loin de la lampe à l'huile, quoique la lueur laissait percevoir sa silhouette, il enleva son sous-vêtement et, à ce moment, Pauline referma son livre pour poser les yeux sur lui et distinguer son «trouble» tamisé par la distance. Fidèle au rituel, Sam se glissa sous le drap de toile, la main sur «l'objet» de ses plus virulentes pulsions. Sa respiration était brusque, secouée, une grande inspiration, une brève expiration. Il était en proie à l'un de ces soirs, où sa forte libido le poussait instinctivement à la recherche de plaisirs sexuels. Et cette pluie sur le toit, ces cascades de grains qui sonnaient comme de la grêle. Ce concerto à l'état brut de la nature, cette fraîcheur de l'eau qui humectait sa peau de la fenêtre entrouverte. Mâle dans toute sa force, il sentait l'animal suinter en lui. Mâle avec tout près... la femelle. Il avait déposé son dentier dans la tasse verte et, pâmé devant l'imaginaire, il se mordillait les gencives de ses dents du bas. Il voulut s'endormir, mais les grondements du tonnerre, de plus en plus près, lui gardaient l'œil ouvert.

Pauline s'était couchée, peu rassurée par l'ampleur que prenait l'orage. La tête enfouie sous l'oreiller, la couverture de coton par-dessus, elle frémissait chaque fois que le tonnerre retentissait ou qu'une branche d'arbre s'abattait sur le toit. Pauline avait peur de l'orage. Une peur bleue qu'elle n'avait osé lui avouer. Une peur qu'elle avait gardée de son enfance, alors que sa mère démente l'entraînait sous le lit avec elle. Parce que, madame Pinchaud, de son prénom Lucienne, criait à qui voulait l'entendre que les orages électriques étaient les fourches en feu du diable. Minuit et une minute, et un éclair d'un jaune vif traversa le shack pour l'illuminer d'un jet ardent. Un éclair inimaginable suivi d'un coup de tonnerre qui, par son vacarme, avait sans doute déraciné un arbre. Pauline se leva d'un bond et, en proie à la frayeur, à deux doigts de la crise, cria à pleins poumons:

– Sam, j'ai peur! J'ai peur! J'vais mourir!

Il s'était levé et avait saisi la fille nue par les bras pour la calmer d'une douce emprise.

– Tu peux venir dans mon lit, si tu veux. Là, près de moi...

Pauline ne s'était pas fait prier. Sam se coucha du côté de la fenêtre qu'il avait refermée et, elle, de l'autre côté, sur le bord du lit donnant sur la cuisine. Elle tremblait de tous ses membres et, la rassurant, il lui massait la nuque. Elle, lui faisant dos, lui, faisant face à son dos, il lui chuchotait de rester calme, que l'orage allait passer, que c'était presque terminé, que le ciel allait se délivrer des gris nuages. Un autre éclair, un autre coup de tonnerre aussi intense que le précédent et, se couvrant du drap, l'oreiller sur la tête, elle se pressait contre lui, très fermement contre lui, dans ce lit à une place… pour deux. Sans crier cette fois, parce que rassurée par les bras de l'homme qui lui encerclaient la taille, en la collant davantage contre lui. Dans son effroi, Pauline ne se rendait pas compte qu'elle était nue et ruisselante de peur, contre le corps nu, chaud et fougueux de l'homme qui, d'une main rassurante, lui massait tout doucement le ventre.

Les grondements s'éloignèrent, la pluie forte s'estompa, puis une pluie fine sur le toit et ce fut presque l'accalmie.

– Tu vois? C'est fini, lui murmura-t-il, tu n'as plus rien à craindre.

– J'en tremble encore, Sam! J'ai eu si peur! Un tel orage sur une si petite cabane…

Elle n'avait pas terminé sa phrase. Retrouvant ses esprits, elle sentait que la main de Sam se glissait sur ses seins. Et, revenue de son cauchemar, elle s'aperçut qu'elle était dans son lit, nue, collée contre lui… nu. Et elle laissa la main de Sam lui palper les seins, les épaules, le ventre, les cuisses… Collée à lui sans oser bouger de peur que l'orage passé soit suivi d'un autre, elle sentit dans le bas de son dos le membre en érection se dandiner d'une fesse à l'autre. Puis, sur ses reins, ses hanches. Sam lui embrassait le cou, les épaules, les bras. Frissonnante d'émoi, non plus de peur, elle sentit le désir l'envahir. Un tel désir qu'elle aurait pu jurer que la fraîcheur du vent le haussait d'une brise. Sam la tenait entre ses bras. Comme un fauve, retenant fermement, goulûment sa proie. La langue sur sa nuque, il la sentit frémir. Et sa main baladeuse, à laquelle on n'offrait aucune résistance, se faufilait du ventre jusqu'à ses cuisses, pour se glisser entre ses jambes. Lui massant les mollets, il remontait la pente jusqu'au point culminant de sa brûlante recherche. Au contact ferme de la poigne, au sillon défriché par le doigt-fesses, Pauline poussa un léger cri. Un léger cri d'extase, un cri plaintif en quête d'une suite. La main habile, sous laquelle Pauline s'agitait, n'empêchait pas l'autre de lui tâter les fesses. Le souffle court, le membre raide, Sam lui murmura à l'oreille: «Je t'aime, Pauline, je t'aime.» Que cet aveu, ce seul aveu, et la fille s'était retournée pour se retrouver face à lui, le membre en érection sur son ventre, puis… entre ses mains. Samuel Bourque crut défaillir. Jamais il n'avait senti un geste aussi direct lui faire un tel effet. Si bien qu'il avait peur d'éjaculer avant d'arriver à ses fins. Prolonger le plaisir, s'enivrer de caresses, voilà ce que l'ermite souhaitait par des efforts soutenus… de retenue. Elle lui passa la main sur le crâne, lui tapota les yeux, le nez, de ses doigts potelés. Comme si elle avait voulu, par cette esquisse, dessiner, dans le noir, un visage. Puis, ardente, lubrifiée par l'étreinte, sous son emprise, elle palpa les muscles de ses bras, y déposa un baiser, puis deux, trois, et glissa sa main droite sous son aisselle, point précis de sa lubie charnelle. Pauline adorait les aisselles, les petites touffes de poil, les quelques gouttes de sueur qui s'y imprégnaient. De l'autre main, elle caressa sa poitrine velue. Cette poitrine qu'elle avait souvent vue, poils noirs entremêlés de gris, qu'elle avait souhaité caresser. Elle descendit jusqu'à ses hanches, ses fesses, ses cuisses musclées et, pendant cette sensuelle fouille, Sam l'empoignait de tous côtés. Brusquement, sauvagement, comme l'animal en rut qui emprisonne sa femelle. Et les mains baguenaudaient, quatre mains qui erraient, qui tâtaient, qui s'arrêtaient dans leur course impudique sur quelque partie du corps, dès que le plaisir enivrait les sens. Dégoulinante, mouillée d'indécence, elle encercla ses jambes de ses pieds et, là, le corps de Sam à sa merci, elle lui dit: «Tu sais, j't'aime, moi aussi.»

Et c'est Pauline qui lui offrit sa bouche. Ouverte, béante, pour qu'il chatouille ses lèvres de sa langue avant de s'unir dans un baiser passionné, charnel, un baiser sans fin, avec des grognements, parce que, à ce baiser d'amour, s'alliaient les jeux de mains. D'un geste brusque, d'une poigne virile, Sam la renversa sur le dos et laissa choir son corps musclé sur elle. Et c'est avec rigueur qu'il pénétra ce corps qui l'avait fait languir. Avec fureur, avec une envie folle de ne plus en sortir. Elle était en extase. La violence de la prise l'avait fait geindre, gémir, puis sourire. Jamais un homme ne lui avait fait l'amour avec une telle maîtrise. D'une rage qui se voulait douceur pour celle qui n'attendait que ce moment. D'une douceur qui devint rage pour celui qui, depuis si longtemps… Elle n'avait certes rien perdu pour attendre. Elle en payait le prix. Et lui, dégénéré, délivré de sa continence, la chevauchait de sa puissance, au gré des perles de sueur qui brillaient sur son crâne. Dans toute sa force, sans retenue, dans un langage obscène, comme deux peaux qui s'imprègnent l'une de l'autre, ce fut l'aboutissement. Ensemble! Au même moment! Il s'était mordu les gencives pour étouffer un râle. Elle, au summum de l'orgasme, avait laissé sortir un long cri de jouissance. Un cri si fort, si strident, que la veuve avait sursauté dans son lit.

Repus, exténués par les ébats, ils étaient restés dans les bras l'un de l'autre. Sans rien dire. Avec l'odeur du liquide chaud mêlée à celle du Fresh Wind qui se dégageait encore d'elle. Tout doucement, il lui massait la jambe, les hanches, et c'est à la cadence de ces touchers que Pauline s'endormit au creux de sa poitrine. Sam, sous la faible lueur de la lampe, la regardait dans toute sa splendeur. Un corps sublime, des rondeurs charnelles, une peau lisse, les fesses blanches. Un corps comme ceux des imposantes filles de joie, qu'il avait vus sur les toiles des grands maîtres d'autrefois.

Depuis Clarisse, depuis si longtemps, jamais Samuel Bourque n'avait fait l'amour avec autant d'ardeur. Avec un sentiment qui venait à peine de renaître. Un sentiment qu'il n'avait jamais éprouvé depuis… Un sentiment auquel l'ermite ne croyait plus. Avec Pauline au creux de sa poitrine, la main sur sa fesse, l'autre sur un sein, il sentait qu'il venait de vaincre à tout jamais la solitude. Samuel Bourque, depuis la mort de sa femme, n'avait jamais aimé jusqu'à ce que Pauline, de fil en aiguille, d'un *cup cake* à une épinglette, lui redonne un élan de jeunesse. Il l'aimait et, mieux encore, elle l'aimait aussi. De cœur et de corps, à deux, dans ce lit pour un. À soixante ans avec une fille de vingt ans. À l'insu du curé, des lois et de l'humanité.

Il était épuisé, il voulait dormir, mais il se sentait transporté. Au creux du matelas de ce lit de fer, «sa» Pauline entre les bras, il se sentait renaître, revivre, et ce, loin, très loin… des répugnantes fellations de la veuve.

Chapitre 4

Le lendemain matin, alors que le soleil brillait et que les oiseaux chantaient, Sam s'était levé avant elle. Avec hésitation car, avec elle dans son lit, nue à la lueur du jour, il aurait voulu recommencer, revivre le sensuel carnage de sa nuit. Elle dormait, elle soupirait. Avec les poings fermés sur sa poitrine, un léger sourire au coin des lèvres. Il enfila sa camisole, son caleçon, son pantalon, et sortit pour mettre un peu de feu sur ses charbons encore humides de la pluie diluvienne. L'orage avait fait ses ravages. Des branches éparses ici et là, mais le toit du shack avait résisté et aucun arbre n'avait été déraciné. Et le raton laveur n'était pas venu soulever le couvercle de la poubelle. Seuls deux écureuils se chamaillaient dans un sapin pour un cœur de pomme que l'un d'eux tenait entre ses pattes.

Il rentra et trouva Pauline emmitouflée dans sa robe de chenille. Assise sur le lit encore chaud, un peigne entre les mains, elle tentait de démêler quelques boucles ébouriffées par les ébats. Elle le regardait, lui souriait.
– T'as bien dormi? Pas trop épuisée? lui demanda Sam avec un léger sourire.

Elle l'attira à elle en lui déchirant presque sa camisole et, collée contre son ventre, les deux mains autour de ses reins, elle lui murmura:

– J'ai aimé ça, tu peux pas savoir comment!

Puis, de sa main dodue, elle lui caressait les muscles des avant-bras. Sam, prêt à recommencer, avait glissé sa main dans sa robe entrouverte. Un sein, habilement manipulé de la paume, eut l'heur de le remettre encore en… état. Mais, se ressaisissant, elle s'était dégagée pour gentiment lui dire:

– Sam, faudrait quand même pas ambitionner…

Il ne répondit pas, retourna à la cuisine et lui demanda:

– J'peux t'préparer tes toasts? Le p'tit charbon fume déjà…

– Oui, j'ai une faim d'loup ce matin. Moi, j'm'occupe du café pis du thé.

Ils avaient mangé avec appétit. En silence. En se regardant dans les yeux comme s'ils venaient de constater tous deux qu'ils s'aimaient. Sam, encore sous l'effet des effluves de la nuit, n'avait même pas remarqué que Pauline s'était empiffrée plus que d'habitude et que le sirop d'érable avait coulé à flots sur ses rôties. Et lorsqu'elle lui avait dit: «J'aimerais ça qu'on achète des pamplemousses et des oranges. Avec le presse-citron, j'pourrais préparer des jus frais le matin», il avait répondu: «Ben sûr, Pauline. T'as qu'à l'écrire sur la prochaine liste.» Elle s'étira d'aise sur sa chaise, sans gêne, la poitrine en évidence, et, jetant un coup d'œil à la fenêtre, elle aperçut la veuve qui regardait vers le shack et qui marmonnait des mots à Piquet en hochant la tête. La veuve qui n'avait sûrement pas fermé l'œil de la nuit après… le cri.

Piquet était revenu de la messe et avait garé sa bagnole à quelques pieds de la cabane de Sam. Ce dernier leva les yeux sur lui et Piquet lui demanda:

— La Pauline est-tu là, Sam?

De la fenêtre, la fille lui cria:

— Oui, j'suis là! Qu'est-ce que tu veux de si bonne heure?

— J'reviens d'la messe, Pauline. J'ai croisé l'curé pis y m'a dit qu'il aimerait t'voir après-midi.

— Pourquoi? Qu'est-ce qui m'veut?

— J'sais pas, y m'a rien dit. J'te fais juste la commission, moé.

Pauline avait regardé Sam qui, inquiet, avait froncé les sourcils.

— C'est peut-être parce que tu vas pas à la messe... Va l'voir, explique-toi avec lui, dis-lui que tu y allais pas quand t'étais en ville.

— Si tu veux, j'peux t'conduire pis te ramener après, suggéra Piquet.

— Dans c'cas-là, j'vais y aller, mais y'a besoin d'pas m'attendre avec un sermon, lui!

Pauline avait enfilé une jupe blanche, une blouse verte, et elle avait apporté un foulard de tête au cas où la rencontre aurait lieu dans l'église. Son sac à main sous le bras, ses souliers à talons cubains dans les pieds, elle était montée dans la bagnole rouillée de Piquet sous le regard haineux de la veuve qui enviait, sans doute, sa tenue du «dimanche». À mi-chemin entre la butte et le village, Piquet l'observait de ses petits yeux clairs.

— T'as pas eu peur de l'orage, cette nuit?

— Non, pourquoi? Ça cognait fort, mais j'en ai vu d'autres.

– J'demandais ça comme ça... La veuve m'a dit qu'elle t'avait entendue crier.

Il avait l'œil en coin, un sourire malicieux mouillé de bave sur les lèvres. Pauline sentait qu'il voulait «fouiner» dans ses affaires, qu'il cherchait à savoir, qu'il aurait voulu qu'elle lui dise...

– J'ai crié parce que j'ai cru qu'un arbre était tombé. Dans un shack aux quatre vents, ça cogne plus fort que dans une maison de ville.

Il n'avait pas poursuivi, se contentant de ricaner de ses dents croches et jaunes.

– Tiens! On est rendus! Où c'est que j't'attends, moé?

– Devant chez Gaudrin si ça t'fait rien. Ce sera pas long, j'ai pas l'intention d'moisir là, moi. J'te ferai pas trop attendre, Piquet, crains pas.

– Prends ton temps, moé, j'vais jaser avec Ti-Guy pendant c'temps-là.

– Ti-Guy... C'est qui, lui?

– Ti-Guy Gaudrin, le fils du marchand, le p'tit jeune que tu vois su'l'perron.

Pauline jeta un regard furtif et aperçut un jeune garçon d'environ quinze ou seize ans, les cheveux pleins de Wildroot *cream oil* qui fumait une cigarette en regardant dans sa direction. Du genre «p'tit *bum*» comme elle en avait vu en ville.

Pauline sonna au presbytère et c'est la vieille Hortense qui vint répondre avec un air bête pour lui dire d'un ton grognon:

– Passez dans l'grand salon, monsieur le curé va vous rejoindre dans la minute.

Elle n'eut que le temps d'apercevoir un crucifix, un portrait de sainte Anne, un bouquet de fleurs blanches dans un vase, et un garçon, sans doute l'enfant de chœur, qui, soutane sous le bras, passa en coup de vent devant elle, que le curé faisait son entrée.

— Bonjour, Pauline, content de te voir. Tu peux prendre une chaise.

Bel homme dans sa soutane noire, le prélat des «habitants» prit le fauteuil en face d'elle. Il n'eut pas le temps de placer un mot qu'elle lui lança:

— Si c'est parce que j'viens pas à la messe, j'vais vous expliquer…

— Non, non, Pauline, ce n'est pas cela. La religion, les dévotions, c'est ton droit. Je déplore que les âmes ne s'élèvent pas vers l'infini des cieux, mais je n'oblige personne à venir prier le bon Dieu. Si communier, ce n'est pas important pour toi, c'est de tes affaires. À chacun sa conscience, Pauline Pinchaud.

— Alors, pourquoi m'avoir demandé de venir? Quelque chose d'important?

— Sûrement! Une bonne nouvelle, Pauline! J'ai déniché une bonne famille qui serait prête à te prendre à son service dès septembre. C'est l'une des nièces de ma brave Hortense. Elle et son mari habitent Joliette, pas loin de Montréal. Ils ont trois enfants d'âge scolaire et ils ont besoin d'une fille comme toi pour s'occuper d'eux. Tu n'auras même pas de grand ménage à faire, ils ont une servante pour les gros travaux. Juste t'occuper des enfants, préparer leur linge, les repas, faire la vaisselle, épousseter… Logée, nourrie, blanchie, avec de bons gages en surplus. Hortense leur a parlé de toi et ils sont enchantés de l'idée. Une fille jeune et robuste, c'est ce que ça leur prend pour trois garçons turbulents. La dame n'a pas une grosse santé, elle souffre de problèmes pulmonaires. Lui, c'est un ingénieur civil, ce qui veut dire que l'argent ne manque pas. Depuis le temps que je te cherchais une place de choix…

Elle n'avait pas sursauté de joie, elle était restée de marbre, elle avait même tressailli à l'idée de... Décontenancée, elle ne savait que dire.

– On dirait que ça ne te fait pas plaisir d'avoir enfin un toit décent, de l'ouvrage, une bonne maison pour t'accueillir...

– C'est pas ça, Monsieur l'curé, mais Joliette, c'est pas à la porte...

– Et puis après? Voyons, Pauline, tu n'as même pas de chez-toi! Tu te balades avec tes valises. Tu m'as même dit en arrivant ici que tu irais n'importe où, à Ottawa comme à Caughnawaga. Et là, tu hésites? J'ai peine à comprendre...

– C'est que... trois enfants, c'est d'la surveillance. Surtout en bas âge! Vous savez, j'ai de l'expérience comme servante, pas comme gardienne, moi.

– Ça s'apprend, Pauline. Tout s'apprend. Et à ton âge, avec une telle santé... Et puis, ça t'sortira du shack de Sam. Ne viens pas me dire que tu es à l'aise dans cette cabane-là. C'était en attendant, c'était pas pour longtemps.

– J'sais ben, mais...

– Mais quoi? Tu trouves ça normal qu'une fille comme toi soit prise dans un shack avec un vieux? C'est parce qu'on n'avait pas le choix, Pauline. C'est pas de bon cœur que je t'ai casée là en attendant. Tu sais, une jeune fille dans la maison d'un homme seul, ce n'est pas tout à fait dans mes principes.

– N'empêche que ç'a été généreux d'sa part de m'héberger dans sa cabane.

– Ça, je te le concède! Sam a toujours eu le cœur sur la main... Au fait, comment ça se passe avec lui? C'est un homme à sa place, au moins?

– Que voulez-vous dire?

92

– Je pense que tu es assez grande pour comprendre, Pauline. Sam est un homme, tu es une femme… Est-il respectueux?

– Monsieur l'curé! Voyons donc! Quelle question!

– Ça se demande, Pauline. N'oublie pas que tu es mineure et que je me sens responsable de toi.

– Sam est un homme bien élevé, si vous voulez l'savoir. Ben mieux élevé que tous les malappris que j'ai croisés ailleurs. Et pis, y'a moi aussi! On dirait que vous manquez d'confiance…

– Non, non, pas en ce qui te regarde, mais lui, je ne le connais pas beaucoup, tu sais. J'ai entendu dire qu'il te portait sur la main…

– Tiens! Ça vient d'Piquet ou d'la veuve, ces racontars-là?

– Qu'importe, Pauline, je tiens juste à me rassurer. Je ne me fie pas à ce qu'on dit, je te le demande.

– Si ça avait été l'cas, j'serais venue vous l'dire, Monsieur l'curé! J'suis plus une enfant, j'suis assez vieille pour avoir l'œil ouvert! Sam ne me porte pas sur la main comme on vous a dit, il essaye juste d'être aimable, de rendre mon séjour agréable. Il sait que j'ai connu mieux qu'son shack. Et pis, faut pas l'oublier, c'est lui qui m'nourrit! Y'a pas reçu d'aide de personne!

Le curé avait baissé les yeux. Il sentait que la répartie était pour lui et que, de sa quête du dimanche, il aurait pu aider l'ermite d'une piastre ou deux. En faute, ne sachant que répondre, il reprit son assurance et lui dit en se levant:

– Oui, un brave homme que Sam Bourque! Et le bon Dieu le lui rendra! Mais, pour ce qui est de l'emploi que je t'offre, il ne faudrait pas lésiner, Pauline. Je ne pense pas trouver autre chose et ça me prend une réponse.

– Tout de suite?

– Bien… qu'est-ce qui te fait hésiter?

– C'est que… que j'ai reçu une lettre d'une cousine qui a peut-être trouvé en ville…

– Pourquoi ne pas me l'avoir dit plus tôt?

– C'est que… que j'y pense. Parce que j'veux m'placer pour de bon, cette fois.

– Bon, dans ce cas-là, je te donne deux jours pour faire ton choix. L'offre de ta cousine ou celle de la nièce de ma cuisinière. Il me faut une réponse pour mardi, Pauline, pas plus tard. Si tu refuses l'emploi que je t'offre, si tu préfères celui de ta cousine, c'est ton droit. Mais ça me prend une réponse au plus vite parce que, après, moi, je m'en lave les mains. J'aurai fait mon devoir.

Pauline se leva, le remercia, et sortit en vitesse sous le regard d'Hortense qui, même après l'avoir recommandée, la regardait de haut. Aussitôt partie, le curé s'empressa de téléphoner à la maîtresse de poste qui s'affairait à ses chaudrons.

– Allô? Monsieur le curé à l'appareil. Dites-moi, Gertrude, vous avez reçu du courrier dernièrement pour Pauline Pinchaud qui habite chez l'ermite?

– Du courrier pour le shack? Pantoute, Monsieur l'curé! Ni pour elle ni pour lui! Sauf une lettre qui venait d'une banque à Montréal pour Sam et que Piquet lui a donnée. Mais ça, c'était ben avant qu'la fille soit là!

– Bon, ça va, c'est tout ce que je voulais savoir. Excusez le dérangement et une bonne journée avec votre mari et vos enfants.

Et le curé avait raccroché. Éberlué, il venait d'apprendre que Pauline lui avait menti.

Rejoignant Piquet à grands pas, Pauline, de son poids, faisait claquer ses talons sur le trottoir de ciment de la rue Principale. Piquet, un Seven Up à la main, et non une bière parce que c'était dimanche, était en grande conversation avec le fils Gaudrin.

– Arrive, Piquet! Ramène-moi sur la butte! Ça presse!

Il la fit monter et démarra prestement la bagnole sous les yeux du «p'tit jeune» qui se demandait ce qui se passait. De la vitre à demi baissée de sa portière, Pauline vit le jeune homme se lever et s'étirer de paresse en la regardant. Il lui avait souri. D'un sourire entreprenant qui lui fit détourner la tête. «P'tit morveux!» s'exclama-t-elle, devant Piquet qui riait de ses dents croches de l'audace du «p'tit gars».

En cours de route, même si un seul mille séparait le village de la butte, il ne put se contenir. Curieux, sinueux, il demanda à la fille qui l'enivrait de son Fresh Wind:

– Qu'est-ce qu'y t'voulait, l'curé? T'as pas l'air dans ton assiette, toé!

– J'ai rien à t'dire, Piquet! Ça t'regarde pas, c'est entre lui pis moi!

– Bon, bon, pars pas à l'épouvante, j'demandais juste ça comme ça...

– Y'a pas d'offense! Pis, merci pour le dérangement, j'te r'vaudrai ça!

– Ça sent bon c'que tu mets sur ta blouse... C'est du parfum de...

– Pas important! Ça changera rien. C'est pas le veuve qui porterait ça!

– Pourquoi tu t'en prends à elle? Qu'est-ce qu'elle vient faire dans ça?

– Dis-lui, dis-lui pas, j'm'en fiche, mais la veuve, c'est une maudite commère, Piquet!

– Comment ça? C'est pas elle qui voit l'curé souvent, tu sais! J'suis certain...

– Elle est pas allée au village dernièrement? Elle s'est pas fait aller la gueule?

– Pantoute! Ça, j'peux mettre ma main dans l'feu pour elle!

– Ben, dans c'cas-là, c'est toi qui as la langue sale, Piquet! Hypocrite, à part ça!

– Ah! ben, batêche! C'est ça! Fais du bien à un cochon...

Pauline était entrée en trombe dans le shack de Sam qui s'occupait à éplucher quelques patates pour le souper. Elle était désemparée, elle le regardait, elle ne savait comment lui annoncer ce qui la tenaillait.

– Qu'est-ce qu'il y a, Pauline? Qu'est-ce qu'y t'voulait, l'curé?

Muette de stupeur, angoissée, elle se jeta dans ses bras et se mit à pleurer. Puis, entre deux sanglots qu'il tentait d'essuyer de son pouce, elle balbutia:

– Il m'a trouvé une... une place, Sam! Il m'a casée à Joliette!

Sam, retenant son souffle, reçut la nouvelle comme un soufflet sur la joue.

– Il t'a placée? Sans t'le demander? T'es quand même pas un pion sur un damier...

– J'veux pas y aller, Sam! J'veux pas t'quitter! J'veux rester ici avec toi!

Elle pleurait de plus belle et Sam, compatissant, la pressait contre lui. Envahi par la chaleur du corps de la pauvre fille, il lui demanda:

– Tu es certaine de vouloir rester ici, Pauline? Un shack sans électricité, pas d'confort, à l'étroit avec un vieux...

– Dis rien d'plus, Sam! J'suis bien ici, j'suis habituée! Pis astheure qu'on a...

Elle pleurait encore et il la calma pour lui demander:

– Qu'on a quoi?

– Tu sais c'que j'veux dire! Fais-moi pas parler! J'ai pas envie d'partir, on commence juste à vivre... Pis... pis, j't'aime, Sam!

Des larmes coulaient sur ses joues alors qu'elle fixait l'ermite dans les yeux.

– Moi aussi, j't'aime, Pauline, mais j'voudrais pas qu'tu manques une bonne place, qu'tu rates ta chance à cause...

– Tu parles comme le curé, Sam! Tu voudrais que j'm'en aille?

– Non, non, c'est pas c'que je veux dire, Pauline, c'est juste que c'est sérieux, c'que tu dis là. Si tu restes ici, ça risque d'être plate à la longue...

– Plate? Pourquoi? T'as peur de te tanner de moi?

– Non, Pauline, pas moi, toi.

– Moi? J'viens à peine de t'dire que j't'aimais. C'est la première fois que j'aime un homme comme ça. J'pensais jamais...

– Pauline! Réalises-tu c'que tu dis? Une nuit et tu penses...

Elle lui mit un doigt sur la bouche.

– Pas juste une nuit, Sam, pas rien qu'ça, tout l'reste aussi. Ça fait presque trois semaines que j'suis là. J'aime tout ici, pas juste toi pis la nuit... J'suis bien, Sam! J'suis heureuse avec toi! J'me sens comme une vraie femme...

– Et t'as pas peur qu'après un dur hiver, t'aies le goût de vivre parmi l'vrai monde, aller au cinéma, rencontrer des plus jeunes que moi?

– Non, Sam, j'sais c'que j'dis, j'sais c'que j'fais. À moins qu'toi, de ton côté… Peut-être que c'est toi qui as peur, qui ne veux pas s'embarquer, m'avoir à longueur d'année. Si c'est l'cas, dis-le-moi, sois franc, ne…

Il l'avait attirée à lui et embrassée à pleine bouche. Passionnément. Aussi passionnément qu'à ses vingt ans avec Clarisse. Il l'avait embrassée pour la faire taire, de peur d'éclater en sanglots avec elle, car, de tout son être, Sam ne voulait pas la perdre. Remise de cette forte émotion, Pauline lui demanda en glissant sa main de haut en bas sur sa hanche:

– Tu, tu… Est-ce une réponse ce que tu viens d'faire là? Tu veux qu'on reste ensemble? Du moins, pour un bout d'temps? Si après, tu m'sens de trop, j'm'en irai, j'te l'jure, mais j'veux pas aller à Joliette. J'ai pas l'goût d'être une servante avec trois enfants dans les pattes.

– Qu'est-ce que t'as répondu au curé?

– J'lui ai dit qu'une cousine m'avait offert une place en ville. J'ai menti, Sam, mais j'voulais étirer l'temps. Comme c'est là, y m'donne jusqu'à mardi pour me décider. J'sais plus quoi faire, moi, j'sais plus quoi lui dire, mais j'veux pas partir…

– Laisse, occupe-toi plus d'ça, c'est moi qui vas m'arranger avec lui.

– Comment tu vas faire?

– Ben simple, j'vais lui dire que j'ai besoin d'toi, que j'te garde, pis, comme il t'a casée ici, c'est normal que j'sois le premier sur la liste.

– Il va trouver ça louche, il m'a posé des questions sur nous.

– Quel genre de questions?

– Il m'a demandé si… si tu me respectais.

– Maudite soutane! De quoi y s'mêle avec son col romain, celui-là? Y'a osé te demander une chose pareille? D'la part d'un curé…

– C'est parce qu'on a colporté des choses, Sam! J'suis sûre que c'est la veuve ou son Piquet! J'me suis pas gênée pour le dire au vieux en pleine face!

– Pourquoi t'as fait ça, Pauline? On accuse pas sur des suppositions! Ça, c'est assez pour mettre la chicane sur la butte. T'aurais pas dû faire ça! Y'a ben du monde au village. Plus que Piquet pis la veuve! Ça peut venir de n'importe où, Pauline. La Gaudrin, la femme du garagiste, la maîtresse de poste… Pas toujours de Piquet pis Charlotte! C'est des amis, eux autres!

– Ouais… lui, peut-être, mais elle avec sa face de carême…

– J'vais tirer ça au clair, mais le plus important, c'est d'parler au curé. Demain, j'vais aller l'voir pis j'irai pas par quatre chemins. J'te garde, Pauline, j'te garde avec moi parce que j't'aime moi aussi pis que j'peux pas me passer d'toi.

Elle était ravie. Elle avait laissé échapper un soupir de soulagement, mais, dans un sursaut de mémoire, elle le mit en garde:

– Il m'a dit que j'étais mineure! Il a dit qu'il était responsable de moi…

– Pantoute! Pas une miette! T'as encore ta mère et pis, t'es à la veille d'avoir vingt et un ans, Pauline.

– Oui, le 5 novembre qui s'en vient! C'est vrai qu'c'est pas loin!

– Laisse-moi m'arranger avec ça, Pauline. Chose certaine, tu restes ici. C'est ça qu'tu veux? Moi aussi!

Puis, la pressant contre lui alors que, de contentement, elle ronronnait comme une chatte, Sam en profita pour lui souffler quelques mots doux dans le cou, tout en lui glissant une main sur une cuisse, l'autre sur une fesse.

Le jour suivant, Sam s'était empressé de se rendre au presbytère. Piquet l'avait conduit dans sa bagnole et, en cours de route, Sam s'était excusé pour Pauline en lui disant que ce n'était pas ce qu'elle avait voulu dire, que dans l'énervement, elle avait oublié les commères du village, que… Il plaida si bien pour elle que Piquet poussa sa rancœur du revers de la main. Il n'avait rien dit à la veuve des accusations de la fille. Il avait encaissé pour elle, bouche cousue, comme d'habitude. Quitte à avaler l'injure qui s'était tournée contre lui en se faisant traiter d'hypocrite. Mais dans ce havre de confidences, il en profita pour demander à son vieil ami:

— Et hier soir, Sam, juste entre toé pis moé, le cri, le brouhaha, ça veut-tu dire…

Sam l'avait vivement interrompu.

— C'est pas c'que tu penses, Piquet. Pauline a juste eu peur du tonnerre.

Malgré leur longue amitié, malgré le «entre toé pis moé», Sam se méfiait de l'aveu qui aurait pu la lui faire perdre.

Chez le curé, tout se passa en douce après quelques sursauts. Le digne représentant de Dieu avait peine à croire que la demande de Sam n'était qu'un… acte de charité. Il lui fit part des médisances, des commérages, et Sam, calme et détendu, lui avait répondu:

— N'oubliez pas que c'est vous qui l'avez logée chez moi. Ça vous arrangeait? Là, c'est moi que ça arrange de la garder. Pis, pour les médisances, vous dites vous-même que c'est un péché. C'est la médisance qui amène la calomnie, Monsieur le curé. Et pis, faudrait pas oublier que c'est vous-même qui l'avez casée dans le shack d'un homme. Ça pourrait vous causer du trouble, on pourrait vous pointer du doigt.

Le curé était songeur. Les yeux hagards, il savait qu'il avait eu tort. Et Sam en profita pour lui flanquer un dernier coup de courroie:

– Pauline va être majeure dans quelques mois, trois mois à peine. Vous pourrez vous en laver les mains, respirer à l'aise, vous serez en loi et en paix avec vous-même. Pour le moment, tout est normal dans le shack, rien d'intime entre nous au cas où vous voudriez l'savoir. Après, quand Pauline sera en âge, quand elle aura plus à répondre de personne, ce qui se passera, ça regardera juste elle pis moi. Les affaires de personne, vous comprenez? Exactement comme ça s'passe entre Piquet pis la veuve depuis des années.

– Oui, mais la différence d'âge, Sam! As-tu seulement pensé…

Sam lui avait souri pour lui répondre sans qu'il puisse terminer sa phrase:

– La différence d'âge, ça n'a pas d'importance entre un patron pis sa servante. Vous, y avez-vous pensé quand vous me l'avez envoyée? Pauline est à mon emploi, nourrie, logée, ça s'arrête là. Pis c'est pas parce que j'vis dans un shack que j'ai pas besoin d'une bonniche pour le renipper. Pauline a accepté? Personne n'a rien à dire. Point final. Pas même vous, Monsieur le curé!

Le bec cloué, le curé avait dit à sa ménagère: «Dites à votre nièce de ne pas compter sur Pauline. Elle reste à l'emploi de l'ermite. Il a besoin d'elle pour ses travaux divers et, de ce fait, ma mission est terminée.»

De retour au shack, Sam était entré sans afficher le moindre sourire. Pour prolonger de quelque peu l'anxiété de Pauline qui, d'une main nerveuse, roulait sa viande hachée pour en faire des boulettes. Puis, coupant court à l'angoisse qu'il provoquait en elle, il la prit par les épaules, la regarda dans les yeux et lui dit: «Tu restes, Minoune! C'est arrangé!» Folle de joie, elle se serra contre lui, leva la tête et l'embrassa avec ardeur. «Tortillé» par ce baiser inattendu, il posa fermement ses deux mains sur ses fesses et lui murmura: «Toi pis moi, c'est à la vie, à la mort!» Elle suait à grosses gouttes, elle aurait voulu qu'il la renverse, qu'il la soudoie, mais il s'en dégagea pour lui dire: «Une discussion comme celle-là, ça ouvre l'appétit. Après, on aura toute la soirée, toute la nuit…» Mais il l'avait appelée «Minoune», un terme qu'il employait pour la première fois. Rassurée du dénouement, revenue de l'effet, elle lui demanda:

– Tu m'as appelée comment? Minoune?

– Heu… oui. Ça t'a choquée?

– Non, pantoute, mais ça vient d'où, c'nom-là?

– C'est comme ça que j'appelais «ma grande amoureuse» quand elle venait me visiter à la *barber shop*.

Ravie d'être comparée à cette «grande amoureuse», heureuse d'être considérée femme, entièrement femme, Pauline lui sourit et ajouta:

– Faudrait ben que tu m'parles d'elle un d'ces jours. On dirait qu'tu l'as pas oubliée, la Gisèle.

Ils avaient soupé, elle avait tout rangé et, à l'aise sur son sofa, elle s'était replongée dans son roman pendant que Sam rentrait, à bout de bras, la grande cuve d'eau remplie de la pluie de la veille. Au crépuscule, ils s'y lavèrent tour à tour; elle avait même insisté pour qu'il lui frotte le dos. Au moment d'éteindre la lampe, elle lui avait murmuré: «Pourquoi tu dors pas avec moi sur le sofa ce soir?» Il avait répondu: «C'est encore plus étroit…» Elle avait souri et, empressé, d'un pas ou deux, il s'était enroulé avec elle sous le drap. Le nouage des corps fut aussi ardent que la veille, la relation aussi intense, aussi violente. Mais Pauline s'était bien gardée de laisser à l'écho le cri qui avait apeuré la veuve. Unis dans une quasi-débauche, mâle et femelle dans une bestiale étreinte, ils s'étaient aimés sauvagement, avec pour seul témoin un vieil hibou perché sur une branche. Pauline Pinchaud, vile dans ses gestes, indécente dans sa descente sur le corps de son amant, venait de remporter la seconde manche.

Un mois d'août torride et sans fin, une ardente canicule que le quatuor de la butte endurait avec peine. Les baignades étaient nombreuses, les soirées, longues et les nuits, courtes. L'amour était certes de la partie, mais moins orageux, plus bref, souvent entrecoupé par l'humidité que les très bas nuages dispersaient au-dessus du shack. Et le jour, au grand désespoir de Pauline, c'était les nuées de sauterelles. Une épidémie! Si nombreuses que la fille échappait un cri de frayeur dès que l'une d'entre elles sautait de l'herbe jusqu'à son corsage et qu'une autre lui chatouillait le dos. Sam les écrasait du pied pour épargner «sa douce» de leur offensive, mais les consœurs insectes l'attaquaient de plus belle. Un régiment n'attendait pas l'autre et Pauline, de sa cabane, pouvait entendre la veuve maugréer contre cette «vermine» venue du ciel. Charlotte n'osait plus aller au lac de peur d'être assaillie dans la côte et Pauline riait de bon cœur lorsque, le soir venu, elle entendait la veuve dire à Piquet: «Non, toé, pas à soir! Y fait trop chaud, pis y'a des sauterelles jusque dans l'lit!»

Le temps se fit plus frais et, ô miracle, les insectes redoutés disparurent comme par enchantement. Il y avait certes les maringouins, mais d'un coup sec de la main, ils étaient morts avant de se rendre jusqu'au sang. Et les plus tenaces rendirent l'âme lorsque, sur la butte, on sentit que l'été tirait à sa fin. Le mois d'août allait expirer aussi, bientôt, dans moins d'une semaine. Un matin, un vendredi, Piquet frappa à la porte du shack pour dire à Sam:

— Tu sais pas c'qu'on a inventé dernièrement?

— Non, j'sais pas. Pas un autre remède pour la veuve, j'espère?

— Non, Sam. On a inventé le microsillon.

— Le quoi? C'est quoi c'te patente-là?

— C'est un disque un peu plus gros que le 78 tours. Un disque incassable, en plastique, sur lequel on va mettre plusieurs chansons. Penses-y, Sam! Ça va se vendre comme des p'tits pains chauds en ville, c'truc-là! La veuve veut déjà un appareil et un microsillon des chansons de Bing Crosby si on en fait. Elle veut que j'rentre l'électricité, que j'chavire tout ici dedans pour avoir l'invention.

— Tiens! L'électricité? Pas une mauvaise idée, ça! avait crié Pauline.

Sam avait froncé les sourcils pour marmonner à l'endroit de la fille:

— Compte pas sur moi pour rentrer ça dans l'shack. Moi, ça m'arrange la lampe à l'huile. L'électricité, ça coûte cher, ça manque tout l'temps…

Elle l'avait vite interrompu.

— J't'ai rien demandé, Sam. J'disais ça comme ça, en passant, pour la veuve…

— Ben, peut-être que l'année prochaine. On verra… rétorqua Piquet. De cette façon, tu pourrais écouter les chansons de Bing Crosby avec elle, Pauline.

— Merci pour moi, j'l'aime pas, ce chanteur-là. Moi, c'est Judy Garland, ma préférée.

– Au fait, j'suis pas venu icitte juste pour vous annoncer ça. La veuve aimerait que tu viennes souper avec Pauline à soir. C'est elle qui m'envoye pour vous inviter.

Sam et Pauline se regardèrent. Perplexes, ils ne savaient que répondre. Et c'est Pauline, plus coriace, qui répondit au vieux:

– Ça m'surprend, Piquet! La veuve m'aime pas la face!

– Ben non, Charlotte t'haït pas… Si c'était l'cas, j'serais pas icitte, batêche!

– Alors, pourquoi elle est pas venue elle-même?

– Parce que ça la gêne, parce qu'elle avait peur que tu refuses. Allez! On est juste quatre sur la butte! On a un hiver à passer! Faut s'parler, batêche!

– J'veux bien, mais avec son air bête… J'suis sûre que c'est Sam qu'elle veut à souper, pas moi, Piquet! J'pense que c'est pas sincère…

– Aie! Viens pis tu verras! La veuve a d'bons côtés, tu sais. Pis elle fait ben à manger. Venez donc! On va passer une belle soirée pis j'te dis, Pauline, que c'est d'bon cœur.

Sam n'avait rien dit. Il regardait Pauline, il attendait le dénouement.

– Ben, si c'est vrai, si c'est d'bonne foi, moi, j'veux bien, en autant que Sam vienne avec moi.

L'ermite leva la tête, acquiesça, et ajouta en regardant Piquet:

– Dis-lui qu'on sera là à six heures. Le temps de faire notre toilette.

– Parle moé d'ça! Pis j'ai acheté d'la bière…

Pauline l'ayant regardé de travers, Piquet s'empressa d'ajouter:

– Pis un gros *cream soda* et une palette de chocolat!

Sam avait revêtu son pantalon noir, sa chemise de coton à carreaux et ses souliers frais cirés. Pauline avait endossé une blouse jaune au décolleté plongeant, et une jupe rouge. Sans ses bas, pieds nus dans ses sandales de plage, elle n'avait pas omis de se parfumer de son Fresh Wind pour agacer Piquet et pour faire «chier» la veuve avec... sa sensualité. Elle s'était «frisée», fardée, elle avait mis du rouge à lèvres et des boucles d'oreilles à vis, plaquées argent, en forme de pastilles, les seules qu'elle possédait. Elle se sentait bien *chic and swell* même si tout ce qu'elle portait ne valait pas très cher. Ils arrivèrent à l'heure convenue, et c'est Piquet qui les accueillit, habillé «tout croche», puant déjà la bière. La veuve, occupée à préparer sa soupe, avait à peine tourné la tête. Elle portait une robe blanche avec une tache à la hauteur de la hanche. Elle s'était peignée, parée de ses bijoux du marchand général et maquillée d'une poudre grasse et d'une ombre à paupières mauve qui la rendait cadavérique. À sa vue, Pauline s'exclama dans sa tête: «Vieille guédaille!»

Mais le chalet de Piquet, plus grand que le shack de Sam, était éclairé par trois lampes à l'huile et une chandelle. Et propre malgré les poils du chat collés sur le divan. Les rideaux roses étaient ornés de boucles, il y avait des tableaux sur les murs, un crucifix au-dessus de la porte et une bibliothèque avec des revues et des livres. Et Pauline remarqua, sur une petite table, un casse-tête inachevé d'au moins mille morceaux, le passe-temps favori de Charlotte.

Elle finit par se retourner, dévisagea Pauline de la tête aux pieds et lui dit sans même lui sourire:

– Tu peux prendre le fauteuil. Toé, Sam, la chaise de bois.

Elle prit place avec Piquet sur un petit divan fleuri et, comme le silence régnait, c'est Pauline qui rompit la glace en lui disant:

– C'est pas mal beau, ici. C'est vous… toi, la veuve, qui as tout décoré?

L'hôtesse, la regardant d'un air hautain, lui répondit d'un ton sec:

– J'ai un prénom comme toé, Pauline! «La veuve», c'est pour les intimes!

Sam était déjà mal à l'aise. Piquet aussi. Ce qui n'empêcha pas la veuve de s'allumer une cigarette tout en dardant Piquet de ses yeux perçants.

– Vous… Tu fumes beaucoup, Charlotte? Autant qu'Piquet?

– Oui, autant et même plus! Ça t'dérange?

– Non, pas une miette! C'est juste que c'est pas bon pour les poumons…

– T'en fais pas, ma fille, j'fume depuis l'âge de douze ans pis j'en ai soixante-dix! J'ai jamais eu d'trouble pis mes poumons sont en santé. J'descends la côte du lac pis j'la remonte comme toé!

Pauline, quelque peu vexée par le ton, riposta d'un trait:

– N'empêche que tu tousses, on t'entend du shack!

La veuve, le derrière bien droit sur le bout du divan, lui répliqua:

– Ah oui? Moé, c'est des cris qu'j'entends d'la cabane! Des cris d'mort si tu veux l'savoir! Pourtant, y'a pas d'bataille… Ça serait-tu qu'Sam…

– Aie! Commence pas, la veuve! lança celui qui venait d'être visé.

Charlotte ricana nerveusement et ajouta, regardant l'homme qu'elle aimait:

– Choque-toé pas, Sam! C'était juste pour blaguer. Si y'a plus moyen d'faire des farces…

– Des farces plates, la veuve! On est venus ici pour souper, pas pour se tirailler!

Piquet, qui n'avait encore rien dit, toisa la veuve du regard et, pour changer le fil de la conversation, lui demanda:

– Est-tu prête, ta soupe aux pois? J'sais ben qu'ça va pas vite sur un poêle à charbon, mais batêche que c'est long! Tu pourrais offrir d'la bière en attendant, non?

– Sers-la donc, toé! T'es pas cul-de-jatte ni manchot, à c'que j'sache, Piquet Piquette?

Le vieux offrit une bière à Sam et un verre de *cream soda* à la «grosse» fille. Pauline souriait. Dans son for intérieur, elle était ravie que la veuve soit jalouse d'elle. Elle savait qu'elle se pâmait pour Sam, qu'elle en était privée à cause d'elle et qu'elle était réduite à faire l'amour avec Piquet, ses dents jaunes, ses «pattes» croches! Et pour lui en mettre plein la vue, elle se redressait dans son fauteuil, pour que ses seins écartent, de leur force, le décolleté déjà provocateur. Piquet la dévorait des yeux, Sam en souriait d'aise et la veuve fulminait.

Trente minutes plus tard, couverts mis à la va comme je te pousse, Charlotte suggéra qu'on passe à table. Après la soupe aux pois suivirent les tranches de porc frais froid avec de la moutarde ou de la compote de pommes et une salade nature arrosée de vinaigre. C'était passable, «mangeable», et Pauline, après s'être bourré la panse, attendait le moment de se sucrer le bec.

– Pour dessert, j'ai d'la *pudding* au riz pis du pain au raisin. Ça t'arrange, Pauline? clama la veuve.

C'était certes mieux que rien et «l'invitée» en prit trois tranches qu'elle enduisit de beurre pour les tremper dans le *pudding*. Ce n'était pas aussi bon que ses *cup cakes* aux fraises, mais, au moins, c'était sucré. Malgré son dédain de la vieille et des dents de Piquet qui claquaient, Pauline avait tellement mangé qu'elle s'en pourléchait les babines. Pour, ensuite, faire preuve de satisfaction par un gros rot dont elle ne s'excusa même pas.

Sam, qui la suivait des yeux, fronça les sourcils et s'exclama:

– Pauline!

La fille le regarda, se tourna vers la veuve et lui dit:

– Pardon! J'm'en suis pas rendu compte. C'est parti tout seul.

Piquet qui fumait, qui buvait, qui titubait, décida soudainement:

– Bon, on tasse tout ça, on fait d'la place. Une partie d'cartes, ça t'irait, Sam?

– Ben... une partie de paquet voleur, peut-être...

– Moi, j'joue pas! lança Pauline. J'aime pas les cartes!

– Dans c'cas-là, ma fille, j'ai des revues su'l'coin d'la table. Regarde, choisis, j'ai même le *Modern Screen*. C'est en anglais, mais ça fait rien, c'est rempli d'portraits d'acteurs de cinéma.

Pauline retourna à son fauteuil, s'empara du magazine et espéra de tout son cœur la «palette» de chocolat qui ne venait pas. Elle se mit à feuilleter le magazine pendant que les vieux sortaient les cartes et, à une page, une photo retint son attention.

– Regarde, Sam! C'est elle, Veronica Lake! Celle que j'disais qu'elle était plus belle que moi.

Sam jeta un œil furtif à la photo et répliqua:

– Ça dépend des goûts, Pauline. Moi, les blondes avec pas plus d'poitrine que ça...

– Pourtant, ta Clarisse, ta femme, elle était blonde, non?

– Ouais… mais plus grassette, pas maigre comme un manche à balai.

Insultée, prenant la remarque pour elle, la veuve l'apostropha sans la moindre réserve.

– T'as pas toujours dit ça, Sam! Les manches à balai, avant Pauline, tu savais quoi en faire, pas vrai?

Puis, soudainement, la bière aidant et sans que personne ne s'y attende, elle toisa la fille d'un regard sournois et lui demanda d'une voix de sorcière:

– T'as pas honte de vivre aux crochets d'un homme, toé?

Pauline, sidérée, surprise, retrouva son aplomb pour lui dire de plein fouet:

– Pis toi, la veuve? Avec Piquet?

– J'ai mon avoir, moé! J'suis pas su'l'bras, moé!

– Manquerait plus qu'ça, la veuve! Avec les deux *tootpicks* que Piquet a à la place des bras…

– Tu l'entends, Hector Piquette? Effrontée à part ça!

Sam, n'en pouvant plus, se leva de sa chaise, jeta ses cartes par terre, prit Pauline par le bras et l'entraîna en disant à ses hôtes:

– Assez, c'est assez! On sacre not'camp! J'en ai plein l'cul, moi!

Sam passa la porte, suivi de Pauline qui la referma brusquement derrière elle.

La veuve, la bouche ouverte, les cartes sur la table, s'écria:

– Mal élevée! Ça vient icitte, ça s'bourre le derrière, pis ça t'claque la porte en pleine face! J'veux plus la voir, Piquet! T'as compris? J'ai plié pour toé, pour Sam, mais là, j'veux plus qu'a remette les pieds icitte, la grosse!

Pauline voulut tourner les talons, lui dire sa façon de penser, mais Sam l'en empêcha.

– Laisse faire! Oublie ça, Pauline! Fais comme si t'avais rien entendu, on y retournera plus.

– Mais elle m'a appelée la grosse, la vieille chipie!

– Oui, oui, j'l'ai entendue, c'est parce qu'elle est jalouse de ta jeunesse pis de ta chair fraîche…

Pauline à demi rassurée, Sam osa ajouter:

– Pis, t'es pas maigre, tu sais!

La fille, choquée, puis rieuse de la taquinerie, lui flanqua un coup de pied.

– L'as-tu vue, Sam? Avec sa face ratatinée comme un pruneau! Lui as-tu vu les taches brunes sur les mains? Une tonne de p'tits raisins séchés! Pis elle me regardait sans arrêt la poitrine. Elle, avec ses deux prunes!

– Oui, oui, Minoune, j'ai tout vu ça! Arrête, oublie-la, on arrive…

Le shack était à quelques pas et, main dans la main, le couple percevait encore le tintamarre des vieux qui se prenaient aux cheveux.

– C'est d'ta faute, la vieille! C'est toé qui as commencé pis ça s'est tourné contre moé! Si tu t'étais fermé la trappe…

– Ah ben ça, par exemple! T'as pas fini avec moé, toé! À soir, tu couches à terre pis viens pas m'achaler! À terre avec le chat plein d'poils à côté d'toé! C'est d'ma faute, hein! Ben, avant qu'tu rembarques, y va tomber d'la m…

Et la dernière rime pauvre du quasi-quatrain «poétique» se perdit dans le bruissement d'ailes du hibou qui venait de se percher.

Le lendemain, penaud, timide, Piquet vint s'excuser de la mauvaise tournure du souper de la veille. Sam, compatissant, serra la main de son vieux copain en lui disant:

– N'en parlons plus, tu seras toujours le bienvenu, Piquet, mais elle…

– Oui, j'sais, mais les mois vont être longs en maudit sans vous autres.

Pauline, qui n'avait rien dit, s'immisça pour ajouter:

– C'est pas d'ma faute, j'suis pas en cause! C'est elle qui peut pas m'sentir! Moi, j'avais de bonnes intentions, mais là, fini. Fini avec elle!

Et Sam, qui l'adorait, n'intervint pas et la laissa poursuivre.

– On s'parlera comme avant, Piquet, toi pis nous autres. Mais la veuve, garde-la loin d'moi! Pis d'Sam aussi! J'veux plus qu'il lui adresse la parole!

Et Sam n'avait pas protesté devant l'ordre formel lancé à tout hasard. Le premier ordre qu'elle lui donnait par le biais de la circonstance. Il n'avait pas bronché, épris, tout à elle, et ce, au gré de leurs nuits passionnelles.

– J'ai compris, Pauline, mais moé, j'veux pas être mêlé à ça. Sam, c'est mon ami, pis toé aussi. La veuve vous bâdrera pas, j'vous en donne ma parole.

Il reprit son chemin, satisfait d'avoir fait la paix, heureux d'avoir encore Sam dans ses rangs. Et ce, malgré les menaces de Charlotte, malgré son chantage, malgré «ses caresses» qu'il risquait de perdre. Piquet, pas instruit mais pas sot, savait que la veuve n'avait aucune autre place où nicher sa carcasse.

Rebroussant chemin, il revint vers Pauline et sortit de sa poche la «palette» de chocolat oubliée la veille, qu'il lui offrit. Orgueilleuse, quelque peu outrée, les mains sur les hanches, elle eut envie de la refuser, mais l'odeur du «sucré» l'emporta sur sa fierté.

Chapitre 5

On va avoir de la pluie aujourd'hui, les feuilles ont la tête en bas, lança Sam à Pauline qui tartinait ses rôties d'un beurre d'érable que l'ermite avait acheté pour varier quelque peu ses «sucreries».

– Pas grave! En autant que ce soit pas un orage… grommela la fille.

Les nuages étaient gris et nombreux, le soleil perçait à peine, le temps de faire savoir qu'il ferait la sieste pendant que la pluie attendue par les oiseaux prendrait la relève. C'était le vendredi 3 septembre 1948.

– Piquet va au village ce matin? demanda Pauline.

– Oui, comme d'habitude, pourquoi?

– Pour la commande, Sam! Y reste presque plus rien dans la *pantry!*

– As-tu fait la liste de c'qu'on avait besoin?

– C'est que… c'est que j'aimerais y aller avec lui et faire la commande moi-même si ça t'fait rien. C'est sur place qu'on voit c'qu'on a d'besoin.

Sam n'avait pas répondu. Depuis quelque temps, Pauline se sentait «lousse» avec son argent. Elle ne se gênait plus, ne comptait plus et rédigeait des listes qui dépassaient de beaucoup le budget qu'il essayait pourtant de suivre à la lettre. S'il fallait qu'elle se rende elle-même acheter les victuailles, songeait-il, ses économies allaient fondre en un rien de temps. Surprise de son silence, elle revint à la charge:

— Dis-moi pas qu't'as pas confiance en moi pour faire un marché raisonnable!

— Non, c'est pas ça, mais ça fonctionnait bien comme ça allait là...

Elle s'approcha de lui, posa sa tête sur sa poitrine, lui passa la main sur les hanches et, telle une jouvencelle, lui dit sur un ton doucereux:

— J'aimerais tellement ça faire le marché pour une fois, montrer à tout l'monde que j'ai ma place ici, que t'as confiance en moi.

Le corps chaud de la fille contre le sien, Sam ne résista pas.

— Ben, si ça peut t'faire plaisir, vas-y, Pauline, mais dépense pas trop. Y'a pas d'argent qui rentre dans mes goussets, tu l'sais...

— T'en fais pas, j'vais pas te ruiner. Juste le strict nécessaire, Sam.

Elle s'était collée davantage, avait frotté ses seins contre sa main, et celle-ci s'agita pour empoigner ce qui le rendait fou d'elle. Elle savait comment s'y prendre, elle l'avait privé d'amour la veille. Exprès! Expressément pour que l'ermite soit en transe le lendemain. Et d'une main à l'autre, il tapotait la chair tendre de sa jeune maîtresse. Elle ne résista pas et, passive, se laissa renverser sur le sofa. Des froissements de draps, une guerre d'oreillers et, voyant que le mâle qu'il était avait vite mis fin à son tourment, elle le poussa gentiment en lui disant:

– Faut que j'm'habille! Si fallait que Piquet arrive!

Quinze minutes plus tard, elle partait dans la bagnole de Piquet, une liste entre les mains, d'autres provisions plein la tête, à la grande surprise du voisin qui, pour la première fois, conduisait la «grosse fille» au village pour faire sa commande.

Quelle ne fut pas la stupeur de madame Gaudrin de voir entrer, altière, pimpante, celle qui se prenait déjà pour la maîtresse de céans. Cachant son trouble, la marchande l'accueillit avec de belles révérences.

– Tiens! Pour de la visite, c'en est toute une! C'est vous qui faites les commissions maintenant, Mam'zelle Pauline? Piquet était pas fiable?

Le vieux avait maugréé et, après avoir acheté le nécessaire pour la veuve, il dit à Pauline:

– J't'attends dans l'char, t'as pas l'air d'être sortie d'icitte, toé!

Pauline commanda le strict nécessaire puis, impulsivement, au gré de sa gourmandise et de ses désirs, ajouta plusieurs articles qui n'étaient pas sur la liste.

– Dites donc! Comme ça va là, vous en aurez pour un mois avec tout ça!

– Pantoute! N'oubliez pas qu'on est deux dans l'shack, Madame Gaudrin. Sam s'en rend pas compte, mais à deux, faut en avoir en masse.

– J'vous comprends donc! Pis, c'est pas moi qui vas s'en plaindre! Avez-vous vu tout c'que j'ai reçu dans mon comptoir de fantaisie? Des p'tits colliers faits à la main, des boucles d'oreilles de satin, des bibelots de porcelaine…

– Oui, mais faut pas que j'ambitionne… Oh! Un ourson blanc en peluche!

– Oui, pis pas cher à part ça! C'est pas un jouet, Mam'zelle Pauline, c'est une garniture pour le lit. C'est agréable au toucher… pis ça fait bien dormir à c'qu'on dit.

La fille hésitait, mais l'ourson semblait l'implorer de ses yeux de vitre.

– Pas cher, vous dites? Ça vaut combien? Comme c'est doux… ajouta Pauline, en flattant de son gros doigt le ventre de l'ourson.

– Pour vous, une piastre, pas plus! Pour les autres, c'est plus cher, mais comme j'ai bon cœur, je vous le laisse au prix coûtant si vous l'prenez.

Croyant réaliser une bonne affaire, Pauline sauta sur l'occasion et le petit ourson trouva une place dans le sac qui contenait des fèves au lard et du blé d'Inde en crème. Puis, les yeux plus grands que la panse, elle demanda à la marchande:

– Vous avez des *cup cakes* aux fraises?

– Non, y m'en reste plus, pas même à la vanille, mais j'ai des boîtes de mokas… Ils sont frais, ils arrivent tout juste. Y'en a six par boîte, ce qui veut dire que la semaine…

La salive déjà au bord des lèvres, Pauline en prit une boîte qu'elle plaça dans un sac. Avec les œufs et le pain pour ne pas les écraser.

– Ça va être tout? demanda la Gaudrin qui, satisfaite, comptait déjà le profit de la plus grosse commande de la semaine.

– Oui… mais j'allais oublier la liqueur. Un Kik Cola pis une bouteille d'orangeade pour faire changement. Pis une pinte de lait! Mon Dieu que j'suis distraite!

– Vous aimeriez pas que j'ajoute une chopine de lait au chocolat?

– Oh! Paraît qu'c'est bon, mais c'est plus cher…

– Bah, quelques cennes de plus, Mam'zelle. C'est pas ça qui va ruiner Sam!

– Vous avez ben raison. Pourquoi s'priver d'manger? C'est tout c'qu'on a à faire dans l'shack. Quand on a pas d'électricité, pas d'musique…

– Hum… ben d'accord avec ça, marmonna la dame. J'me demande comment vous faites pour tuer l'temps, ajouta-t-elle avec un sourire en coin.

Pauline, qui n'avait pas saisi le sens de l'allusion, lui répondit naïvement:

– Ben, je lis, Sam joue aux cartes, pis…

Elle s'était arrêtée sec. Encore imprégnée de ses plaisirs «illégitimes», elle avait failli lui avouer que, le soir venu… Mais elle venait de comprendre que la marchande fouinait.

– Vous savez qu'on fait une fête au village, demain?

– Une fête? Non. Une fête pour qui?

– Pour les vingt ans du magasin, c't'affaire! Ça va s'passer en pleine rue Principale, tout l'village va être là, le maire pis le curé aussi. On va danser, boire, s'amuser. Si l'cœur vous en dit, vous êtes la bienvenue, Mam'zelle Pauline. Pis Sam aussi! Mes bons clients, j'passe pas par-dessus… Tenez! la commande est prête, mais ça va être lourd pour vous. Piquet est déjà dans l'char… Ti-Guy, viens icitte! Mam'zelle Pauline a besoin d'aide.

Le garçon, sorti elle ne savait d'où, s'empressa de prendre ses sacs tout en la regardant en souriant. Il la suivait, elle sentait qu'il l'examinait, qu'il avait les yeux rivés beaucoup plus sur ses fesses que sur les marches qu'il avait à descendre. Pauline, repentante de l'avoir mal jugé, lui dit lorsqu'il déposa les sacs dans le coffre de la bagnole: «T'es ben aimable. C'est ben gentil…» Il ne répondit pas, il était subjugué par le parfum qui se dégageait d'elle à chaque pas. C'était frisquet, mais le garçon aux cheveux gras avait le torse nu. Et Pauline remarqua qu'il était bien bâti pour un jeunet. Les épaules carrées, des biceps, des dents blanches, il était presque beau, sauf qu'il avait quelques boutons d'acné sur le menton. Des boutons d'adolescence causés par les… démangeaisons. Piquet, qui avait vu les sacs s'empiler dans son coffre, lui dit lorsqu'elle prit place à ses côtés:

– Batêche! As-tu acheté l'magasin, la fille?

– Non, juste c'qu'on a besoin… pis des p'tites fantaisies.

Il ricana, hocha la tête, et lui dit comme s'il en était fier:

– J'ai hâte de voir la tête de Sam quand y va voir le *bill*.

Devant l'air ahuri de Sam alors qu'il rentrait les sacs, Piquet riait dans sa barbe. Il savait que son vieil ami risquait une syncope en voyant le montant. Il l'imaginait déjà dans son tronc d'arbre, maugréant, lorsque viendrait la fin du mois. Sam resta silencieux, attendit que Piquet retourne chez lui pour se payer sa tête avec la veuve et, seul avec Pauline, alors qu'elle rangeait les victuailles, il lui dit:

– Juste à voir, j'pense que t'as pas été raisonnable. Ça monte à combien, c'te commande-là?

La fille regarda la facture et, mal à l'aise, lui marmonna timidement:

– Pas tout à fait douze piastres, Sam… Mais on a du *stock* pour longtemps.

– Douze piastres? T'es pas sérieuse, Pauline? Le mois commence à peine et t'as déjà dépensé les trois quarts de c'que j'avais prévu! Me prends-tu pour un riche? Penses-tu que j'ai un coffre-fort en dessous du lit, toi?

Le ton était sec, rigide, choqué. Pauline ne l'avait jamais vu s'emporter.

– En tout cas, c'est la dernière fois que tu mets les pieds là, toi! À l'avenir, c'est la liste, Piquet, pis toi tu restes ici, compris? Comme avant!

Elle avait la mine basse, elle rangeait sans faire de bruit, elle cachait même derrière son dos les mokas qu'elle savait de trop. Pauline était triste, elle n'osait pas sortir du sac l'ourson en peluche dont on apercevait l'oreille. C'est Sam qui le retira et, devant l'ours aux yeux de vitre, s'écria:

— Et ça, c'est quoi? C'est pour qui, c'te bébelle-là?

Pauline froissait sa jupe de ses mains. Plus morte que vive, elle répondit:

— C'est pour moi. J'ai pensé qu'tu m'en voudrais pas… C'était pas cher…

— Ça parle au diable! Un jouet pour une fille de ton âge! Là, Pauline…

Et le ton dur de Sam fit que la pauvre fille éclata en sanglots. Telle une enfant prise en faute, elle se réfugia sur le sofa, la tête enfouie sous l'oreiller. Sam, la peine en plein cœur, se rendit compte qu'il l'avait rudoyée de ses paroles amères. Ému, ne pouvant voir pleurer celle qu'il aimait, il se fit tendre et lui murmura en lui passant la main dans les cheveux:

— Pleure pas comme ça, voyons… J'suis pas un ogre… J'ai élevé l'ton, mais j't'en veux pas. Si tu me l'avais demandé, j'te l'aurais acheté, l'ours blanc…

Elle sécha ses larmes et lui dit d'une voix éteinte:

— C'est tout comme, Sam. J'l'ai payé avec ton argent. Ça fait depuis que j'suis petite que j'rêve d'un ours en peluche. J'ai jamais eu d'jouets quand j'étais jeune, pas même une poupée de guenille. J'ai toujours envié les autres enfants pis j'me rappelle encore du p'tit voisin qui avait un ourson brun qu'y voulait pas m'prêter. J'me suis laissée aller… J'aurais pas dû, je l'sais…

Sam, remué jusqu'à la moelle, la serra contre lui et la consola de ces mots:

— T'as bien fait, excuse-moi, j'savais pas… Pleure pas, Minoune, j'voulais pas t'faire de peine. Tout c'que tu veux, Minoune, mais pleure pas. J'suis pas correct de t'dire des choses comme ça. Après tout c'que tu fais pour moi…

Oui, après tout ce qu'elle faisait pour lui de la chair fraîche de ses printemps. Après tout ce qu'elle faisait au lit… Ça valait bien un ourson blanc.

Elle lui caressa la main, l'appuya contre sa joue et lui dit, pas encore sûre d'elle:

— J'ai fait une autre dépense que t'approuveras pas plus, Sam.

— Dis-le, ça m'surprendrait…

— J'ai… j'ai acheté une boîte de mokas sans même te l'demander.

Il la prit dans ses bras, glissa sa main sur son épaule, sur ses seins fermes et tendus, et murmura faiblement:

— Ben, voyons donc! Comme si c'était péché que d'aimer l'sucré. Voyons, Minoune!

Le soir venu, alors qu'il était détendu après avoir mangé, après avoir bu son café, elle lui demanda à brûle-pourpoint:

— Tu savais qu'il y avait une fête au village, demain?

— Non… En quel honneur?

— On fête les vingt ans du magasin général. Tout l'village va être là, on va danser et s'amuser jusqu'au soir. Madame Gaudrin m'a invitée pis toi aussi. Tu veux qu'on y aille, Sam? Ça nous changerait les idées…

— Pas question, j'fréquente personne, moi! Y'a trop d'commères au village…

Pauline regardait ailleurs et Sam sentit qu'elle était contrariée. Mais là, malgré le pli qu'il lui avait donné, il insista pour qu'elle comprenne.

– J'descends jamais d'la butte, tu l'sais? J'vais jamais au village. J'y suis allé une fois, mais c'était pour te faire un cadeau… J'veux pas changer mes habitudes, Pauline. J'veux pas me mêler à ce monde-là… D'la rapace…

– Tu penses que… tu crois que…

– Tu veux y aller, c'est ça, pas vrai? Moi, ça m'fait rien, Pauline, mais ça va faire jaser. Tu sais, t'es pas bien vue au village. On t'invite par politesse, mais j'sais c'qu'on pense de toi dans l'fond. Une gang d'hypocrites! La Gaudrin itou! Pis l'curé qui va en profiter pour te questionner…

– J'suis capable de m'défendre, t'en fais pas! J'ai peur de personne, moi!

– Pis une fille seule… Y penses-tu, Pauline? Tu connais personne ou presque…

– Piquet va sûrement y aller… Avec lui, j'serai pas seule…

– Pis la veuve? T'embarquerais dans son char avec la veuve en avant d'toi? Tu vas pas t'abaisser à ça, j'espère! Pas après c'qu'elle a fait, Pauline! Pis après c'qu'elle a dit sur toi! Si tu fais ça, t'as pas d'cœur…

– Ben, si la veuve y va, j'irai à pied. C'est juste un mille à marcher…

– Tu veux vraiment y aller, hein? Tu commences à trouver ça plate ici?

– C'est pas ça, Sam! J'ai juste le goût d'entendre d'la musique. Il va y avoir une fanfare pis après, trois musiciens pour faire danser les gens.

– Danser? Et avec qui tu vas danser, toi? Avec Piquet?

– Non, j'ai pas l'intention de danser, juste regarder, Sam, juste m'amuser…

– Laisse-moi parler à Piquet avant. Si la veuve y va pas, si t'embarques avec lui, j'veux bien. Mais à pied, un mille aller-retour, ça, ça m'plaît pas. Tu t'vois en pleine noirceur sur le chemin d'terre? Non, pas ça, Pauline!

Le lendemain matin, à peine levée, Pauline vit Sam qui discutait avec Piquet. Elle entendait la veuve de sa fenêtre crier de sa voix claire: «Moé, j'y vais pas! Me faire casser les oreilles, merci pour moé! J'aime mieux faire mon *puzzle!*» Sam revint au shack et, souriant, annonça à Pauline:

— C'est correct, tu peux y aller. Piquet va t'emmener pis t'ramener.

Pauline ne manifesta pas trop sa joie, mais dans son for intérieur, elle jubilait. Enfin, elle allait pouvoir faire la fête, rire et s'amuser. Gardant néanmoins son calme, elle dit à Sam:

— La veuve va être en beau joual vert si Piquet part avec moi.

— Elle s'en sacre! Elle l'a loin, son Piquet! Elle aime mieux rester seule avec son chat que d'l'endurer, puant la bière, les doigts croches sur son *puzzle.* J'invente rien, c'est elle qui a débité tout ça. Pis, elle est pas jalouse de toi, Pauline, pas avec Piquet...

— Ça, je l'sais! Pis elle a rien à craindre! Piquet, c'est pas toi pour elle...

— Dis pas d'bêtises, c'était ben avant...

— Oui, juste avant qu'j'arrive! Mais j'suis pas folle, j'vois clair, moi! La veuve sait bien que toi pis moi... Elle est pas née d'la dernière pluie, la chipie!

— Tiens! Parlant de toi pis moi... T'étais trop fatiguée, hier soir?

— Sam! C'est pas l'cas, mais chaque soir... Tu trouves pas qu't'exagères?

— Ouais... peut-être, mais j't'aime, Minoune. Pis si c'était rien que d'moi...

– Oui, j'sais, on passerait notre vie au lit, Sam! Moi aussi, j't'aime, mais des fois, faut reprendre des forces, non? J'suis pas une jument, Sam Bourque!

– Minoune!

– Minoune tant qu'tu voudras, y vient des soirs où j'veux dormir, moi. Avec toi, y'a pas d'fin! J'sais qu't'as été privé pendant longtemps, mais…

– Va pas plus loin, j'ai compris. C'est vrai qu'j'ambitionne, mais c'est pas d'ma faute, Pauline. Dès qu'tu m'frôles, dès que j'sens ta peau… Pis parlons-en plus! Viens plutôt voir ce que j'ai fait d'bonne heure pendant qu'tu dormais.

Sam l'entraîna par la main à côté du shack et, à un arbre qui s'y prêtait, il avait installé une balançoire suspendue à une branche. Une balançoire qu'il avait fabriquée avec un pneu trouvé chez Piquet. Une jolie balançoire à cordes tressées retenues par deux crochets. Pauline, ravie, époustouflée, s'empressa d'y poser ses fesses pour s'assurer que tout était solide. Et, se balançant telle une gamine, elle lui cria dans sa joie retrouvée:

– T'as monté ça ce matin et j'ai rien entendu?

– J'ai pas fait d'bruit, Minoune. Pis tu dormais aussi dur qu'une marmotte.

Sautant du pneu, elle se jeta dans ses bras et lui dit en le serrant:

– T'es fin, tu peux pas savoir comment! C'est là que j'vais lire mon roman, en me balançant.

Mais la conversation qui avait précédé le petit coup d'éclat de Pauline, en parlant de la veuve, l'avait remise en place sur le siège du pouvoir. Pauline, reprenant les rênes, Sam avait du coup encaissé la défaite. Elle avait eu raison de lui et, comme elle le sentait fortement épris d'elle, c'est d'un ton rassuré qu'elle lui demanda:

– À quelle heure Piquet part-il pour le village?

– Oh… deux heures. Il m'a dit qu'y t'ferait signe.

– Deux heures? Aie! Faut que j'me prépare! J'suis même pas changée! Viens vite dîner, Sam! Moi, j'ai pas une minute à perdre!

Lorsque Piquet lui fit signe de la main, Pauline sortit du shack au grand étonnement de Sam qui, en *overalls* sur son torse nu, s'affairait à transplanter des plantes vivaces, trouvées dans le bois, devant sa vieille cabane. Pauline avait endossé une blouse sans manches de coton noir. Une blouse si serrée pour son buste trop fort que les boutons fermaient à peine. Sa jupe rouge et ample avec de la dentelle à la lisière et ses souliers de cuir noir à talons cubains. Frisée, du rouge à lèvres, aucun bijou, elle n'avait pas omis de se parfumer pour autant. Sur ses épaules, elle avait laissé choir une veste de laine rouge au cas où la fraîcheur serait plus dense. Et, à son poignet, un sac à main de cuir noir avec rien à l'intérieur, pas un sou, sauf un mouchoir. Sam, la dévorant des yeux, lui demanda:

– T'en vas-tu aux noces ou à la fête du village?

– Pourquoi?

– Avec tes talons hauts, changée comme un dimanche…

– C'est une fête, Sam, pas une tombola! J'veux pas avoir l'air d'une mendiante, moi! Pis, pour une fois, on pourra voir que j'viens d'la ville, moi! C'est pas tous les jours que j'peux m'créter comme ça.

– Bon, j'ai rien dit, amuse-toi bien… À quelle heure tu reviens?

– Sam! Laisse-moi au moins partir! Comme si j'savais, moi!

Une fois de plus, elle avait le dessus sur lui et Sam n'osa rien ajouter. Même si ça l'ennuyait de la voir s'en aller au village. Il savait qu'elle allait attirer les mâles. Il savait qu'on allait la désirer, la déshabiller des yeux. Il aurait préféré qu'elle ne soit vue que de lui, dans son shack, volets fermés, à l'abri de tout regard. Sam, possessif, devenait peu à peu jaloux. Il aurait souhaité qu'aucun homme, outre Piquet, ne voie jamais… sa proie.

Piquet s'était lavé, rasé, il s'était même endimanché. Un pantalon propre, une chemise lavée et repassée, les quelques cheveux placés. Il était tôt, il n'avait pas encore bu, il se gardait de la place pour ce qu'on lui offrirait sans avoir à payer. Piquet savait que la bière coulerait à flots et que, pour le vingtième anniversaire, Gaudrin serait généreux avec ses barils. Pauline monta, Piquet démarra et, resté seul, Sam était mécontent. Il aurait préféré que «sa Pauline» reste dans la cabane à lire son roman. La veuve, qui avait tout observé de sa fenêtre, trouvait que «la grosse» était provocante. Surtout lorsqu'elle dandinait son derrière sur ses talons trop hauts pour ses chevilles dodues. Mais la fille «bien en chair» ne l'avait pas regardée. Sortie de son chalet, les yeux tournés vers Sam, Charlotte souhaitait, espérait, mais, l'apercevant, l'ermite rentra dans son shack et ferma la porte derrière lui.

Piquet n'avait pas le pied pesant sur l'accélérateur. Il prenait son temps, tout son temps, pour humer le parfum de sa belle passagère. À mi-chemin, les yeux vicieux rivés sur elle, il lui dit:

– Batêche que tu sens bon, Pauline!

Elle ne répondit pas, se contentant de regarder par la fenêtre. Puis, sursautant, elle se rendit compte que Piquet avait mis sa main sur son genou. Offusquée, insultée, elle lui donna une claque en lui criant:

— Ta main, chez vous, t'as compris? Touche-moi plus jamais avec ta main chambranlante, Piquet!

— Saute pas en l'air! J'voulais juste voir si t'avais l'genou rond!

— La prochaine fois, je t'avertis, c'est en pleine face que je t'étampe mes doigts!

— Maline, hein? Pas fine pantoute, la Pauline, hein? Pis moé qui m'démène pour l'emmener jusqu'au village…

— Tu m'emmènes pis tu m'ramènes, Piquet! C'est ça qui est entendu! Pas plus ni moins! Pis, rendus là, imagine-toi pas que tu vas m'servir de cavalier! Tu prends ton bord pis moi, l'mien! J'veux pas t'avoir à mes trousses! Bois ta bière, fiche-moi la paix, pis on va ben s'entendre!

Piquet avait le «caquet» bas. Il ne s'attendait pas à un tel flot d'injures. Ce qui l'avait blessé, c'était «ta main chambranlante» qu'elle avait utilisé. Depuis peu, il souffrait d'une maladie. Celle de Parkinson dont il ignorait encore le nom. Il croyait que c'était des tics nerveux, mais la main tremblait de plus en plus et la tête voulait suivre. Avec le peu de fierté qu'il lui restait de ses jeunes années, il murmura à sa compagne de route:

— J't'aurais pas fait une passe… J'voulais juste te toucher…

— Une passe? Toi? T'es même plus capable d'en faire à la veuve, Piquet! T'es-tu déjà regardé? Un paquet d'os, deux cannes, une vieille branche, Piquet!

Insulté, rouge comme un coq, il répliqua vivement:

— C'est pas à Sam que tu dirais ça, hein, Pauline?

De riposte en riposte, sans même s'arrêter pour penser, elle débita d'un trait:

— Sam, c'est pas pareil! C'est un homme, lui! Un vrai! Pas un mort en vacances!

Sans s'en rendre compte, au grand soulagement de Piquet, elle venait de lui avouer que les cris de la nuit n'étaient pas que ceux provoqués par le tonnerre. Mais, insultes ancrées au cervelet, Piquet qui n'avait guère digéré le «mort en vacances» riposta entre ses dents:

– Toé, un jour, tu vas m'payer ça, Pauline Pinchaud!

La discussion aurait fort bien pu s'éteindre sur la menace répétitive, mais Pauline, toujours avide d'avoir le dernier mot, lui lança sans ménagement:

– Te payer ça? Ça va pas m'coûter cher! Sept ou huit pissenlits sur ta tombe, vieux chromo!

La rue Principale était animée, bondée de paroissiens, de fermiers, de touristes et de vacanciers qui possédaient des chalets dans le coin. Il y avait même des gens de Saint-Lin, mais, heureusement pour elle, Pauline ne vit pas sa sœur, Raymonde, et son beau-frère, Léo, parmi la foule qu'elle avait scrutée du regard. Le curé, juché sur une petite balustrade, entamait déjà son discours. Il rendait un sérieux hommage à Joseph et Emma Gaudrin, pionniers du village, gens de cœur et de droiture, aidant les pauvres, accueillant les malheureux… Que d'éloges pour celui qui vendait trois fois plus cher ses trouvailles de la ville, et pour celle qui, plus malhonnête que généreuse, haussait les prix pour ensuite faire mine d'accorder des rabais.

Malgré sa hâte de se défaire de Piquet, de s'aventurer seule, Pauline était confuse, figée sur place. Elle ne connaissait personne sauf la marchande qui, occupée à causer avec tout le monde, n'allait certes pas quitter son cercle pour la fille du shack que la paroisse voyait d'un mauvais œil. Piquet voulait partir, rejoindre les ivrognes, mais Pauline le retint par la manche. «Attends qu'on m'parle… Laisse-moi pas toute seule à niaiser sur le trottoir…» Le vieux souriait, il la sentait prise de panique. Elle avait besoin de lui, lui, le «vieux chromo», lui, «le mort en vacances». Heureux d'escorter une si belle fille, il lui dit:

— Viens avec moé, prends au moins une bière, ça va t'dégêner…

— Tu sais bien que j'bois pas, Piquet! Attends juste un peu…

Ils écoutèrent la fanfare, regardèrent la parade et, juste après, l'un des musiciens «calla» un «set carré». Pauline n'était pas passée inaperçue dans cette foule. Les femmes la regardaient avec envie, les hommes, avec des idées bien précises. Un homme dans la quarantaine, un vieux garçon, un semblant d'homme encore collé aux jupes de sa vieille mère, s'approcha d'elle et lui demanda poliment:

— Vous voulez danser, Mademoiselle?

Et Pauline ne se fit pas prier. N'importe qui pour la débarrasser de Piquet qui, heureux, la laissa aux bons soins du précieux pour rejoindre ses vieux *chums* qui se saoulaient déjà dans la bière «à» Gaudrin. Son cavalier n'était pas beau, il avait un gros nez, le ventre rond, le menton long, mais avec les «changez de compagnie» du maître de cérémonie, elle n'eut même pas à lui demander son nom. D'un partenaire à l'autre, elle s'était retrouvée dans les bras de tous les hommes du village. Et ce, au grand désarroi de leurs femmes qui n'appréciaient guère la présence de «l'étrangère» à leur fête.

Lors du souper qui suivit, Pauline se retrouva à une grande table sous un arbre, entourée de paroissiens qui la regardaient, tantôt de travers, tantôt d'un air aimable. Les hommes, surtout! Et ce, depuis que madame Gaudrin s'était approchée d'elle pour lui dire: «J'suis contente de vous voir, Mam'zelle Pinchaud. C'est gentil d'être venue pour le vingtième anniversaire.» Et, à quelques chaises de la sienne, Ti-Guy s'étirait le cou pour lui offrir un sourire. Un sourire qu'elle lui rendit afin de démontrer qu'elle n'était pas une inconnue à ce banquet. Le souper s'étira et Pauline s'empiffra de tout ce qu'on avait mis sur la table. Des œufs, des salades, des pains fourrés, du jambon, des saucissons et de nombreux desserts «sucrés» qu'elle avala goulûment, au risque de se payer… une crise de foie!

La noirceur vint peu à peu et, cherchant Piquet des yeux, Pauline l'aperçut, une chope de bière à la main, trois autres devant lui. Titubant, saoul comme une «botte», le vieux, jacassant de sa bouche pâteuse, crachait, sans s'en rendre compte, dans les visages des autres ivrognes… qui le lui rendaient bien. Le dentier aussi «chambranlant» que la main, la tête de tous côtés, ses petites dents «lousses» du bas semblaient prêtes à sauter des gencives. Les doigts jaunes, la chemise de travers, une bretelle «pétée», Piquet avait retrouvé «son allure». Chassez le naturel, il revient au galop… aurait pu lui dire Pauline, mais elle le fuyait comme la peste. Et lui, ivre, les yeux comme des trous de suce, ne la cherchait pas du regard. Il avait même oublié, dans «sa mer à boire», qu'il était celui qui devait la ramener au shack le soir.

Vers huit heures, le trio de musiciens se mit à jouer des airs à la mode. Une valse, une polka, un *boogie-woogie,* puis… un *slow.* Un *slow* très populaire, *Blue Moon,* en invitant les amoureux à danser. Dès les premières notes, Pauline sentit une main sur son épaule. C'était Ti-Guy, le fils de la marchande qui, timide, lui demandait:

– Tu veux danser avec moi?

Surprise, quelque peu hésitante, elle se leva et le suivit sur la piste. Et là, une main sur son épaule, la sienne sur sa hanche, elle lui dit:

– Il était temps que tu m'adresses la parole. Un peu plus et j'aurais juré que le chat t'avait mangé la langue.

Il sourit, la colla contre lui, et elle ne résista pas. Le jeune homme sentait bon, il portait une belle chemise, une jolie cravate. Et ses cheveux noirs ne bougaient pas, retenus bien en place par la Wildroot *cream oil*. Elle le regardait, il était beau. Il avait même pensé à cacher ses boutons d'acné sous une crème couleur de peau. Un ingrédient de sa mère, sans doute. Mais, tout contre lui, elle ne se sentait pas dans les bras du «p'tit morveux» qu'elle avait aperçu sur les marches de la galerie du commerce. Il était homme! Vraiment homme! Bien fait, les jambes droites, le torse bombé, les épaules larges, les bras musclés. Et sa chemise détachée laissait entrevoir, entre l'échancrure et la cravate, une petite touffe de poils.

– T'as quel âge, Ti-Guy? lui demanda-t-elle.

– Tiens! C'est toujours la première chose qu'on me demande.

– Qui ça, «on»?

– Ben… les femmes!

Il affichait un air sûr de lui, une allure décontractée.

– T'as toujours pas répondu à ma question…

– J'ai dix-sept ans, mais j'vais en avoir dix-huit le 14 octobre. Contente? Pis toi?

– Moi, j'ai vingt ans, presque vingt et un. Pas mal plus vieille que toi!

– Ça paraît pas! J'pensais que t'avais dix-huit ans.

Flattée, conquise par le compliment, Pauline le mit à l'épreuve.

– T'es ben gentil, mais avec mes rondeurs, j'ai pas l'air d'une petite fille…

– Tes rondeurs? Quelles rondeurs? Moi, j'trouve que t'es bien faite.

Deux fois plus enchantée, elle appuya sa tête sur son épaule et poursuivit en silence la danse qui n'en finissait pas. Piquet, saoul mais pas aveugle, observait le couple, caché derrière un arbre. La danse terminée, Ti-Guy Gaudrin lui demanda très gentiment:

– Ça te dirait de venir prendre un p'tit verre de vin avec moi?

– Ça m'ferait plaisir, mais j'bois pas.

– Allons, juste un p'tit verre. Un bon p'tit rouge que mon père a acheté en ville. Il l'a pas sorti pour le village, il est trop d'qualité…

Un vin de la ville? Juste à ces mots, Pauline se sentit dans un autre monde.

– C'est que… que j'ai pas l'habitude, tu sais.

– Bah! Juste tremper tes lèvres. Si t'aimes pas ça, on l'jettera.

Il l'entraîna par la main, fit le tour de la maison et s'engagea dans le noir.

– Où est-ce que tu m'emmènes? Il est où, ton p'tit rouge, Ti-Guy Gaudrin?

– Mon père l'a caché dans la grange pour que personne le découvre. Viens, aie pas peur, j'suis avec toi, y'a pas de danger.

La main dans la main, se sentant éclore au contact de cette paume douce, Pauline le suivit sans mot dire. Quelque chose la troublait. Avec ce garçon de dix-sept ans, elle se sentait comme une adolescente. Ce qu'elle n'avait jamais été dans sa vie. De petite fille, elle était devenue femme. À treize ans! Avec les débardeurs du port et les patrons bedonnants. C'était comme si elle avait sauté une étape. Et elle venait tout juste de s'en rendre compte dans les bras de cet homme-enfant.

Ils prirent place sur deux bottes de foin et Ti-Guy retira de l'une d'elles la bouteille qu'il avait cachée. Déjà ouverte, refermée par le bouchon de liège, il n'eut qu'à le tirer pour lui servir un verre qu'il venait de prendre dans une autre botte de foin. Scène bien préparée qui avait échappé au quotient peu élevé de… l'invitée. Elle but une gorgée, grimaça au goût âpre, et il s'empressa de lui dire:

— C'est jamais bon à la première gorgée. Si, après trois, tu l'aimes pas, t'auras qu'à le laisser.

Et Pauline, orgueilleuse, outrée d'être devancée par un jeunet, l'enfila presque d'un trait en lui disant:

— C'est vrai qu'c'est bon! C'est d'qualité! Tu m'en verses un autre?

Ti-Guy Gaudrin ne demandait pas mieux que de la saouler.

— Tu restes avec l'ermite? C'est vrai ce qu'on dit au village?

— Qu'est-ce qu'on dit?

— Ben… que toi pis lui…

— Des menteries, Ti-Guy! Un paquet d'menteries! J'suis juste sa servante, pis pas pour longtemps! Jusqu'à c'que j'me trouve une place en ville. Voyons donc! Une fille de mon âge! Sam Bourque a soixante ans!

— C'est bien c'que je m'disais, mais les langues de commères, la veuve…

— Ça vient d'elle? Ah! la vieille chipie! Tu sais pourquoi elle dit des choses pareilles? C'est parce que c'est elle qui couche avec Sam! Pis avec Piquet aussi! Y s'la passent à tour de rôle! C'était comme ça avant qu'j'arrive, mais là, j'suis dans ses jambes! Vieille grenouille! Tu devrais la voir au lac. La peau pis les os! Ça lève le cœur, Ti-Guy!

Pauline ne se rendait pas compte que l'alcool lui tournait la tête. Elle avait défilé d'un trait, devant le fils de la pire des commères, le secret le mieux gardé de la butte. Le vin aidant, elle venait, non pas de trahir seulement la veuve et Piquet, mais aussi Sam, l'homme qui l'aimait, qui l'attendait. L'homme qui ne vivait que pour elle et dont elle cachait au jeunet qu'il était son amant. Oubliant ce qu'elle venait de dire, elle se leva, retomba sur la botte de foin et dit au jeune Gaudrin:

– J'suis toute étourdie… C'est le vin qui fait ça? J'me sens toute drôle, j'ai les jambes molles.

Les yeux mi-clos, elle ne se rendit pas compte que le jeune homme avait retiré sa cravate, déboutonné sa chemise et détaché la ceinture de son pantalon. Enivrée par le vin, la blouse ouverte, les deux mains de Ti-Guy sur ses seins, elle ne résista pas quand il s'empara de ses lèvres pour l'embrasser fiévreusement. Prenant conscience de la situation, elle tenta à peine de le repousser, de lui dire que ce n'était pas «correct», mais le garçon, braguette ouverte, le membre raide, était assis sur elle. Un gars de dix-sept ans, nettement déterminé à lui faire l'amour. Elle opposa un tantinet de résistance, mais, attirée par ce corps jeune, quasi imberbe, aux attributs dignes de Sam, elle lui demanda entre deux hoquets:

– T'es sûr d'avoir déjà fait l'amour avec une femme?

– Une? Pas une, Pauline, plusieurs! J'fais l'amour depuis l'âge de quatorze ans. J'ai même déjà fait l'amour avec une femme de trente-cinq ans!

Étonnée, puis rassurée, Pauline ne résista pas lorsqu'il la dévêtit dans la grange, sous l'œil indifférent d'un coq échappé du poulailler. Elle était nue, elle était haletante, elle fermait les yeux, les rouvrait, mais elle se trémoussait comme jamais elle ne l'avait fait. Même avec Sam! Parce qu'avec la griserie, quoi qu'on puisse en dire, le vin ne rend pas seulement l'homme… semblable à la bête. Ti-Guy suait, il n'avait jamais fait l'amour à une femme. Il s'était certes amusé avec des petites voisines, mais jamais il n'avait assouvi son désir de la chair. Et Pauline, plus que perverse sous l'effet de l'alcool, le rendit homme, puisque c'est lui qui étouffa un cri de jouissance… précoce. Avant que Pauline, dans un état second, atteigne un semblant d'orgasme. Il voulut se rhabiller, mais elle le garda prisonnier sur elle. Pour jouer avec son corps, pour lui faire ce qu'il n'avait jamais imaginé, sauf en pensée. Et le fils Gaudrin, nerveux, agité par les soubresauts de tous côtés, eut soudainement peur qu'on s'étonne au village qu'il ne soit plus dans les parages.

— Viens, habille-toi, dépêche-toi, j'suis certain que tout l'monde nous cherche!

— J'suis molle, j'suis pas capable de m'habiller, j'ai la tête qui tourne… As-tu aimé ça, Ti-Guy? M'aimes-tu, au moins?

— Oui, oui, j't'aime, mais aide-toi, rhabille-toi, j'vais t'faire boire du café! On va aller chez Jovette en cachette. On va t'remettre sur pied!

— Jovette? C'est qui ça, Jovette?

— C'est la fille du garagiste. Elle habite dans un p'tit camp derrière chez son père. Viens vite, Pauline! J'veux pas avoir de problèmes avec mon père, moi!

Elle se rhabilla avec peine et se laissa presque traîner jusque chez la Jovette en question. Rendue là, assise sur une chaise, elle buvait du café à grandes tasses, elle qui ne buvait que du thé. Titubante, elle s'endormit sur un divan et, à son réveil, une grande fille mince et blonde veillait sur elle.

— Ça va mieux? T'as pas envie d'être malade, au moins?

— Non, non, ça va aller… Où est Ti-Guy?

– Il est parti, Pauline. Il est rentré chez lui. Il est parti vers minuit.

– Minuit? Quelle heure est-il?

– Pas loin de deux heures du matin, mais t'en fais pas, personne n'a rien vu, personne n'a su…

– Tu es qui, toi?

– Moi, c'est Jovette Biron, la fille du garagiste. Je pense qu'on va devenir de bonnes amies, toi pis moi. Depuis l'temps que j'm'en cherchais une… T'es jamais allée à l'hôtel du village, Pauline?

– À l'hôtel? Non… Pourquoi?

– Laisse faire, on en reparlera en temps et lieu. Là, c'qui faut, c'est qu'tu retournes chez toi.

– C'est Piquet qui doit m'ramener…

– Ben… ça fait longtemps qu'il est parti, celui-là. Tout croche! Saoul mort! Ça m'surprendrait pas qu'son char soit dans l'fossé.

Pauline, qui retrouvait peu à peu ses esprits, qui se tenait sur ses jambes, s'écria soudainement:

– Sam! Oh! mon Dieu! Qu'est-ce qu'y va dire?

– T'as des comptes à lui rendre? Pourquoi tu t'en fais…

– C'est que… c'est que c'est lui qui m'héberge. J'lui ai dit que j'reviendrais pas tard… Y doit s'inquiéter, Jovette, y doit ronger son frein…

– Énerve-toi pas, reste calme, j'prends le *truck* de mon père pis j'te reconduis jusqu'au chemin de la butte. Mais, j't'avertis, j'vais pas plus loin. J'veux pas avoir de trouble, moi! C'est Ti-Guy qui t'a fait boire, pis c'est moi qui es prise avec toi. Ah! lui!

– Il m'a dit que t'étais son amie…

– Ouais… si on peut dire! Le p'tit vlimeux! Y fait ses coups, pis après, y vient m'voir pour que j'le sorte du trou!

C'est pas la première fois, tu sais! Heureusement qu'y est beau, qu'y a un beau corps...

— T'as déjà couché avec lui, Jovette?

— Non, trop jeune pour moi, pas encore, mais je l'ai déjà vu tout nu au ruisseau pas loin d'ici... Moi, j'l'attends dans l'détour. Pis toi, t'as couché avec lui dans la grange?

— Heu... j'pense que oui... C'est vague, mais j'pense que j'ai plié, que j'me suis laissée aller. Y'avait l'tour, tu comprends? Y m'a dit qu'y'avait fait souvent l'amour...

— Ben, si c'était pas l'cas, là, c'est fait! Y'a fini par se faire débaucher! C'est c'qu'y cherchait depuis longtemps, le p'tit torrieux! Mais ça m'surprendrait qu'il en parle, y'a peur de son père pis d'sa mère. Ben... en autant qu'ç'a pas été désagréable...

Pauline, rassemblant ses souvenirs, revoyait des gestes, des mains et, ayant encore sur la peau des traces grasses du Wildroot du garçon, marmonna:

— Non, ç'a pas été désagréable, mais j'aurais aimé mieux avoir eu toute ma tête. Y'avait pas besoin de m'faire boire. J'avais l'goût, ça m'tentait avec lui.

Puis, apercevant le «cadran» sur la table de nuit, elle s'écria:

— Faut que j'rentre, Jovette! Ça va barder! Sam va pas me l'pardonner!

— Coudon! C'est-tu ton *chum*, c'bonhomme-là? On dirait qu'y t'fait peur!

— Non, mais j'reste quand même chez lui, j'travaille pour lui, j'voudrais pas qui m'sacre dehors comme une dévergondée, tu comprends? J'saurais plus où aller...

— Bon, bon, ça va, embarque dans l'*truck*, j'te ramène. Mais faudrait qu'on s'revoie, Pauline. J'pense qu'on est faites pour s'entendre, nous deux.

– J'demande pas mieux, moi. J'ai pas d'amies, personne à qui parler. J'ai même pas d'famille. J'suis contente de t'avoir rencontrée, Jovette. Pis tu diras à Ti-Guy que si y veut m're-voir…

Piquet avait quitté la fête assez tôt, mais pas aussi saoul qu'on voulait bien le laisser croire. Il n'en était pas à sa première «brosse». Il connaissait la route sur le bout de ses doigts, les courbes incluses, ivre ou sobre. Quand Sam le vit monter le chemin de la butte, il sortit de son shack et marcha dans sa direction. Il avait hâte de retrouver Pauline, elle lui manquait, il avait compté les heures, les minutes… Quelle ne fut pas sa stupéfaction de voir l'ivrogne seul au volant de sa vieille bagnole.

– Et Pauline? Elle est pas avec toi, Piquet? Où est-ce qu'elle est?

Le vieux, titubant sur ses «cannes», lui répondit de sa bouche pâteuse:

– J'sais-tu, moé? J'l'ai attendue, j'l'ai cherchée partout, mais j'l'ai pas trouvée. Pis, onze heures, c'était assez pour moé! Gaudrin l'a cherchée avec moé, pis on l'a pas vue…

– Pourquoi Gaudrin? Pourquoi y'a mis son nez dans ça, lui?

– Parce que la dernière fois qu'on l'a vue, elle dansait avec Ti-Guy. Tu connais Ti-Guy? C'est le p'tit jeune, le fils à Gaudrin! Ben… lui aussi, on l'a pas revu! Elle va revenir, t'as pas à t'en faire, Sam. C'est sans doute Ti-Guy qui va la rame-ner dans l'*truck* de son père.

Sam fulminait. Il était dans tous ses états. En rogne, jaloux, plus que maussade. S'en prenant à Piquet, il lui lança:

– C'est toi qui en avais la garde! T'avais juste à l'attendre!

– Aie! Elle est pas à ma charge, la Pauline! Pis c'est pas une enfant! Viens pas m'reprocher rien, Sam! Aussitôt débarquée, elle m'a planté là pis elle a dansé avec tous les hommes jusqu'à c'que Ti-Guy s'annonce…

Sam était en furie. Il voulut s'en prendre à Piquet, le blâmer davantage, mais la veuve, aux aguets, intervint:

– Lâche Piquet, toé! Y'est pas l'gardien d'la grosse, à c'que j'sache! T'as juste à t'en occuper, Sam! Penses-tu qu't'es le seul homme sur terre, toé? Avec ses rondeurs pis sa chair fraîche, Sam Bourque, penses-tu qu'a voit pas clair, la Pauline? T'as soixante ans, Sam! Y'en a des plus jeunes que toé, tu sais! Penses-tu, parce que tu la fais crier la nuit…

Sam était retourné au shack. En vitesse. Pour ne pas être blessé davantage dans son amour-propre par les vilenies de la veuve. Assis sur une chaise, les yeux sur le chemin de la butte, il se faisait craquer les jointures en attendant nerveusement celle qu'il aimait. Jamais il n'aurait cru… Mais sa conscience lui disait que tout oiseau hors de sa cage…

Trois heures du matin, toujours assis dans sa chaise, inquiet, les yeux rivés sur la route, Samuel Bourque se torturait. Il présageait le pire. Un accident, peut-être? Ou encore: «Si elle ne revenait pas… Si elle avait décidé de partir, de tout laisser derrière, de s'enfuir…» Non! C'était impensable! Pas Pauline! Pas après leur serment d'amour, pas après toutes ces nuits charnelles. Puis, une autre pensée sombre: «Et si elle était encore avec Ti-Guy? Couchée avec lui? Pas chez lui, mais dans un champ ou dans son *truck*?» Mais non, Ti-Guy n'était qu'un jeune «flo». Sam l'avait déjà vu. Un p'tit gars avec des boutons, même pas un homme! Jamais Pauline ne serait tombée pour lui. Pas après lui. Pas après avoir fait l'amour comme une bête avec un mâle! Elle avait dansé, bien sûr, pour s'amuser, se divertir. Mais jamais Pauline avec un p'tit gars après leurs nuits, leurs cris, leurs... Sam ne savait que penser, mais, anxieux, malheureux, il attendait qu'elle lui revienne, qu'elle lui explique une mésaventure ou un malentendu. Mais, dans sa tête, c'en était fait de ces sorties. Pauline ne remettrait plus les pieds ailleurs que... sur la butte! Sauf pour aller au lac avec lui. Jamais plus au village! Il reprendrait les guides, Piquet ferait les courses et Pauline resterait là avec lui, à rire, à lire sur son pneu, à faire la cuisine, à faire l'amour, à vivre à deux... Loin des mâles du village, aussi jeunes soient-ils! Pas même un louveteau dans les parages! Sam se torturait, Sam se décomposait, lorsqu'il entendit sur la route de terre le bruit d'un moteur et celui de pneus dans les trous, sur les cailloux.

Un camion s'était immobilisé. Un camion qu'il n'avait jamais vu. Pas celui de Gaudrin, il en était sûr. Mais peut-être celui... Oui, il avait déjà vu ce camion blanc. Mais à qui était-il? Il ne pouvait distinguer la tête du chauffeur. C'était trop loin, c'était trop noir et il y avait une espèce de brouillard... Il ne voyait que des phares puis, soudain, alors que le camion rebroussait chemin, il perçut la silhouette de Pauline qui grimpait la côte de la butte. Soulagé, heureux, il la voyait, pieds nus, ses souliers dans les mains. Les pieds sans doute fatigués d'avoir trop sautillé. Un grand soupir de soulagement, puis, angoisse dispersée, il fronça les sourcils et attendit qu'elle approche. Et plus elle approchait, plus ses mâchoires se durcissaient. Elle avait les cheveux ébouriffés, la blouse pendante sur un côté de la jupe. Et, sans en être sûr, il aurait pu jurer que sa démarche était défaillante. Il lui ouvrit la porte, la darda du regard. Elle lui sourit, tenta de prononcer un mot, mais il l'apostropha:

— Veux-tu ben m'dire d'où tu viens? Y'est trois heures du matin!

— Ben… d'la fête, c't'affaire! D'où veux-tu que j'revienne à part là?

— En pleine nuit? Me prends-tu pour un épais, Pauline? Avec qui t'étais? Qui est-ce qui t'a ramenée dans son *truck*?

— Jovette. Une amie que j'me suis faite au village. J'suis même allée chez elle écouter des *records* sur son *pick-up,* pis on n'a pas vu l'temps passer…

— Jovette? D'où elle sort, celle-là?

— Jovette Biron, la fille du garagiste! Ça va-tu continuer longtemps, ton questionnaire, Sam?

— La Biron! Savais-tu qu'elle avait mauvaise réputation, cette fille-là?

— Tiens! Tu la connais! Pis tu commères comme Piquet astheure?

— J'invente rien, j'connais son père! C'est lui qui la dénigre! Il l'a casée dans un p'tit camp pour qu'elle puisse recevoir les vauriens du village. Y'a voulait plus dans la maison, c'était la honte de la famille. Pis c'est sur elle que t'es tombée! Y'a pas à dire…

— Arrête, j'suis fatiguée, pis pourquoi tu t'es pas couché? J'suis assez vieille pour savoir c'que j'ai à faire, non?

— T'as bu, toi… Tu sens la tonne, Pauline!

— Bon, ça recommence! Un verre de vin, Sam! Pour y goûter…

— Menteuse! Tu t'es paquetée! Pis c'est pour ça qu't'es pas rentrée avec Piquet!

— Pas vrai! Y'était saoul comme une botte, pis en chemin, y'a essayé de m'tâter, si tu veux l'savoir! Avec sa main branlante, le vieux cochon!

– C'est parce que tu l'agaces, Pauline! Un homme, c'est un homme!

– T'appelles ça un homme, toi? Y'a failli avoir ma main dans face!

– As-tu été aussi raide avec le p'tit Gaudrin, Pauline?

Elle avait rougi, elle avait détourné la tête, elle cherchait ses mots…

– Tu penses que… Tu penses que Ti-Guy pis moi…

– Tu bégayes, Pauline! Tu sais plus quoi inventer! Piquet vous a vus, y m'a tout raconté! Y boit peut-être, mais y'est pas aveugle, le vieux!

– Ben… y'a menti! J'ai juste dansé avec Ti-Guy! Fallait ben que j'm'amuse un peu! Pour une fois que j'voyais du monde…

– Parce qu'ici, tu vois personne? C'est c'que tu veux dire, Pauline? Nous deux, ça t'suffit pas? Ça prend d'la fanfare, d'la danse pis des gars?

– Aie! Ça va faire! J'suis fatiguée, j'tiens plus debout, moi! Pis j'pensais jamais que tu pouvais être jaloux comme ça! Y'a des limites, Sam! C'est chez Jovette que j'ai passé l'début d'la nuit. Un point, c'est tout!

Pauline se déshabilla, se jeta sur son sofa et, en moins de temps qu'il ne fallait pour faire une prière, elle dormait, elle ronflait. Sam, sur son grabat, les yeux ouverts, était encore sous l'effet du choc et de la colère. Elle ne perdait rien pour attendre, son amante! Non! Sa servante!

Le lendemain matin, aux prises avec un mal de tête, Pauline n'avait guère envie de s'obstiner avec Sam. Ce qui ne l'empêcha pas de s'empiffrer gloutonnement au déjeuner. Deux œufs, des toasts, de la confiture, et trois tasses de thé pour se remettre les idées en place. Sam, qui n'avait pas digéré la sortie de la veille, la boudait. Pas un mot de part et d'autre. Que des regards qui en disaient long de la part de l'ermite. Pauline l'avait déçu. Pauline l'avait peut-être trompé et Sam, défaut de jeunesse bien ancré, était rancunier. Pauline se rendit au lac pour se laver, pour se dégager, surtout, de l'odeur de la sueur du fils Gaudrin imprégnée dans sa peau. En descendant la côte, elle aperçut Piquet qui l'observait de sa fenêtre. Avec, derrière lui, l'ombre de la veuve qui épiait. Elle les foudroya du regard et le petit rideau rose se referma en se froissant.

De retour, elle enfila une jupe, une blouse, prit place sur le pneu qui lui servait de balançoire et se plongea dans les dernières pages de son roman. On aurait pu entendre une mouche voler, si ce n'eut été du bruit d'une tasse que Sam déposait sur la table. Pauline ne lui avait pas préparé son déjeuner. Pour dîner, un sandwich aux tomates, une tasse de thé, un ou deux *cup cakes,* et la fille qui n'avait encore rien dit annonça à Sam:

– J'm'en vais au village pour une heure ou deux, j'ai laissé des choses chez Jovette.

Sortant de son mutisme, Sam lui demanda vivement:

– Quelles choses? T'es partie avec rien dans ta sacoche, hier soir…

– Des choses! Des choses qu'elle m'a données et que j'ai oubliées!

– Piquet est déjà parti! T'as manqué ton *lift*, Pauline!

– J'y vais à pied, Sam! C'est juste un mille! Pis j'suis pas infirme!

Elle avait déjà emprunté le sentier et Sam, qui la voyait s'éloigner, fulminait de rage. Les poings serrés, les mâchoires dures, elle allait voir de quel bois il se chauffait! Elle allait apprendre qui était le maître!

Pauline frappa à la porte du petit camp et Jovette vint ouvrir en se tenant à peine sur ses jambes. Elle sortait d'un profond sommeil. Sa nuit l'avait épuisée car, après le départ de Pauline, un gars de l'hôtel était venu passer le reste de la nuit chez elle. Un gars qui s'était sauvé au petit matin, de peur d'être surpris par les voisins... ou quelqu'un de la maison. Un gars de Saint-Lin, marié et père de quatre enfants, qui venait faire son tour de temps en temps.

    – C'est toi? J'pensais pas t'revoir le lendemain! Le vieux t'a pas fichue à la porte, au moins?

    – Non, non, j'voulais juste lui donner une leçon. C'est sûr qu'y m'a pas ménagée, mais c'est pas ça qui va m'arrêter. J'suis sa servante, pas sa bonne femme, moi!

    – Tu veux un bon café?

    – Non, j'en ai pris hier soir... pis ça m'donne mal au cœur. Si t'avais d'la liqueur, ça ferait mieux mon affaire.

    – Regarde dans la glacière. J'pense qui m'reste d'la bière d'épinette.

Les deux filles bavardèrent pendant que Jovette faisait sa toilette. Et, en sourdine, Pauline pouvait entendre à la radio une chanson de Jean Sablon. Parce que Jovette avait l'électricité, elle! Jovette lui avoua avoir vingt-deux ans, être l'aînée de la famille et avoir été mère à seize ans d'un garçon que son père avait donné en adoption. Un fils qu'elle n'avait jamais revu, ne sachant où il était. Un fils qu'elle avait eu d'un gars du village, mais sans savoir lequel, parce qu'elle en avait «passé» plusieurs dans le même mois. Et c'est à partir de ce jour-là que son père lui avait fait un gîte dans une remise qu'il avait transformée en «chalet». Pour ne plus qu'elle soit à la maison, pour ne plus que ses frères la côtoient, elle, la honte de la famille.

— Et comment tu fais pour vivre? lui demanda Pauline.

— Mon père me loge et me nourrit. Ma mère me donne, parfois, en cachette, de l'argent de poche, et Gaudrin me fait crédit pour le reste.

— Et c'est ton père qui paye, Jovette, quand arrivent les fins d'mois?

— Heu... si on veut, mais j'aime mieux garder ça pour moi.

— Pourquoi tu travailles pas? Une fille intelligente comme toi...

— Parce que le père veut pas! C'est... c'est lui qui prend soin d'moi...

— C'est drôle! Y t'garde loin de la maison pis y prend soin d'toi!

— Questionne-moi pas, Pauline. On s'connaît à peine... Parle-moi d'toi plutôt. Comment ça s'fait que t'as échoué chez l'ermite, toi?

Pauline lui raconta sa vie. À sa façon, évidemment. Ses misères, ses patrons «tortionnaires», l'histoire de sa pauvre mère internée chez les fous, le rejet de sa sœur... Bref, du vrai, du faux, comme si elle avait appris sa chanson par cœur. Jovette, émue, lui dit en pressant sa main dans la sienne:

— Y'a pas à dire, t'en as vu de toutes les couleurs, ma fille. Pis là, t'es prisonnière de l'ermite? Ça doit pas être un cadeau que d'vivre dans ce shack-là!

Pas méchante pour autant, Pauline lui avoua bien humblement:

— C'est pas si pire que ça, Jovette. Pis c'est juste en attendant... J'ai une cousine à Montréal qui va m'faire rentrer à la manufacture où elle travaille. Moi, tout c'que j'attends, c'est d'être majeure, pis ça, ça s'en vient dans pas grand temps. D'ici là, Sam, ça fait mon affaire. Y'a pas grand ménage à faire.

— J'veux pas fouiner, Pauline, mais le bonhomme, tu… tu sais c'que j'veux dire?

— Oui, mais tu t'trompes. Sam est à sa place. Y'a jamais rien osé avec moi… Autoritaire un peu, mais ça s'comprend, le curé l'a rendu responsable de moi jusqu'à mes vingt et un ans. Après, j'serai libre d'aller où bon ça m'plaira.

— Dis donc, ça t'tenterait de venir à l'hôtel vendredi soir? Y'a plein d'gars, on danse, on s'amuse… C'est d'ton âge, pis ça coûte jamais rien, c'est les gars qui payent la traite. Tout d'un coup qu't'en trouverais un d'ton goût?

Pauline avait baissé la tête, même si le désir lui bourdonnait les oreilles.

— J'sais pas, Jovette. J'pense que Sam me laisserait pas aller là. Pis moi, j'bois pas! Hier, c'est Ti-Guy qui m'a un peu tordu l'bras…

— C'était pas pour mal faire, j'le connais, c'est un bon p'tit gars… Mais, qu'est-ce qui s'est passé avec lui? As-tu…

Pauline l'interrompit avant qu'elle ne prononce les mots qui la gênaient:

— Tu m'l'as déjà demandé, Jovette, j'sais pas, j'sais plus. J'ai perdu la carte, comme on dit.

— Bah! Pis ça changerait quoi? Moi, j'vais t'faire une confidence. Hier, j'ai pas été tout à fait franche, j'étais un peu méfiante… Mais le p'tit Gaudrin, j'l'ai déjà eu dans mon lit et pis, j'ai pas été déçue. Y'est pas allé loin, mais y savait quoi faire avec ses mains. Pis ça faisait différent des autres, y sentait bon, lui, au moins!

Jovette avait éclaté de rire et Pauline esquissa un sourire. Désemparée, elle s'en voulait de s'être donnée à lui le premier soir venu. Un gars de dix-sept ans! Un «p'tit jeune» avec, encore, des boutons de puberté sur le menton. Et même si Jovette lui disait qu'il savait quoi faire avec ses mains, Pauline Pinchaud savait, elle, que le jeune Gaudrin avait appris à se rendre... plus loin.

Elle avait bavardé avec Jovette toute la journée, lui promettant même de tout faire pour la rejoindre à l'hôtel le vendredi suivant. Pauline avait maintenant une amie et personne n'allait lui mettre des bâtons dans les roues. Une amie, une véritable amie. Pour la première fois de sa vie. Une fille de son âge avec qui partager ses joies et ses peines. Une confidente! Une fille comme elle qui n'avait pas eu de chance. Une fille qui, malgré elle, vivait aux crochets de son père. Elles se quittèrent vers cinq heures et Pauline reprit, à pied, la route qui menait du village à la butte. Elle marchait lentement, arrachant des brins d'herbe ici et là, lorsqu'elle entendit le bruit d'un moteur derrière elle. C'était Ti-Guy Gaudrin au volant du camion de son père. Il s'immobilisa, sortit et, la pressant dans ses bras, lui dit:

– J'aimerais ça sortir avec toi, Pauline. Sérieusement! Si tu voulais...

Elle le repoussa, le regarda droit dans les yeux et lui répondit d'un ton sec:

– T'es trop jeune pour moi, Ti-Guy! T'as pas encore de barbe...

Vexé par la réplique, il riposta:

– Tu disais pas ça, hier soir, Pauline Pinchaud! As-tu déjà oublié?

– Oui, j'ai oublié! J'm'en rappelle pas! Tu m'as fait boire pis t'en as profité!

– C'est pas vrai! J't'ai pas forcée! C'est toi qui s'est garrochée sur moi!

– En tout cas, c'est fini! T'as compris? J't'en veux pas, mais j'veux plus t'revoir, Ti-Guy Gaudrin! Va faire aller ta main sur les filles de ton âge!

– Mais c'est toi qu'j'aime, Pauline! J'voudrais recommencer...

Il s'était rapproché, il lui avait encerclé la taille, mais elle le repoussa:

– Aie! Dégage! Tes mains dans tes poches! J'suis pas un morceau d'viande!

Insulté, le jeunet y alla d'une tirade qui se voulait menaçante.

– Si tu penses que ça va finir là, toi pis moi, tu m'connais pas! Qu'est-ce que tu dirais si j'contais à tout l'monde c'qui s'est passé hier soir? J'suis mineur, tu sais, ça pourrait t'causer des ennuis...

– Mineur? Ah oui? Ben, moi aussi, figure-toi donc! Trouve autre chose, Ti-Guy Gaudrin! J'pourrais dire que tu m'as pris' d'force, que tu m'retenais par les bras... T'es plus fort que moi, tu sais... Pis ça, on l'croirait! Si ton père savait ça, Ti-Guy? Y as-tu pensé un peu? Qui c'est qui aurait l'beau jeu? Toi ou moi? J'ai pas l'intention d'aller jusque-là, mais pousse-moi pas à bout! Moi, j'veux bien oublier c'qui s'est passé, mais t'as besoin d'en faire autant, sinon...

Elle avait remarqué que l'adolescent avait reculé de quelques pas. Effrayé sans doute à l'idée d'être dénoncé à son père. Et pour un geste qu'il n'avait pas commis. Il savait que Pauline s'était donnée de plein gré, mais qui donc le croirait? Il eut peur, remonta dans le camion et murmura de sa portière:

– C'est correct, choque-toi pas. Si tu veux pas d'moi, j'insisterai pas. J'veux pas avoir du trouble, moi. Mais j'veux pas qu'on s'parle plus… On sait jamais, peut-être qu'un jour… Si jamais ça t'arrange, j'serai toujours là.

Il recula jusque dans le champ, fit demi-tour, et reprit le chemin du village. Pauline se sentait soulagée. Au fond d'elle-même, elle ne lui en voulait pas. Il l'avait fait se sentir jeune, elle avait même frémi dans ses bras. Et ce, même si le timide va-et-vient du jeunet n'avait rien… du savoir-faire de Sam.

Quelle ne fut pas la surprise de Pauline, en remontant la côte de la butte, de voir Sam en train de griller de la viande sur les charbons. Elle s'approcha, mais il la regarda à peine. Elle sentit qu'il n'était pas revenu à de meilleurs sentiments et que la colère grondait encore en lui. Il avait mis la table, placé les couverts, ce qu'il n'avait jamais fait jusqu'à ce jour. «Curieux…» pensa-t-elle. «Un geste gentil et il a encore l'air bête.» Les pommes de terre bouillaient sur le poêle «patenté» et le pain était frais coupé sur la planche. De dehors, il lui cria: «Sers les patates, j'arrive avec la viande.» Elle attendit sans rien dire, n'osant pas, comme d'habitude, lui demander: «Qu'est-ce qu'on mange?» Il rentra, tenant, à bout de broche, deux morceaux de poulet. Surprise, elle lui dit timidement:

– J'en avais pourtant pas acheté… Es-tu allé au village?

Il ne répondit pas, se contentant d'avaler une bouchée de pomme de terre de son assiette. Pauline découpa de sa fourchette un morceau de poulet trop grillé et le mangea en évitant de le regarder. Ce n'était pas bon, c'était coriace et, de plus, elle eut l'impression que ce n'était pas frais, qu'un arrière-goût… Elle en prit une deuxième bouchée, plus grosse cette fois, et l'avala sans même la mâcher tellement le goût était amer. Puis, les yeux levés vers lui:

– Y goûte drôle, le poulet, Sam. Ça vient-tu d'la veuve?

– C'est pas du poulet, Pauline, c'est d'la corneille!

La bouche ouverte, elle croyait qu'il blaguait.

– J'fais pas d'farces, c'est ça! C'est d'la corneille, pis ça s'mange! Regarde en arrière du poêle à bois, ma carabine est encore fumante.

– Tu veux dire que je mange de… d'la…

– Oui, d'la corneille! J'en ai toujours mangé depuis que j'suis ici. Celles qui viennent fouiller dans l'cerisier. Pis ça nourrit son homme! J'ai passé l'après-midi à les déplumer…

Pauline avait une main sur la bouche, l'autre sur la poitrine.

– Si t'aimes pas ça, mange-la pas! Pis, si ça t'prend absolument d'la poule, Pauline, tu demanderas à Ti-Guy de t'en faire bouillir par sa mère!

Pauline se leva d'un bond, courut jusqu'à la bécosse, et là, l'odeur aidant, elle vomit sa corneille et tout ce qu'elle avait dans l'estomac. Puis, blanche comme un drap, la sueur au front, elle s'était rendue jusqu'à la balançoire. À genoux dans l'herbe, les deux bras sur le pneu, le visage écrasé dans les avant-bras, elle pleurait de tout son cœur. Si fort que la veuve, qui la voyait de loin, pensait qu'elle traversait une crise de foie aiguë. Sam n'avait pas bronché et poursuivait son repas. Pour lui, c'était vrai, la corneille avait souvent fait partie de son assiette. Par souci d'économie pour le tronc d'arbre où son argent était enfoui.

Pauline, voyant qu'il n'avait pas bougé de sa chaise, revint à l'intérieur et lui cria dans une crise de rage:

– T'as fait exprès, Sam Bourque! Tu m'as fait vomir pour me punir! J'pensais jamais qu'tu pourrais faire une chose pareille! C'est écœurant c'que t'as fait là, Sam! Pis ça prend un cochon pour manger c'te marde-là! Un cochon ou un avare, Sam Bourque! Mais j'suis pas une truie, moi! On m'fait pas manger n'importe quoi, moi! Si tu penses que pour me punir, tu vas m'traiter comme une sauvagesse, ben, t'as menti, Sam! J'ai rien à m'reprocher, moi! Si t'es malade dans tête, ça, c'est une autre affaire! J'endurerai pas tes écœuranteries, moi! Demain, j'te l'dis, j'prends mes affaires pis j'm'en vais chez l'curé! Quitte à coucher dans sa *shed* jusqu'à c'qui m'place! Y'est peut-être encore temps pour la *job* à Joliette!

Et sur ces mots, elle sortit prendre l'air, pendant que Sam, désemparé, désespéré à l'idée de la perdre, avait des remords jusque dans l'âme du coup bas qu'il lui avait fait. Sa Pauline, sa «Minoune»! Que lui avait-il pris pour agir de la sorte sans mesurer son geste? Lui qui, encore la veille… Fallait-il qu'il soit jaloux pour risquer ainsi de la perdre? Avait-il momentanément perdu la tête, lui qui l'aimait de tout son être?

Il sortit, courut la rejoindre, tenta de lui prendre la main qu'elle retira d'un geste brusque.

— J'ai pas voulu, Pauline… J'sais pas ce qui m'a pris… J'ai perdu la tête, j'aurais pas dû faire ça. J'sais pas quoi faire pour m'excuser…

Elle marchait en regardant par terre, alors qu'il lui disait:

— Pardonne-moi, laisse-moi pas juste pour ça… J'te jure que j'te ferai plus jamais d'peine. Donne-moi une chance, Pauline, juste une…

Elle le regarda, une larme perlant encore sur sa joue.

— Comment as-tu pu être aussi animal, Sam? Aussi sauvage! Comme si j'avais commis une faute grave… Si c'est pour être comme ça…

— Non, ce sera pas comme ça, Pauline! Comme tu voudras, j'te l'promets! J'te ferai plus d'remarques, on parlera plus de rien, mais reviens, arrête de marcher… Tu vois pas que Piquet pis la veuve attendent rien qu'ça? Reviens au shack, Pauline, on va parler, ça va s'arranger, j'te l'jure!

Pauline le suivit. Après un coup semblable, il fallait que les choses tournent en sa faveur. Elle avait senti que Sam l'aimait comme un fou. Il lui fallait agir, demander, exiger. C'était là… ou jamais! Elle rentra et, apercevant les restes, elle lui cria en détournant la tête:

– Débarrasse ça d'ma vue! J'ai l'cœur encore au bord des lèvres!

Pendant que Sam s'exécutait, elle regardait par la fenêtre, son ourson blanc entre les bras. Et comme si elle était la «dame» du damier, elle ajouta:

– Va porter ça loin, Sam, très loin! Ça risque d'attirer les rats!

Il n'avait pas répliqué. Il avait même marché jusqu'à la boîte de fer où l'on déposait les ordures que Piquet apportait ensuite au dépotoir du village. Il rentra, rangea sa carabine sous son lit pour chasser tout mauvais souvenir et, comme un gamin voulant se faire pardonner, il lui murmura gentiment:

– Tu devrais manger quelque chose, Pauline. T'as l'estomac vide.

– Si tu penses que j'ai de l'appétit après ça…

– Regarde dans la *pantry,* il y a une tarte au sucre, c'est la veuve qui me l'a donnée. Je sais que tu l'aimes pas, mais sa tarte est fameuse. Elle l'a fait cuire au village pour moi.

– Vieille chipie! Elle en a profité pendant qu'j'étais pas là, hein?

Sam ne répondit pas et Pauline, malgré sa haine pour Charlotte, en mal de sucre, en mangea la moitié avec un verre de lait. Et c'était vrai qu'elle était bonne. Si délicieuse que Pauline oublia les mains osseuses qui avaient roulé la pâte. Assise sur le sofa, boudeuse, elle attendait que Sam lui débite son boniment.

— Demain, on va manger du steak, du maudit bon steak, à part ça!

— Parle-moi pas d'viande, Sam! Pas ce soir, du moins!

— Bon, ça va... Qu'est-ce qui t'ferait plaisir, Pauline?

— Que tu m'donnes du lousse, Sam! Juste ça! Du lousse de temps en temps.

— Mais j't'attache pas, Pauline, tu fais pas mal c'que tu veux...

— Oui, ici, sur la butte, pas ailleurs! Du lac au shack, Sam! C'est tout c'que j'fais depuis que j'suis avec toi. J'veux ben travailler, faire ma part, te servir pis te plaire, mais j'suis tannée d'être en laisse. J'ai besoin d'voir du monde, de m'divertir de temps en temps!

— Ben, si tu parles d'aller faire le marché, de t'occuper de c'qui manque...

— Non, Sam! J'ai besoin d'avoir des amis! Une amie, au moins! C'est pas avec la veuve que je vais m'divertir! Juste à lui voir la face pis celle de Piquet, j'me sens enterrée vivante, moi! Ça s'comprend, non?

— Tu veux qu'j'invite la Jovette de temps en temps? Ça t'plairait?

— Non, Sam, pas ici! J'ai pas à t'l'imposer! Tout c'que j'demande, c'est d'avoir mon vendredi soir pour aller veiller chez elle, rien d'autre! Chez elle, y'a la radio, on parle entre filles, pis c'est une bonne personne. Son père peut dire c'qu'y veut, mais c'est pas vrai qu'c'est une démone! Elle a le cœur à la bonne place, elle s'ennuie elle aussi.

— Si c'est juste ça, Pauline, j'y vois pas d'objections. Si tu penses que Jovette est l'amie qu'y t'faut, vas-y, c'est pas moi qui vas t'mettre des bâtons dans les roues.

Pauline jugea qu'elle venait de remporter une joute importante. Avec Jovette, le vendredi, elle verrait du monde, elle rencontrerait des gens... Mais, profitant du cœur «large» de Sam, elle lui murmura tout en prenant un petit air candide:

– Pis j'ai rien à me mettre sur le dos, Sam... Y'a plus rien qui m'fait sauf mes jupes larges avec un élastique. Mes deux brassières sont trop petites, mes culottes aussi. Pis mes blouses me pètent sur le dos...

– Oui, j'sais, j'ai remarqué. Pis ça, c'est pas grave. Si tu veux, on va aller chez la mère Gaudrin pis j'te paye du *stock* neuf. Vas-y toute seule, ce sera mieux, car pour les sous-vêtements... Elle pis sa langue sale...

Pauline jubilait! Elle venait de gagner une rude épreuve! Repentant, Sam était prêt à tout pour lui plaire. Quitte à plonger le bras jusqu'à l'épaule dans son tronc d'arbre.

– Dans c'cas-là, on oublie tout, Sam! J'te reviendrai pas avec la... Non! On oublie tout pis on recommence! On repart à neuf, toi pis moi!

Un grand sourire illumina les traits de l'ermite. Un soupir de soulagement s'échappa de ses poumons. Il avait eu si peur et... elle l'avait rassuré. Sa Pauline ne lui tiendrait pas rigueur pour le répugnant... oiseau de malheur! Dans son avarice, il savait que le linge allait coûter cher, mais il fermerait les yeux. Ce qu'il ne savait pas encore, c'est que la permission des fameux «vendredis» allait lui être plus coûteuse.

Ce même soir, ils se couchèrent et Pauline, pour ajouter plus d'emphase à la réconciliation, se glissa dans son lit. Sans même attendre le soupir de Sam en guise d'invitation. Heureux, n'en croyant pas ses yeux, il répéta avec ardeur les assauts de la première nuit. Elle, moins fiévreuse et pour cause, joua le jeu de la tigresse en rut. À un tel point que, lorsque la langue de Pauline glissa doucement sur son ventre, Sam, en proie à la plus vive des jouissances, s'écria: «Minoune!»

Le lendemain, conduite par Piquet qui lui parlait à peine, elle se rendit chez madame Gaudrin. Cette dernière, constatant qu'elle fouillait dans les vêtements, s'offrit de bonne grâce pour la seconder dans son choix. Deux soutiens-gorge, quatre paires de culottes, des bas de soie, quatre blouses, un chandail noir moulant, des cosmétiques… La marchande se rendit compte qu'elle ferait son chiffre d'affaires de la semaine avec une seule cliente. Et Pauline n'avait pas lésiné sur les prix. Le plus beau, le plus cher, c'était Sam Bourque qui payait. Après son départ, les bras chargés de colis, Emma Gaudrin s'empressa de prendre le téléphone… mais se retint. «Non, pour une fois, j'vais m'taire. S'il fallait qu'elle l'apprenne pis qu'elle achète ailleurs…» Elle était tiraillée entre le désir de colporter et celui d'être discrète. Elle opta pour le silence, mais avec peine. Elle aurait tant voulu que Gertrude et la paroisse apprennent que Sam payait jusqu'à… «ses brassières».

Piquet l'avait ramenée les bras chargés. Elle était souriante, contente, ça paraissait. Mais il n'eut pas l'audace de lui dire ce qu'il pensait. Il avait peur que ça se «vire» contre lui. Ce qui ne l'empêcha pas de dire à la veuve en rentrant:

– T'aurais dû voir ça, Charlotte! J'pensais qu'elle avait dévalisé l'magasin! Sam l'a habillée d'la tête aux pieds! C'est pas croyable! Lui qui compte ses cennes… Faut dire qu'elle a engraissé, la Pauline!

La veuve, furieuse, haineuse, ne rata pas l'occasion pour ajouter son grain de sel:

– Tu penses que c'est juste pour ça, Piquet? Tu vois pas clair? Elle l'a entiché, la grosse! Elle lui remet ça à plein… Ah! J'me retiens! Ce serait trop sale de ma bouche! Mais fais-toé pas d'idée, c'est clair comme de l'eau d'roche! La grosse pis lui, ça doit brasser en masse dans l'shack!

– Oui, j'sais, elle me l'a presque dit…

– Comment ça? Tu lui as tiré les vers du nez?

– Non, elle s'est échappée! Elle m'a déjà dit que Sam, c'était tout un homme, lui! Un vrai à part ça! Ça t'ouvre pas une lumière, la veuve?

– Ah! ben là… la grosse vache! C'est comme ça qu'a paye sa marchandise? Pis toé, tu l'savais!

– Ben… si on veut…

– Pis t'as rien dit au curé! C'est-tu parce que t'attends ton tour, Piquet Piquette?

Au shack, l'harmonie était rétablie entre elle… et lui. Les repas étaient de calibre, les desserts abondants. Au grand détriment du tronc d'arbre et des angoisses de Sam. Angoisses qu'elle apaisait de ses chairs chaque soir.

Le vendredi, tel que promis, Pauline descendit au village pour passer la soirée avec son amie. Vêtue dernier cri dans sa jupe ample avec son chandail noir, elle s'était légèrement maquillée pour ne pas éveiller les soupçons. Chez Jovette, avec les produits de «l'amie», elle appliqua du fard sur ses joues, du rimmel sur ses cils, de l'ombre à paupières et du rouge à lèvres vif et gras. Et Jovette lui prêta de longues boucles d'oreilles qui lui touchaient les épaules. Elles se rendirent à l'hôtel et le patron, apercevant la nouvelle venue, fut rempli de satisfaction. Et ce, sans même lui demander si elle était en âge d'être dans sa «baraque». Souriant, il pensa: «En voilà une qui va doubler la clientèle.» Jovette était jolie, mais trop grande, trop mince, les seins peu nourris. Et on la connaissait! Peu d'hommes n'avaient pas trouvé place dans son lit. Mais «la nouvelle», c'était autre chose. Surtout pour les touristes et les camionneurs de passage. On l'invita à danser, on lui offrit

à boire, mais Pauline, distante, refusait les verres, se contentant de siroter une limonade sur glace. Elle dansa avec l'un,
avec l'autre, mais elle gardait ses distances. On ne la tassait
pas facilement dans un coin, celle-là! Tout ce qu'on put
apprendre d'elle, ce fut son prénom. Et Jovette lui avait juré
de ne rien divulguer d'autre. Mais Pauline s'amusait, riait,
dansait, au grand plaisir de l'hôtelier qui remplissait les verres. Les clients ne partaient pas. Chacun voulait la prochaine
danse, tous voulaient la serrer dans leurs bras. Et Pauline dansait bien. Grasse, certes, mais légère et gracieuse comme une
gazelle. Et son parfum envoûtait les camionneurs qui, les
mains sales, n'osaient pas la toucher lorsqu'ils la faisaient
virevolter.

Onze heures du soir, Pauline était en transe, repue, exténuée. Jovette lui suggéra untel, un autre, mais Pauline désirait
rentrer. Sam l'attendait, il ne fallait pas abuser. Mais, l'œil en
coin, dans la pénombre, elle avait remarqué, assis au bar,
éclairé par le *juke-box*, un bel homme qui la fixait du regard.
Le seul qui ne s'était pas avancé pour l'inviter à danser. Un
bel homme dans la trentaine, grand, svelte, avec une moustache et des yeux sombres. Se tournant vers Jovette, Pauline lui
demanda en désignant l'inconnu de la tête:
   – C'est qui c'beau mâle-là? Tu l'connais?
   Jovette tourna la tête, regarda et répondit à Pauline:
   – Ben sûr, c'est le chauffeur de taxi du village. Il vient à
peine de revenir de la ville. Tu veux que j'te l'présente?
   – Non, c'est à lui de s'présenter lui-même. Il m'a regardée toute la soirée pis y s'est même pas avancé. Si y pense
que c'est à moi de faire les premiers pas…
   Et l'inconnu la regardait sans cesse. Tellement que Pauline
finit par dire à son amie:

– Pas mal indépendant, le bel homme! Tu peux au moins me dire son nom?

– Ben sûr, Pauline… Marcel Marande.

Chapitre 6

La semaine qui suivit s'écoula paisiblement. Pauline était revenue à de meilleurs sentiments et Sam, heureux de la voir si calme, affairée au ménage, multipliait les attentions à son égard. Au point de lui placer des coussins dans le dos pour qu'elle soit plus à l'aise sur le sofa lorsqu'elle lisait et de demander à Piquet, lorsqu'il allait au village, de ne pas oublier d'acheter des gâteaux, des friandises, et des «liqueurs douces» pour celle qui, désormais, n'avait plus à quémander, la tête baissée, des *cup cakes* et des tablettes de chocolat. Et Pauline se rendait compte de jour en jour que Sam était de plus en plus à ses pieds. Une situation qu'elle contrôlait de son savoir-faire, chaque soir, dans le lit au matelas dur de son amant. Sam était aux nues. Pauline Pinchaud l'aimait. Sa «Minoune» le lui prouvait par ses avances avant même qu'il ne les sollicite d'un regard. Pauline l'aimait comme une folle! Du moins, il le croyait. Et il en était chaviré jusqu'à la moelle.

De son côté, Pauline n'avait qu'une anxiété, et c'était celle de retrouver Jovette le vendredi qui venait et de revoir, peut-être, le bel inconnu qui ne lui était pas indifférent. Néanmoins, pour ne pas attiser les doutes de Sam, et pour que l'entente règne dans le shack, elle ne manifesta pas le désir de se rendre au village avant le soir tant attendu. Reine et maîtresse depuis quelques jours, elle ne voulait pas perdre ce titre par un faux pas ou une maladresse. Sam était gentil avec elle, plus que gentil, et, malgré son désir de plaire à d'autres, elle éprouvait pour lui une forme d'amour qu'elle avait du mal à s'expliquer. Un amour physique, charnel, un amour bestial, peut-être, mais ce n'était pas par sacrifice qu'elle se glissait sous ses draps. Elle aimait sentir sur elle le poids, les muscles, le corps plus que viril du... sexagénaire. Au grand désespoir de la veuve qui, de son côté, sachant maintenant que Pauline était sa maîtresse, se rongeait les ongles sales, d'envie, de haine et de rage.

— Pauline, l'eau est de plus en plus froide au lac. Il va falloir oublier les baignades. J'ai rempli la cuve, je l'ai mise au soleil et, ce soir, je pense qu'elle sera juste assez tiède pour qu'on se lave sans problème.

— Comme tu voudras, Sam. On s'habitue, tu sais. En autant que l'eau soit pas glacée, j'suis capable de m'laver dans la cuve. Mais, c'est si pesant! Comment fais-tu pour la rentrer de tes deux bras?

— Un homme, c'est un homme, Pauline. Et pis les muscles, c'est fait pour ça.

Pauline sourit, admira le torse et les bras de son vieil amant et rétorqua:

— Pas surprenant que t'engraisses pas, toi! Avec des exercices comme ça...

— C'est pas rien qu'ça, Pauline, la graisse, c'est pas juste le manque d'efforts...

— Qu'est-ce que tu veux dire? demanda-t-elle les deux mains sur les hanches.

– Les sucreries, Minoune! Pis l'pain en abondance! répondit-il en riant.

Une autre nuit «démentielle», les muscles sur les chairs de la belle, et Sam était au septième ciel. Jamais il n'avait vécu, même avec Clarisse jadis, des nuits aussi… charnelles. Pauline était une bête au lit, une bête dont le sang bouillait dans les veines. À défaut de n'avoir pour tout loisir qu'une balançoire et un roman, la «grosse jument», comme la surnommait parfois la veuve, s'était jetée corps et âme dans le sexe. Au point que Sam, haletant, était, à certains moments, à deux cheveux de crier… grâce!

En étendant une couche de beurre et de la cassonade sur ses quatre rôties, Pauline lui demanda le lendemain de la torride nuit:

– Sam, si tu veux que je passe l'hiver ici, va falloir me garnir. J'ai rien d'chaud, pas de bottes, pas de manteau, pas de mitaines…

– Oui, j'sais, j'y ai pensé, t'en fais pas. La Gaudrin commence à recevoir son *stock* d'hiver pis, t'as pas à t'inquiéter, tu gèleras pas. La semaine prochaine, on va voir à tout ça. Moi aussi, j'ai besoin de combinaisons… J'passerai pas l'hiver juste en caleçon, tu sais…

Elle avait ri, elle avait encerclé la taille de Sam de ses bras potelés et les doigts habiles de la fille lui firent savoir qu'il avait des «bijoux de famille» à protéger du froid. Puis, avec son ton de petite fille gâtée, elle avait ajouté:

– Pis des souliers de sortie, tu veux, dis? J'en ai juste une paire…

– Tout c'que tu voudras, Minoune! T'auras juste à m'le demander.

Ceci dit sur un ton amoureux, mais d'une voix quasi éteinte, car Sam, malgré ses largesses soudaines, voyait déjà fondre son avoir, avant même que la neige tombe pour se dissoudre au printemps.

Sam était occupé à tamiser les cendres de son *grill* extérieur lorsque Piquet s'avança vers lui.

– Tu sais ce qu'on vient d'inventer, Sam?

Impatient, de la suie sur le corps, l'ermite lui répliqua d'un ton maussade:

– Non, mais j'sens que tu vas m'le dire! Ça devient achalant, à la longue…

Piquet, offusqué de l'accueil, voulut rebrousser chemin, mais Sam lui lança:

– Prends pas l'mors aux dents, pis dis-moi c'que t'es venu m'dire, Piquet. J'suis pas en maudit contre toi, mais nettoyer ça, ça m'écœure à chaque fois.

Piquet revint sur ses pas et, de la fenêtre, Pauline tendit l'oreille.

– J'voulais juste te dire qu'on a inventé le transistor, Sam.

– Le quoi? Ça sert à quoi, cette affaire-là?

– J'te dis qu'y vont faire des piastres avec ça! Figure-toi donc que c'est un p'tit radio portatif qui va marcher avec rien d'autre que des batteries. Pas besoin d'électricité, ça va prendre les ondes avec une antenne. Te rends-tu compte, Sam? On va pouvoir écouter la radio aussi ben au lac que dans ton shack!

Pauline qui avait écouté attentivement sortit en hâte pour lui demander:

– T'es sûr de c'que t'avances, Piquet? C'est pas une farce?

– Depuis quand que j'niaise le monde, Pauline? C'est écrit dans l'journal! Ça va être la plus belle invention du siècle!

Éblouie, ravie, sautillant presque, Pauline avait répliqué:

– T'entends ça, Sam? Ça veut dire qu'on pourrait écouter des programmes sans même payer d'électricité… Aie! Moi, si j'avais ça…

Sam leva la tête et lui dit sans sourciller:

– Saute pas trop vite, Pauline. C'est pas rendu ici cette affaire-là. Pis, même si ça arrive, ça va sûrement coûter les yeux d'la tête. En plus, c'est une patente pour la ville… Penses-tu que c'est ici, sur la butte, qu'on va pogner des programmes? Voyons donc! C'est pas Montréal qui va nous donner ses ondes. On est ben trop loin… On est dans l'bois, Pauline, pas à deux pas d'la ville! Toi pis tes inventions, Piquet!

Sam venait d'obscurcir la joie de Pauline qui, déçue, rentra à l'intérieur pour laver sa vaisselle. Piquet, la mine basse, murmura à Sam:

– En tout cas, on verra ben, mais c'que j'sais, c'est que Charlotte en veut un.

– Elle veut tout avoir, la veuve! s'écria Sam. Elle veut tout avoir comme si elle avait une fortune bien à elle! On dirait qu'c'est la femme d'un millionnaire, à l'entendre parler! Elle peut rêver, c'est son affaire, mais elle a pas une maudite cenne, Charlotte! Pis, c'est pas toi, Piquet, qui as le bas de laine bien rempli… Avec c'que tu bois…

– Sais-tu que t'es pas parlable à matin, l'ermite? Qu'est-ce que t'as?

Sam, se rendant compte qu'il venait de blesser son ami, lui susurra:

– Excuse-moi, j'voulais pas dire ça, Piquet. J'sais pas c'que j'ai, c'est peut-être la suie ou… On dirait que j'renifle un mauvais présage.

– Bon, ça va passer. On peut pas toujours se lever du bon pied. Bon, moé, j'm'en vais au village. T'as besoin de quelque chose en passant?

– Oui, des clous, mais des gros, pis des vis aussi. J'ai des choses à réparer sur le côté du shack… Tiens! À bien y penser, j'vais y aller avec toi, Piquet. J'vais en profiter pour acheter de l'huile à lampe. Gaudrin la vend trop cher, j'ai des *bargains* avec le garagiste.

Sam cria à Pauline qu'il partait pour un aller-retour et, avant qu'elle ne puisse lui commander quoi que ce soit, il était déjà en marche avec son vieux copain. Elle n'osa lui crier de rapporter des guimauves, de peur que la veuve l'entende lui demander des gâteries.

Ils montèrent dans la bagnole et le vieux démarra pendant que la veuve, dans le but de damer le pion à Pauline, lui criait:

– Oublie pas de t'informer des radios à batteries, Piquet! Si Gaudrin pense que ça va venir par icitte, dis-lui de m'en commander un. Le prix, ça m'dérange pas! En autant qu'on pourra l'payer à tempérament.

Piquet était au magasin général pour la commande de la veuve, pendant que Sam, chez le garagiste, marchandait de bons prix pour son huile à lampe, ses vis et ses clous. Des prix plus bas que chez Gaudrin qui n'était guère content de voir que quelques pingres préféraient le garage à son commerce quand ils avaient la chance d'y trouver ce qu'ils cherchaient. Et ce, même si les clous et les vis du père Biron étaient rouillés.

Sam traversa la rue pour se rendre à la bagnole de Piquet lorsqu'il entendit une voix l'interpeller. C'était monsieur le curé qui, de la galerie du presbytère, lui faisait signe d'approcher. Sam ne put s'en sauver et se dirigea vers lui en maugréant: «Qu'est-ce qu'y m'veut encore, celui-là!»

– Une visite au village, Sam? Voilà qui n'arrive pas souvent…

– En effet, mais pour des outils, j'fais pas confiance à Piquet.

– Il n'y a rien comme son propre jugement… Dis-moi, ça va toujours avec la pensionnaire? Aucun problème, Sam?

– Non. Pourquoi j'en aurais? Elle fait bien son travail…

– Que son travail, Sam? Tu sais, ce n'est pas de mes affaires, mais ça parle au village…

– Ben, comme vous dites, si c'est pas de vos affaires…

– Je suis quand même le curé, Sam Bourque. Ce que je veux dire…

– J'vous vois venir, vous! On jacasse encore qu'elle pis moi…

– On ne jacasse pas, Sam, on constate! Et si c'est le cas, je ne peux pas dire que c'est bien. J'aimerais faire la sourde oreille, mais avec des témoins…

– Des témoins? Qui ça? La veuve? La langue sale de la butte? Ça veut-tu dire, Monsieur l'curé, que sa parole vaut la mienne?

– Non, ce n'est pas ce que je veux dire, mais…

– Écoutez-moi une fois pour toutes, vous! Ce qui se passe dans l'shack, ça regarde personne! Et comme y s'passe rien… Faudrait pas m'prendre pour le bûcheron de *Lady Chatterley,* Monsieur l'curé!

– Quoi? Tu connais ce livre, Sam? Tu as lu ce livre? Un livre à l'index?

Ne sachant trop ce qu'il voulait dire, Sam lui répliqua abruptement:

– Non, je l'ai pas lu! J'lis pas, moi! Et encore moins… avec l'index!

Puis, désignant le majeur de sa main droite, il ajouta:

– Moi, c'est avec mon doigt-fesses que j'tourne les pages, pas l'index!

– Tu n'es pas drôle, Sam, et ta remarque manque de respect.

Ne sachant où ni comment il avait pu l'insulter, Sam ajouta:

– J'vous dis la vérité, j'ai juste tourné les pages. Pis, à part ça, c'est pas moi qui l'ai ce livre, c'est la veuve qui l'a fait venir de la ville.

– Quoi? Elle a osé? Et en cachette par la poste?

– Ben oui, quoi? La Gaudrin l'avait sans doute pas.

– Tu ne sembles pas trop savoir de quoi je parle, Sam Bourque. Ce livre est une saleté, une ordure, un livre proscrit! C'est une histoire qui parle de liaison intime avec des mots…

Sautant sur l'occasion, Sam lui lança:

– Pis c'est la veuve qui parle de Pauline pis moi? Comme ça, elle lit des saletés, pis après, elle s'imagine que ça s'passe dans mon shack? Vous voyez ben, Monsieur l'curé, que c'est elle qui a des idées pas catholiques! Ah ben! On va à la messe, on communie, on lit des cochonneries, et pis après, on calomnie les voisins! Vous voyez ben qu'c'est du poison à rat, la veuve!

Le curé, mal à l'aise, ayant perdu la face, lui murmura:

– N'ajoute rien, ce n'est pas à toi de la juger. Dieu s'en charge et comme elle vient souvent à confesse…

– Ben, tant mieux pour elle! Vous lui donnerez l'absolution, Monsieur l'curé! Et pis, si elle est franche derrière votre carreau, elle vous dira peut-être ce qu'elle faisait avant que j'aie une servante… Demandez-lui donc la prochaine fois!

– Un confessionnal, c'est fait pour écouter, Sam, pas pour demander!

– Ben, dans ce cas-là, vous devriez faire la même chose sur votre galerie, Monsieur l'curé! Arrêtez de m'questionner pis, quand j'aurai des choses à vous dire, vous ferez comme avec les autres: vous m'écouterez pis vous ferez un signe de croix. D'ici là, j'ai rien à vous dire, moi, pis j'suis pressé!

Et Sam rebroussa chemin, laissant derrière lui un curé interloqué. Le représentant de Dieu sur terre venait de se faire rabrouer. De retour dans la bagnole, Piquet lui demanda vivement:

— Qu'est-ce qu'y t'voulait, monsieur l'curé?

— Y voulait mettre son nez dans l'shack pis dans mes culottes, Piquet! Tu comprends? Paraît qu'on lui a dit que la Pauline pis moi...

— Voyons donc! Personne parle de ça, personne n'est au courant...

— Au courant d'quoi, Piquet?

— Ben, j'voulais dire...

— Ce que la vieille t'a dit? Ce que la langue sale de la veuve crache partout?

— Aie! Accuse-la pas! C'est moé qui lui ai dit...

— Dit quoi? Parle si t'es un homme!

— Ben... c'est la Pauline qui s'est échappée... Elle m'a dit que toé pis elle...

Sam, surpris de l'aveu, garda son calme et répondit:

— Et pis après? Même si c'est vrai, pourquoi ça s'rend jusqu'à la soutane, mes affaires? Pourquoi la veuve s'ouvre la gueule, Piquet? Parce qu'on s'la passe plus toi pis moi? Tu devrais être content, tu l'as juste pour toi, astheure!

— Moé, j'm'en plains pas, mais elle...

— Ben là, c'est pas d'ma faute si t'es pas capable de l'accommoder tout seul. Pis, c'est pas d'ma faute si Pauline est plus jeune pis plus en chair qu'elle. Pis, oublie pas, Piquet, qu'c'est toi qui l'as placée chez moi, cette fille-là. Donc, fermez-vous! Tous les deux! Parce que, Pauline, moi, ça fait mon affaire, Piquet!

Sam était revenu et Pauline semblait déçue. Il avait ses clous, ses vis, son huile à lampe, mais rien pour elle. Pas même une menthe ou une petite boîte de Cracker Jack. Elle aurait souhaité... mais elle n'osa rien dire. Pas après tout ce qu'elle lui avait demandé pour l'hiver et qu'il s'était engagé à lui payer. Sam la regarda, lui sourit, et lui demanda:

– C'est toi, Pauline, qui as dit à Piquet que toi pis moi...

– Que toi pis moi quoi?

– Qu'on couche ensemble, qu'on fait l'amour.

– Non, j'm'en rappelle pas... Peut-être quand il a essayé de... mais pas avec des mots comme ça... Et pis, Sam, faut pas s'leurrer. Y sont pas sourds, la veuve pis lui. Avec l'écho de la butte, nos rires, mes cris... Comment c'est venu sur le sujet, cette affaire-là?

– C'est le curé qui m'a apostrophé. Y paraît que la veuve lui a raconté...

– Ah! Celle-là! Vieille grenouille! Encore à mes trousses, hein? Encore à m'espionner pis à m'salir, hein? J'te l'dis, Sam, avant l'hiver, si j'la rencontre... Pis non! Ça vaudrait même pas la peine. Elle est jalouse et ça s'comprend. Avec son paquet d'os entre les jambes, elle doit se rappeler le temps d'avant... Pis de quoi y s'mêle, le curé? Attends que j'sois majeure! J'te jure que j'vais lui parler dans la face, moi! Ça joue au saint parce que ça a rien! C'est quand même pas avec la vieille Hortense... À moins qu'avec son enfant d'chœur...

– Pauline! Quand même!

Elle éclata de rire, ajusta sa jupe et répondit en ricanant tout bas:

– J'sais bien! C'est pas correct c'que j'dis là… C'est juste des rumeurs…

– Qu'est-ce que tu veux dire?

– Ben, disons qu'ça parle au village. Le fils Gaudrin, y'a l'oreille aux aguets. L'enfant de chœur du curé, c'est un orphelin que la modiste a recueilli en bas âge. Quand son mari est mort, c'est l'curé qui s'est chargé d'son éducation. Y passe plus d'temps au presbytère que chez sa mère. Ça jase, Sam, ça jase mais personne en parle. Pis comme c'est un attardé… Tout c'qu'y sait faire à c'qu'on dit, c'est d'servir la messe pis les vêpres, y'a appris ça par cœur…

– Pauline! Des ragots! T'es quand même pas la veuve, non? Pis Ti-Guy, lui, pour s'montrer fin…

– N'empêche que c'est des choses qui arrivent, tu sais… Pis, qu'ce soit avec qui ça voudra, si y'est en manque, c'est pas d'ma faute ni d'la tienne, Sam. C'est quand même pas nous autres qui y'avons mis la soutane su'l'dos!

Le soir venait, les journées étaient plus courtes, le soleil se couchait tôt. Pauline, «écrasée» sur son sofa, entamait un second roman de Clarisse. Un roman qui parlait d'une bergère courtisée par un prince. Sam se déshabilla, versa un peu d'eau bouillante dans la grande cuve et s'y assit, nu, une débarbouillette à la main. Puis, regardant Pauline qui le… regardait:

– Y'a d'la place pour deux, si tu veux…

– Non, j'irai au lac demain. Même si l'eau est frette…

– Pourquoi? T'aimerais pas ça avec moi? Dis-moi pas qu'ça t'gêne…

– Non, Sam, c'est pas ça, c'est que…

– J'ai-tu dit quelque chose de pas correct, Pauline? T'as l'air maussade…

– Non, non, c'est pas ça, c'est que…

– Ben, c'est que, c'est que… quoi?

– C'est que j'suis dans mes règles, Sam! Ça t'suffit?

Le lendemain, vendredi, Pauline souffrait d'une terrible migraine. Comme c'était le cas chaque mois, sauf que, cette fois, le mal était plus fort. Elle avait pris deux cachets d'Aspirine, mais ça ne passait pas. Au grand désespoir de la fille qui voyait son vendredi soir prendre «le bord». Et du fait, au désarroi de Jovette qui, en vain, l'attendrait. Pauline était en rogne et son humeur s'en ressentait. Sam, s'y connaissant peu en «malaise» du genre, préféra ne rien lui demander, ne rien faire pour tenter de la soulager. Il était même heureux, sans le laisser paraître, que la nature se soit chargée d'entraver la sortie, qu'en son for intérieur, il désapprouvait. Pauline se rendit au lac, se lava rapidement en trempant à peine le bout du pied dans l'eau et remonta vite au shack. Sans qu'il lui demande quoi que ce soit, elle lui dit avec un regret dans la voix:

– J'sors pas ce soir. Jovette se passera d'moi, ça file pas.

– Veux-tu que Piquet se rende au village pour l'avertir?

– Non, non, pas nécessaire. Elle verra bien, j'arriverai pas.

Ce qui la tenaillait, ce n'était pas tant Jovette, ni l'hôtel, mais le beau Marcel qu'elle ne verrait pas. Marcel qui, elle s'en doutait, attendait sans doute ce vendredi pour être plus entreprenant. Elle était contrariée, mais d'un autre côté… Si le coup de foudre, le coup de cœur…? Menstruée! Puis, comme pour se consoler, elle pensa dans sa tête romanesque: «Le faire attendre, c'est le laisser sur son appétit, sur son désir, sur son amour…» Il n'avait qu'à ne pas l'ignorer le premier jour. Il avait joué les indépendants, il avait cru qu'elle s'avancerait… Non, une semaine de plus lui ferait regretter de ne pas…» Elle sortait de sa rêverie lorsque Sam, tournant en rond, lui demanda:

– Tu comptes te coucher tôt? T'as encore mal à la tête?

– Oui, mais ça va passer. Non, j'vais quand même veiller, mais j'lirai pas.

– On peut aller prendre une marche si tu veux. L'air frais…

– Non, j'ai des frissons, j'aime mieux rester au chaud dans ma robe de chambre. J'ai pas froid, j'ai juste des frissons. C'est normal, ça va passer…

– Veux-tu m'regarder faire mon jeu de patience? C'est mieux que rien…

– Non, j'ai l'goût de t'entendre. J'veux que tu m'parles, Sam.

– J'veux bien, mais te parler d'quoi?

– J'aimerais que tu m'parles de Gisèle, de ta vie avec elle. Depuis l'temps…

– Gisèle? La «grande amoureuse»? J'ai pas passé ma vie avec elle, tu sais…

– Ça fait rien, conte-moi l'histoire. Ta rencontre avec elle, qui elle était…

– C'est loin tout ça, Pauline. T'es sûre de vouloir entendre cette histoire-là?

– Oui, oui, Sam! Ça va passer l'temps, parle-moi d'elle. C'est qui, Gisèle?

– Là, tu m'ramènes à ma chaise de *shoe shine boy*… C'est pas d'hier…

– Aie! ça fait pas si longtemps, tu m'as dit qu'elle était là sur les derniers milles, juste avant que tu quittes la ville!

– Oui, c'est vrai, mais ça fait plus de dix ans, une éternité pour moi…

– Ben, raconte! Dis-moi qui c'était, la Gisèle! Elle est encore en vie?

Sam hésita, regarda au plafond, puis, revoyant ses dernières images, il répondit:

– J'sais pas, Pauline. Peut-être, mais j'sais pas. J'suis parti
si vite… Et pis, Gisèle, c'était juste une…

– Non, non, commence par le commencement! Tu l'as
connue comment, elle?

Sam rouvrit dans sa tête le livre de son passé. Tobie qui
coupait les cheveux, lui qui cirait les chaussures, puis, un
jour… Il regarda Pauline, lui sourit, et lui dit: «T'as raison, ça
va passer la soirée.»

«Gisèle, c'était une fille de rue, une fille de joie, mais une
fille avec un grand cœur. Quand j'l'ai connue, elle était à la
fin de sa pratique, si tu saisis ce que j'veux dire. Elle avait
trente-neuf ans, elle était moins belle qu'avant, moins atti-
rante, et d'autres prenaient de plus en plus la place. Mais
Gisèle faisait pas ça pour le plaisir. Elle avait deux enfants à
nourrir. Le père, celui qui vivait avec sans l'avoir mariée, est
parti un matin sans jamais revenir. Il a sacré l'camp, pis il l'a
laissée là avec les enfants. Elle avait peut-être trente ou
trente et un ans à c'moment-là. Ce que j'te dis là, Pauline,
c'est elle qui me l'a dit quand je l'ai rencontrée. L'hiver
approchait, elle était descendue chez le barbier avec une
paire de bottes en cuir à m'faire cirer. Tu sais, elle couchait
dans la rue à moins qu'un gars lui offre une *tourist room*. Son
propriétaire l'avait sacrée dehors parce qu'elle était en retard
pour son loyer. C'est sa vieille mère qui gardait les petits
et…

Pauline l'interrompit brusquement:

– Tu vas trop vite, Sam! J'te suis pas! Elle était venue
faire cirer ses bottes?

– Oui, t'as raison, j'raconte mal. C'est là que j'l'ai connue. J'savais pas c'qu'elle faisait dans la vie, mais le lendemain, elle est revenue avec trois paires de souliers pis les bottines des enfants. J'ai vu qu'elle était pas riche pis j'lui ai rien chargé pour les bottines des p'tits. J'la prenais en pitié. Pis, d'une chose à l'autre, elle revenait, et c'est Tobie qui m'a appris ce qu'elle faisait. Parce que l'un de ses clients avait été un client de Gisèle. Mais ça m'a pas choqué. Je la trouvais vaillante, elle aimait ses enfants, pis la Saint-Vincent-de-Paul lui donnait à peine de quoi les nourrir quand elle était malade ou que les clients se faisaient rares. Elle aurait pu être *waitress,* mais elle parlait pas l'anglais. Elle était pas tellement instruite, mais ça l'empêchait pas d'avoir du cœur au ventre. C'est pour ça qu'elle a choisi le métier le plus payant. Mais en pleine rue! Trop vieille, pas assez belle pour les bordels, tu comprends? Mais c'métier-là, c'est pour ses enfants qu'elle le faisait.

– Et toi pis elle? de lui demander Pauline.

– Bon, c'est arrivé comme ça, un soir…

– Sois plus clair, Sam. Un soir…

«Elle m'avait demandé le matin si elle pouvait venir après la fermeture de la *shop*. J'ai dit oui, pis elle s'est pointée vers sept heures. Comme elle avait pas soupé, j'ai fait venir des spaghettis du restaurant du coin qu'on a mangés, assis sur les chaises du barbier. C'était en novembre, il faisait un temps d'chien, pis Gisèle avait pas envie d'arpenter le trottoir. On a jasé, jasé, pis la nuit est venue. Elle avait pas d'place où aller coucher…

Sam s'était interrompu comme s'il revoyait la scène telle qu'elle s'était déroulée.

– Pis, après? lui demanda Pauline, avide de connaître la suite.

173

– C'est là qu'elle s'est donnée à moi. De son plein gré, même si la bière m'avait un peu aidé de mon côté. Pis, pis… on a fait l'amour, Pauline.

– Dans la *barber shop*? Pas sur la chaise de Tobie, j'espère?

– Non, dans les toilettes… Sur mon imperméable…

– Pis après, elle est repartie?

– Ben, non! Où voulais-tu qu'elle aille? Je l'ai gardée toute la nuit. On a dormi par terre, la tête sur son manteau d'poil. Elle est repartie le lendemain juste avant que j'reprenne mon travail.

– Ben, dis donc! C'est pas l'paradis, ton affaire! À terre…

– C'était mieux pour elle que d'être dehors, dans l'fond d'une ruelle.

– Tu l'as payée pour ses… ses services?

– Non, Pauline. Pour Gisèle, j'étais un homme qu'elle aimait, pas un client.

– Pis toi? Tu l'aimais, cette femme-là?

– Non, pas vraiment, j'en avais pitié, mais c'était une bonne personne.

– T'en as quand même profité, non? Pis, tu l'a revue, j'suppose?

Sam regarda de côté, par terre, puis rassemblant ses souvenirs…

«Je l'ai revue plusieurs fois. Elle est venue chez moi, dans ma petite chambre. Tobie et moi, on l'avait surnommée «la grande amoureuse» parce qu'elle faisait bien les choses, tu comprends?

– Tobie et toi? Tu veux dire que lui aussi…

– Ben, si on veut, c'était pas ça qui gênait Gisèle, tu sais.

– Il était marié, Tobie? Il avait des enfants?

– Heu… oui, mais ça change quoi? Un homme, c'est…

– Un homme! Je l'sais! Tu l'répètes si souvent que... Ben, à c'que j'vois, c'est un tic nerveux pour toi que de s'passer une femme, Sam Bourque! T'as continué ici avec la veuve à Piquet! Une vraie manie, Sam, une idée fixe, non?

– Pantoute! C'est arrivé comme ça, pis Gisèle, elle était à personne...

– Mais tu disais qu'elle t'aimait? Tu en parles encore, Sam! C'était pas juste une fille de joie pour toi, c'était...

– C'est ça qui a été le drame, Pauline. Gisèle s'est amourachée d'moi au point de vouloir me revoir tous les soirs. J'avais beau lui dire que j'étais pas intéressé, que j'voulais être seul, elle s'entêtait, revenait quand même. En passant, c'est elle qui a surnommé mon majeur le «doigt-fesses».

– Oui, j'sais, pis la deuxième, ç'a été moi! Faut dire que c'est assez clair pis qu'ça prend pas la tête à Papineau pour s'en apercevoir! Mais ça m'dit pas comment ça s'est fini avec ta «grande amoureuse».

– C'est ben simple, j'suis parti. J'suis parti sans laisser d'adresse. C'est là que j'ai tout sacré là pour me retrouver ici. Pas à cause d'elle, j'y pensais depuis longtemps, mais la Gisèle m'a donné, sans le savoir, le coup d'pied au cul que ça m'prenait. Je savais qu'elle devait aller passer une semaine chez sa tante, la sœur de sa mère. Elle avait une infection pis le docteur lui avait défendu de travailler. Pis, ça s'comprenait, si tu saisis c'que j'veux dire. Toujours est-il que j'ai tout manigancé avec Tobie durant son absence. J'ai quitté ma chambre, j'ai vendu mes meubles à perte, pis Tobie m'a permis d'coucher à la *shop* les deux derniers soirs. Là, j'ai vendu mon p'tit commerce à un Écossais qui parlait l'français, pis j'suis parti sans même avertir mes clients. C'qui fait que, le lundi, ils ont trouvé un autre *shoe shine boy* à ma place et que Gisèle s'est cogné l'nez dans ma porte, avec un autre bonhomme en train de cirer les souliers. Ni vu ni connu, j'suis parti pis j'ai jamais entendu parler d'elle.

— Elle a dû s'informer à Tobie? Elle aurait pu te retracer?

— Non, parce que Tobie savait pas où j'm'en allais. J'lui ai dit que j'lui téléphonerais pour lui donner d'mes nouvelles, mais j'l'ai jamais fait. J'ai tout laissé derrière, Pauline, parce que j'voulais changer d'vie, pis que j'voulais qu'on perde ma trace.

Pauline avait froncé les sourcils pour ajouter en le pointant du doigt:

— Sais-tu que c'est pas mal lâche, c'que t'as fait, Sam Bourque? J'imagine la pauvre femme qui t'aimait, revenir, pis... Pas mal lâche! Si t'avais été un homme comme tu dis, t'aurais pu lui dire en pleine face, pas t'pousser, pas la faire brailler, pis s'morfondre à t'chercher!

— J'avais pas l'choix, Pauline, Gisèle voulait vivre avec moi. Elle pis ses deux enfants! J'avais beau lui dire que j'l'aimais pas assez pour ça, elle devenait folle de rage. Elle a même menacé de se tuer en se jetant devant l'tramway! C'était la seule chose à faire pour moi et Tobie était d'mon bord. D'autant plus que j'parlais depuis longtemps d'm'en aller, de pas moisir dans une cave à cirer des souliers...

— Ouais, dans c'cas-là, mais lui, t'aurais pu lui donner signe de vie, non? Plus tard, peut-être, mais tu l'as laissé sans nouvelles après tout c'qu'y avait fait pour toi.

— Je l'sais, mais là aussi, j'ai pas eu l'choix. J'avais peur qu'il s'échappe pis, avec le temps, on oublie. Même ses vieux *chums,* Pauline. Si Tobie est encore en vie, j'suis sûr qu'y m'en veut pas. Pis, c'était plus un *partner* en affaires qu'un véritable ami, Tobie, j'allais même pas souper chez lui. C'était mon ami du temps qu'on a passé ensemble, mais j'suis sûr qu'y pense même plus à moi. Tout ça pour te dire que Gisèle, la «grande amoureuse», c'était ça. Je l'ai aidée, elle m'a donné l'change, mais je l'ai jamais aimée, Pauline. Pis, à part ça, elle avait encore sa mère pis sa vieille tante. Je l'ai pas laissée dans la rue, Pauline. Pis, même si c'était l'cas, ça aurait changé quoi? C'était de là qu'elle venait! Sa maison, c'était l'trottoir!

— N'empêche qu'elle s'est peut-être suicidée à cause de toi…

— Ben voyons donc! Toi, tu lis trop d'romans! On s'tue pas pour un homme quand y'en a deux cents autres qui t'attendent! Gisèle, c'était une fille de vie, Pauline, pas la croix de saint Louis! Elle avait du cœur pour ses enfants, mais ses clients… Tu sais, quand on fait la rue par affaires…

— Ben, j'la trouve pas belle, ton histoire, Sam! Pis ta vie non plus! À part Clarisse pis ton mariage avec elle, le reste…

Sam la regarda d'un air tendre puis, avec une lueur dans les yeux, murmura:

— Pas même la nôtre, Pauline? C'que toi pis moi, on vit actuellement…

— Oui, j'sais bien, mais c'est pas pareil, ça…

— C'est beau c'qu'on vit, Pauline. Ça, on peut dire que c'est un roman.

Embarrassée, mal à l'aise sur le sofa, la fille répliqua sans le regarder:

— Peut-être… mais là, j'aimerais m'coucher. J'ai encore mon mal de tête.

— Rien t'en empêche, Minoune, mais j'veux qu'tu saches que toi, j't'aime!

Septembre tirait à sa fin, quelques arbres voyaient déjà leurs feuilles passer du vert au jaune, et les écureuils commençaient à enterrer leurs noix, au risque de ne jamais les retrouver, enfouies sous la neige. Sam s'était rendu chez Gaudrin avec Pauline et, tel que promis, l'avait habillée pour l'hiver. Tout ce qu'elle désirait et encore plus, il lui avait même payé une robe noire de taffetas avec des perles, en prévision du temps des fêtes. Emma Gaudrin n'en revenait pas. D'autant plus que, cette fois, Sam avait payé comptant pour ne pas «engraisser» son compte du mois. Après leur départ, les bras chargés de colis, la marchande avait compté son argent puis… sauté sur le télé-phone. «Gertrude? Tu devineras jamais ce qui vient d'se passer. L'ermite sort d'icitte avec elle et…» À la fin de la journée, toute la paroisse savait que «la grosse fille» était entretenue.

Piquet, qui avait servi de chauffeur, leur avait donné un coup de main pour rentrer tout le *stock* dans le shack. Il n'eut rien à dire à la veuve qui avait tout vu, cachée derrière son rideau rose.

— Vieux fou! Il va se ruiner pour elle! Combien ça lui a coûté, tout ça, Piquet?

— J'sais pas! J'ai pas osé regarder quand il a payé, Pauline me guettait.

— J'vais l'savoir! La Gaudrin garde rien pour elle! Pis, t'en fais pas, ça va aller drette dans l'oreille du curé!

— Toé, la commère, mêle-toé d'tes affaires! Ça nous regarde pas!

— Ben, si la grosse pense qu'a va l'détrousser sous mon nez, a va voir de quel bois j'me chauffe, moé! La crapaude! Faire cracher un homme comme ça! J'te l'dis, Piquet, ça va finir mal, cette histoire-là! Je l'sens, moé!

Le soir venu, Sam avait fait bouillir l'eau du «canard» à cinq reprises. Pour remplir la grande cuve, pour prendre son bain avec elle. Et, comblée de tous ces cadeaux, Pauline ne refusa pas de se blottir contre lui, les pieds dans l'eau, les seins sur sa poitrine. Pas plus qu'elle ne refusa de satisfaire tous ses désirs. Que les siens! Car elle était encore légèrement... indisposée. Sam lui caressait la nuque, Sam la couvrait de baisers et elle, choyée comme une reine d'Espagne, lui rendait la monnaie... de sa main dodue. Mais, aussi heureuse était-elle, Pauline n'avait qu'une lubie en tête. Attendre que le vendredi vienne, enfiler ses bas de soie, chausser ses souliers neufs, sa jupe, sa blouse de dentelle, et retrouver à l'hôtel le beau ténébreux qui lui hantait le cœur. Et, pendant que Sam lui murmurait: «Je t'aime, Minoune», elle répondait évasivement: «Moi aussi, Sam...» Mais de son âme, telle l'héroïne de son roman, elle aurait voulu dire... «Marcel».

— Tu t'prépares déjà? Il n'est que trois heures... marmonna Sam.

— C'est que... Vu qu'j'ai sauté un vendredi, j'vais aller souper chez Jovette. La soirée sera plus longue, on a tant de choses à s'dire.

Sam ne répliqua pas. Il rongeait son frein, la mine était basse, mais il sentait que Pauline s'en foutait.

— Veux-tu que Piquet t'emmène jusqu'au village?

— Non, j'aime mieux y aller à pied. J'ai du temps devant moi.

— À pied? Avec des talons hauts? Tu risques de t'faire des cors, Pauline.

— T'en fais pas, j'les emporte dans un sac, mes souliers. J'ai mes mocassins pour marcher.

— C'est pas tellement chaud avec juste une blouse de dentelle sur le dos.

— J'ai ma veste de laine... Sam! Lâche-moi un peu! J'sais c'que j'fais! J'suis plus une enfant! Arrête de m'suivre des yeux comme le chat d'la veuve!

– Bon, bon, c'est correct, j'dis plus rien. Pis, comme t'as l'air pressée, tu peux partir tout d'suite. Tu devrais t'voir! Une vraie queue d'veau, Pauline!

Elle ne répondit pas, s'empara du sac contenant ses souliers, de sa «sacoche», de sa veste de laine, et, vivement, l'embrassa sur le front avant de franchir la porte du shack.

– Tu rentreras pas tard, au moins?

– Non, non, dix ou onze heures! Ah! Sam! Tu m'parles comme si t'étais mon père!

– C'est parce que j'vais m'ennuyer, Minoune. La soirée va être longue…

Pauline aurait voulu lui dire de se plonger dans son dictionnaire, mais elle préféra ne rien répondre et emprunter d'un pas rapide le sentier de la butte qui menait à la route.

Jovette était ravie de la revoir, même si l'heure se voulait inconvenante.

– T'es *chic and swell,* Pauline, mais t'es d'bonne heure en pas pour rire!

– J'avais hâte de partir pis d'arriver. J'ai dit à Sam que j'soupais avec toi.

– Tu tombes mal, j'ai juste d'la soupe en boîte pis une tarte aux pommes.

– T'en fais pas, j'ai pas une grosse faim. Une bonne tarte aux pommes, ça bourre la panse, Jovette. Pis, si t'as d'la cassonade pour mettre dessus, moi, j'demande rien d'plus!

À six heures, la soupe, le pain, la tarte, elle avait tout avalé… ou presque. Au grand désespoir de Jovette qui avait eu droit à la dernière pointe de sa propre tarte.

– Ça ouvre à quelle heure, l'hôtel?

– C'est ouvert à longueur de journée, voyons! Les commis voyageurs viennent se saouler l'après-midi. Mais pour la danse, ça commence pas avant huit heures.

– Ben, on sera là pour sept heures, si ça t'fait rien, Jovette. Le temps d'prendre une liqueur, de jaser un peu…

– J'te vois venir, toi… T'as une idée derrière la tête, hein?

– Pantoute! J'disais ça comme ça…

– Énerve-toi pas, Pauline, y va être là, le beau Marcel!

– Aie! C'est pas pour lui… pas juste pour lui… répondit-elle en rougissant.

L'hôtel était bondé et quelques couples dansaient déjà au rythme du *juke-box* lorsque l'orchestre prit enfin la relève. Pauline était nerveuse, agitée même, elle ne tenait pas en place. Les deux pailles entre les lèvres, elle faisait le tour de la salle des yeux. Mais celui qui la chavirait n'était pas là. On l'invita à danser mais, poliment, gentiment, elle refusa. Ce soir, elle ne voulait être que dans les bras de celui pour qui son cœur battait. Un homme qu'elle ne connaissait pas, mais qu'elle trouvait si beau avec ses yeux sombres, ses cheveux noirs à la Valentino, sa moustache bien taillée, sa démarche sensuelle.

– Arrête de grouiller comme ça sur ta chaise, il va finir par arriver… lui murmura Jovette, qui ne comprenait rien à l'engouement de sa «protégée». Et soudain, portes battantes, Marcel Marande venait d'entrer.

Alors qu'il se dirigeait au bar, Pauline le suivit des yeux. Il était, à son avis, encore plus beau que la première fois qu'elle l'avait vu. Un pantalon brun très seyant, des souliers bruns, une chemise de soie brune et un veston d'allure sportive dans les tons de beige et brun. Il commanda un verre, s'alluma une cigarette et, pivotant sur son tabouret, il se mit à faire le tour de la salle du regard. Lorsque ses yeux se posèrent sur elle, elle voulut fondre. Elle soutint son regard quelques instants puis baissa la tête en souriant. Dès lors, Marcel Marande savait que cette fille avait un faible pour lui. Et elle ne lui était pas indifférente, du fait qu'elle était une nouvelle venue dans les parages. Mais, s'étant informé auprès du barman et de l'hôtelier, Marcel savait qu'elle habitait chez «l'ermite» qu'il connaissait de vue sans lui avoir parlé. Il savait aussi que Pauline Pinchaud était une brebis égarée, une fille sans famille ou presque. La mère Gaudrin s'était fait un plaisir de le renseigner sur celle qui partageait la vie de Sam, sans omettre de lui dire que «le vieux» la traitait comme une princesse, non pas comme une servante. Et, connaissant Jovette sans avoir jamais partagé son lit, Marcel Marande savait que la fille du garagiste ne s'entourait pas de… dames de Sainte-Anne.

Voyant que Pauline refusait les danses, il attendit que Jovette s'évade dans les bras d'un cavalier pour venir s'asseoir en face d'elle. Elle avait frémi, rougi, sirotant sa liqueur douce de l'une des pailles, tout en le fixant de ses grands yeux noirs.

– Excuse-moi, je n'ai pas demandé la permission de m'asseoir…

– Ne vous… ne t'gêne pas. J'aime pas être seule à une table.

– Je peux t'offrir un verre? Un p'tit gin avec du soda, peut-être?

– Non, merci, j'bois pas. J'aime pas l'alcool… mais peut-être un autre cola.

Il sourit, commanda sa liqueur et sortit son étui à cigarettes.

– Tu fumes, au moins?

– Non, merci, j'fume pas. J'ai jamais fumé, ça m'a jamais tentée.

— Dis donc! T'as pas de défauts, toi?

— J'en ai d'autres, mais j'les cache bien, répondit-elle en riant.

— Tu habites sur la butte, à c'qu'on m'a dit?

— Oui, pour rien t'cacher, mais c'est pas pour longtemps. Juste le temps de trouver une place en ville. Je viens de Montréal, moi, tu sais.

— Oui, j'sais. T'as aussi d'la parenté à Saint-Lin, à c'que j'ai su…

— D'après c'que j'vois, tu t'es pas mal informé sur moi. Si ça continue, tu vas m'révéler mon âge avant que j'te l'dise…

— Vingt ans pis toutes tes dents! Ça aussi, j'le sais, Pauline.

— Coudon! T'as fait une vraie enquête, toi! Y'a-tu d'autre chose que tu voudrais savoir, Marcel Marande?

— Tiens! Tu connais mon nom! À chacun son enquête, à c'que j'vois!

Il avait ri et elle l'avait trouvé encore plus séduisant. Elle sentait son cœur battre, elle avait les jambes molles. Marcel l'ensorcelait.

— Ça, c'est Jovette qui me l'a dit, mais rien de plus…

— Tiens! La voilà qui revient… Ça te dirait de venir danser avec moi?

Ils se levèrent, se dirigèrent vers la piste et, comme si les membres de l'orchestre avaient prévu qu'ils danseraient «collés», ils entamèrent les premières notes de *Stardust*, le *slow* le plus romantique des dernières années. Marcel posa une main sur sa hanche et l'attira tout doucement contre lui. Il sentait bon, il était propre. Sa lotion après-rasage avait l'odeur de la lavande. Et lui, sans pouvoir identifier son parfum, humait l'arôme du Fresh Wind que son cou dégageait. Pauline était aux nues. Jamais elle ne s'était sentie aussi bien dans les bras d'un homme. Il était trop grand pour qu'ils puissent danser joue contre joue mais, la tête appuyée sur sa poitrine, elle frémissait à chaque mouvement lorsque sa chemise s'entrouvrait. Et, avec les énormes seins de Pauline collés à son ventre, Marcel Marande était déjà en transe. Ils dansaient en silence… ou presque. Il lui dit qu'elle était jolie, qu'elle sentait bon, qu'elle avait plus d'allure que les filles de par ici. Et elle en fut gonflée d'orgueil. Elle fermait les yeux, rêvait, les rouvrait, le regardait, lui souriait et, de temps en temps, elle jetait un coup d'œil en direction de Jovette qui, d'un sourire, l'encourageait.

– J'ai trente-six ans et j'suis pas marié, au cas où ça t'inquiéterait, lui murmura-t-il à l'oreille.

Elle lui sourit, se serra davantage contre lui et pria le ciel pour que la danse ne se termine jamais. En moins de temps qu'imaginé, Pauline était amoureuse. Follement amoureuse de cet homme séduisant dont elle ne savait rien. La foudre en plein cœur! Le coup qui fait qu'on s'accroche à l'hameçon du bonheur. Et Marande était conscient de l'effet qu'il avait fait sur elle. À la fin du *slow,* il lui demanda à brûle-pourpoint:

– Ça te dirait qu'on parte d'ici, qu'on s'évade, qu'on parle, qu'on se connaisse?

– J'sais pas… j'suis avec Jovette, j'peux pas la laisser là…

– Attends, bouge pas d'un pouce, je reviens dans une minute.

Il s'éloigna et elle s'appuya contre une colonne en le suivant des yeux. Elle le vit parler à Jovette, elle le vit serrer la main de son cavalier, puis elle le vit revenir, sans échapper au clin d'œil que Jovette lui lançait.

– Viens, lui dit-il, ton amie n'est pas offusquée. Elle a compris que toi et moi…

— On va aller où, Marcel? On n'est pas en ville, ici…

— Une balade en auto, un endroit discret pour parler, toi et moi. Mais, si tu as peur, si tu te méfies…

— Non, non, pas une miette! J'te suis, mais pas pour trop longtemps. J'ai promis à Jovette…

— Viens, dis rien de plus, suis-moi, ça fait longtemps que je veux te connaître, toi.

Marcel la fit monter dans sa voiture dégarnie de son dôme de taxi. Une belle voiture avec des sièges de velours et des guirlandes de laine aux fenêtres. Une voiture jaune, bien lavée, cirée, propre à l'intérieur, sauf pour le cendrier qui débordait de mégots. Ils roulèrent sur la route menant à la butte et Pauline fut prise de frayeur.

— Où est-ce qu'on va, Marcel? Pas par là! S'il fallait qu'on m'voit!

— Crains pas, je passe à toute vitesse. Et, dans cette noirceur…

Ils passèrent en effet sur la route du lac et Pauline put apercevoir la lueur de la lampe chez Piquet. Mais Marcel passa vite et tourna à gauche sur une route secondaire. Une route qu'elle n'avait jamais remarquée.

— Ça mène où, ce chemin-là?

— Au lac Desnoyers. C'est là que j'ai mon chalet.

— Le lac des noyés? Tu parles d'un nom quand on va s'baigner!

Il éclata de rire et lui expliqua que le lac en question n'était pas celui des «noyés» mais d'un dénommé Desnoyers qui lui avait donné son nom. Elle finit par comprendre sans pour autant en saisir l'orthographe. Elle le regardait et son profil était celui d'un acteur de cinéma. Elle ne savait trop lequel, mais Dieu qu'il était beau, cet homme, à ses côtés!

Encore plus beau que le prince qu'on avait décrit dans le roman de Clarisse. Marcel fumait, la regardait, lui souriait, et elle était conquise. C'était la première fois qu'elle sortait avec un homme qui la traitait avec autant de belles manières. Pauline était aux anges. Son cœur voulait bondir de sa poitrine. Marcel immobilisa sa belle voiture devant un superbe chalet en retrait. Somme toute, un chalet ordinaire, dans la moyenne, mais à côté du shack… Pour elle, c'était un palais. Et, comble de joie, avec l'électricité dans toutes les pièces qu'elle contemplait de l'extérieur. Il lui prit gentiment la main et, avant de l'inviter à entrer, il lui dit d'un ton doucereux:

— Reste, j'aimerais qu'on parle un peu. Je veux qu'tu saches qui j'suis.

— J'suis pas curieuse à c'point-là, tu sais. J'demande rien, moi.

— Non, mais j'aime mieux t'affranchir. Après, tu décideras si, toi et moi, on peut sortir ensemble.

— Comme tu voudras, lui répondit-elle, en lui serrant la main fermement.

— J'fais du taxi ici l'été seulement. L'automne, l'hiver et le printemps, je travaille dans un club en ville. Mais j'étais pas là l'année passée, j'étais en dedans.

— En dedans? Tu veux dire que…

— Oui, j'ai fait d'la prison, Pauline. On m'a accusé de complot dans un vol de banque, mais j'y étais pour rien. J'avais un mauvais avocat et j'ai écopé d'un an ferme. J'aime mieux te l'dire, j'suis un gars franc, moi. Mais, j'suis honnête! C'est par erreur qu'on m'a envoyé en tôle, tu comprends?

— Ben sûr que j'comprends! Pis c'est pas ça qui m'dérange, Marcel. Ça m'fait penser à la patronne qui avait dit qu'j'avais volé son rouge à lèvres. C'était pas vrai… mais l'histoire est trop longue. Ça vaut même pas la peine…

— Tu sais, tu es la première fille que ça ne dérange pas que…

— Ben, tant pis pour les autres! Moi, j'ai plus d'tête que ça! Mais, dis-moi, c'est vrai qu't'es pas marié? Pas que j'doute de toi, mais moi, les hommes mariés, j'aime pas trop ça… Pis, dans ton cas, ça m'surprend…

— Pourquoi?

— Parce que rendu à ton âge pis beau comme tu es…

Et elle avait baissé la tête, dans une fallacieuse timidité, comme une fausse gamine.

— Libre comme l'air! Je te l'jure sur la tête de ma mère! J'aurais pu, j'ai eu des blondes, mais ça m'a jamais tenté. Moi, la corde au cou… Et avec le métier que j'fais… J'travaille de nuit dans les clubs.

Il sentait bon, il avait les dents blanches, les ongles propres, les yeux noirs comme des charbons. Il avait tout pour faire fléchir le genou le plus rébarbatif, ce qui n'était guère le cas de celui de Pauline, puisqu'elle sentit son genou devenir mou comme de la ouate lorsqu'il le caressa de sa main douce. Et d'un geste pensé, pesé, il l'attira à lui pour s'emparer de sa bouche sans qu'elle proteste. Elle l'embrassait à bouche ouverte… les yeux fermés. Après ce baiser qui la chavira, Pauline sentit, sur son front rose, une sueur ardente. Et sa main, tel un serpent, se glissa dans la chemise ouverte de l'homme.

— Viens, entrons, j'aimerais te faire visiter mon chalet.

Pauline se dégagea de sa divine étreinte et se glissa tout doucement vers la portière.

Le chalet était superbe. Jamais ses yeux ne s'étaient ouverts aussi grands pour contempler le confort de ces lieux qui lui semblaient un rêve. Une cuisine, un salon avec un bar, deux chambres et une salle de bain avec de l'eau courante. Le chalet, quoique de bon goût, était pourtant modeste, et Marcel était resté perplexe devant un tel enthousiasme. Mais pour Pauline qui sortait droit d'un shack, c'était un royaume qui s'offrait à sa vue. Marcel ouvrit le tourne-disque, pressa un bouton, et la voix de Perry Como envahit le salon. Une belle chanson que Pauline ne connaissait pas. Une chanson anglaise dont elle ne saisissait pas un seul mot. Mais l'ambiance, la lumière, la musique, après… la lampe à l'huile. C'était pour elle, yeux fermés, yeux ouverts, le paradis sur terre.

– Tu es sûre que tu n'bois rien? Moi, j'aime bien le gin, tu sais.

– Non, rien, à moins que tu aies d'la liqueur ou d'la limonade.

– Que dirais-tu d'un John Collins?

– Un quoi?

– Une sorte de liqueur avec de la glace, du soda et du jus de citron. Rien de fort, un *drink* rafraîchissant que les femmes commandent en ville.

– Rien pour me tourner la tête et pour me rendre malade?

– Non, non, une boisson pour femme. Le *drink* préféré des dames…

Et comme elle se sentait «dame» auprès de ce «valet» charmant, elle accepta.

– Juste un, Marcel, pis en douceur, j'supporte rien, j'fais attention…

Mais elle aima ce *drink* qui était loin d'être fort comme le vin rouge de Ti-Guy. Elle le sirota comme une limonade, sans penser à l'alcool camouflé par le sucre.

– Tu veux qu'on danse? lui demanda Marcel. Ici, c'est mieux qu'à l'hôtel, c'est plus romantique…

Ils dansèrent pendant une heure ou un peu moins, lui, buvant son gin, elle, sirotant son *drink* dans un grand verre givré, lorsqu'ils se séparèrent le temps de changer de disque. De Perry Como à Sinatra, de Tony Bennett à Dick Haymes, ils dansèrent tous les *slows* que Marcel possédait. Et la dernière chanson de Judy Garland, la chanteuse préférée de Pauline, la bouleversa. Ils s'étreignaient, ils s'embrassaient, les mains glissant le long des corps, et elle se sentait transportée. Pour elle, plus d'heures, plus de secondes, le temps s'était arrêté. Et Marcel avait pris soin de jeter son veston sur l'horloge du salon. Ils prirent place sur le divan, s'embrassèrent longuement et Pauline, à la vue du bain bleu de la petite salle, s'écria:

– Tu as de l'eau courante, Marcel? Ça veut dire que j'pourrais prendre un bain? Si tu savais comme ça m'tente… Un bain avec d'la mousse.

– À ta guise, mais l'eau sera peut-être tiède…

– Pas important! C'est sans doute moins frette que celle du lac.

Marcel parlait bien. Pas comme un Français, mais mieux que Sam et Piquet. Elle s'efforçait de bien parler mais, hélas, le cru se mêlait aux efforts du trop cuit. Et Marcel en souriait. D'aise. Car, lui aussi, s'efforçait pour lui en mettre plein l'ouïe… après lui en avoir mis plein la vue. Il lui offrit une robe de chambre et lui dit de prendre son temps, de profiter de la mousse, de jouir du parfum de ses huiles. Il prendrait un verre en attendant, il écouterait Perry Como ou la musique de Glenn Miller. Elle pataugea dans la baignoire, profita de la douceur des huiles sur sa peau, se lava à l'aide d'un savon dégageant l'odeur du lilas. Elle était bien dans cette baignoire bleue. Elle se prenait pour Esther Williams sans en avoir les jambes ni le tour de taille. Elle se sentait si bien, si heureuse, si loin de la cuve de fer à laquelle elle ne pensait guère.

Trente minutes plus tard, elle sortit enveloppée de la robe de ratine que Marcel lui avait prêtée. Le chalet était moins éclairé, mais la musique jouait encore. Ethel Merman chantait. Elle s'approcha de l'une des chambres et vit, dans un grand lit défait, couché sur un drap bleu, Marcel, presque nu, qui lui souriait tout en vidant un verre. Il était beau, viril, avec le corps d'un dieu, la taille enroulée dans une serviette. Et lorsque, de ses yeux de séducteur, il lui dit: «Tu viens, la p'tite?», elle crut défaillir. «La p'tite!» Le summum des mots tendres. Elle qui, dodue, potelée, grasse à souhait, se voyait, dès lors, comme dans un miroir magique. Elle se glissa dans le lit, retira sa robe de chambre, et Marcel put contempler la chair et les bourrelets de celle qui le fascinait. Dans un très sérieux corps à corps, ils firent l'amour sur une chanson de Peggy Lee. Une belle chanson qui se mariait au combat des amants d'un soir. L'étreinte fut si longue que l'aiguille se mit à grincer dans les sillons luisants du disque qui s'était tu. Un amour fou, un amour tendre. Un amour sans fin, deux corps qui suaient et qui recommençaient. Pauline, dans sa passion, ne se rendit pas compte que Marcel, dans un lit, n'était pas à la hauteur de Sam. Il faisait l'amour comme on fait l'amour. Normalement. Sans cette bestialité, sans cette rage... qu'elle aimait tant. Et, emportée par l'ivresse, mordillant les flancs de son superbe amant, Pauline oublia que, sur la butte... Pauline oublia Sam. Pauline oublia même le temps.

L'ermite était resté songeur ce soir-là. Songeur et triste à la fois. À peine partie, Pauline lui manquait déjà. Il avait beau se dire qu'elle était jeune, qu'elle avait besoin de rire, de s'amuser, il n'en était pas moins contrarié par l'absence de sa bien-aimée. Et cette Jovette Biron qui n'avait pas bonne réputation... Comment lui dire que la fille du garagiste n'était pas l'amie rêvée pour elle? Comment lui dire, sans la blesser, que la Jovette attirait les mâles comme la brebis attirait les renards? Il lui fallait être patient, tolérant, elle comprendrait avec le temps... Oui, elle comprendrait que, elle et lui, seuls dans le noir, épris l'un de l'autre, c'était ça... la vie. Sam arpentait de long en large les douze ou treize pieds de sa cambuse jusqu'à ce que la tombée de la nuit l'incite à monter d'un cran la mèche de sa lampe. Dix heures, le hibou sur sa branche, et Sam reprenait pour la vingtième fois son jeu de patience. En silence, en grognant, lorsqu'il entendit des pas, un coup dans sa porte, et Piquet qui criait: «Tu dors-tu, Sam?»

Sam ouvrit et le vieux entra, gêné, sa casquette dans la main.

— Qu'est-ce que tu veux? La veuve est malade?

— Non, c'est pas ça, faut que j'te parle, Sam... J'ai des choses à t'dire. Tu vas pas aimer ça, mais j'peux pas garder ça pour moé.

— Assis-toi, reste pas planté là. Qu'est-ce que t'as à m'dire, Piquet?

— Ben, ben, j'sais pas par où commencer... Charlotte m'a dit qu'y était temps que j'vide mon sac, mais moé, les affaires des autres...

— Vide-le, pis vite, Piquet! Arrête de tourner autour du pot!

— C'est... c'est Pauline, Sam.

— Pauline? Encore des ragots d'la veuve? Pis à c't'heure-ci?

— Non, pas des commérages, Sam. La vérité, rien qu'la vérité.

— Accouche! Crache! Arrête de branler sur tes pattes!

— La Pauline, le vendredi, c'est à l'hôtel qu'elle va, Sam. Avec Jovette! C'est là qu'elle était l'autre vendredi... Pis, j'mens pas! C'est un d'mes vieux *chums* qui me l'a dit. Y s'tient là à longueur de journée. Y'a vu Pauline danser avec des hommes… Pis la Jovette avec! J'voulais pas l'croire, mais un des gars de l'orchestre, le fils d'un autre de mes *chums,* l'a confirmé. J'voulais pas te l'dire, Sam, mais c'est plus fort que moé. T'es un ami, un voisin de longue date, pis la veuve m'a dit d'm'ouvrir la trappe.

Sam, cloué sur sa chaise, n'en croyait pas ses oreilles. Pauline? Sa Minoune? À l'hôtel avec les maquereaux du coin pis les touristes? Il n'osait pas le croire. Gardant son calme, blanc comme un suaire, il marmonna:

– T'es sûr de c'que t'avances là, Piquet? T'es sûr de c'que tu dis?

– Sûr, Sam! Mais j'l'ai pas vue, moé! J'me tiens pas là l'soir, moé! J'te dis c'qu'on m'a dit, pas plus, pas moins. Mais tout l'monde le sait…

– Pourquoi tu l'as pas dit avant, Piquet? Pourquoi me sortir ça ce soir?

– Parce que c'était pas d'mes affaires! Pis parce que j'voulais pas que la Pauline me tombe sur la tête! Si j'te l'dis à soir, c'est parce que j'pense qu'elle est encore là. Avec d'autres gars pendant qu'toé, tu la graisses, pis qu'tu dépenses ton argent pour elle!

Sam était vert de colère. Ses mâchoires s'étaient durcies, ses poings s'étaient serrés. Regardant son horloge, il dit à Piquet:

– J'lui donne une heure pour se pointer pis s'expliquer! Si, à onze heures, elle est pas rentrée, tu viens avec moi au village, Piquet.

– Aie! J'veux pas être mêlé à ça, moé! Pauline m'haït assez comme c'est là!

– T'as voulu ouvrir ta grande gueule, Piquet? T'es mon ami? Subis-en les conséquences! Tu viens avec moi ou bien j'me rends à pied avec ma *flashlight.*

– Non, non, j'vais y aller, Sam! J'suis pas un lâche! J'ai parlé, j'vais payer! Mais si ça tourne mal, j'veux pas être blâmé, moé!

– T'en fais pas, Piquet… Si tu dis vrai, c'est elle qui va s'rappeler d'mon portrait.

Sam offrit une bière à son vieil ami pendant que, chez elle, la veuve se frottait les mains d'aise. Elle connaissait «son» Sam et elle savait qu'en colère, il était capable de tout. Surtout quand on lui jouait dans le dos, quand on trahissait sa confiance.

Les minutes s'écoulèrent et Pauline ne donna aucun signe de vie. À onze heures pile, Sam prit son coupe-vent, enfila son verre de bière d'un trait, et dit à Piquet sur un ton dur:

– Amène-toi! On y va! Pis, si c'que tu dis est vrai…

Il avait les joues osseuses, les traits crispés par la rage, les bras prêts à tout casser. Et c'est en chambranlant de peur et non de sa maladie que Piquet fit démarrer sa bagnole à l'orée de la nuit.

La musique était forte, l'hôtel semblait rempli, et Sam, les yeux gonflés de haine, dit à son vieux comparse:

– Rentre! Va voir si elle est là! Si c'est l'cas, dis-lui que j'l'attends dans ton char. Vas-y, Piquet! Moi, j'rentre pas dans c'trou-là!

Le vieux, plus mort que vif, grimpa à petits pas les marches de l'escalier. Une minute, puis deux et trois, et il revenait au pas de course.

– Elle est plus là, Sam! Elle est partie! On sait pas où, mais la Jovette n'est plus là, elle non plus! N'empêche qu'elles étaient là au début d'la soirée…

– Bon, tu pèses sur le gaz, tu tournes à droite, pis on s'rend directement chez la Jovette.

– À c't'heure-citte, Sam? Ben là, c'est pas moé qui vas aller cogner…

– J'm'en charge! Fais l'tour du garage pis éteins ton moteur en douceur. Faut pas qu'on nous entende. Ah! si y fallait! Si c'est c'que j'pense!

Piquet stationna sans être vu derrière un arbre près du camp de la fille Biron. Sam descendit, aperçut de la lumière, tâta la poignée de la porte et, comme elle n'était pas sous clef, il entra d'un bond sans même frapper. Un cri de frayeur s'échappa de la gorge de Jovette. Affairée, mais pas seule, sans Pauline dans la maison, il rebroussa chemin en demandant:

– Si tu m'dis où elle est, j'ai rien vu, Jovette, j'dirai rien.

– Je l'sais-tu, moi? Elle devrait être chez vous à l'heure qu'il est. Si elle est pas là, cherche-la! J'suis pas sa gardienne, moi! Pis, j'suis occupée.

– Oui, j'ai vu ça! Mais c'est Pauline que j'cherche, personne d'autre.

Il s'engagea dans les marches de l'escalier et Jovette, insultée, lui cria de sa chambre:

– La prochaine fois, tu frapperas avant d'rentrer! Mon camp, c'est pas une écurie, Sam Bourque! T'es mal élevé! Pis, ta Pauline, cherche-la, tu vas finir par la trouver! Tu devrais…

Le moteur de la bagnole de Piquet avait étouffé les cris rauques et les injures qui allaient suivre.

De retour au shack, Sam fut désemparé de ne pas y trouver «sa» Pauline. Désarmé devant le fait, fier comme un paon, humilié devant Piquet, il dit à ce dernier:

– Rentre! Va dormir sur tes deux oreilles! Je vais l'attendre, moi!

– Tout d'un coup qu'y serait arrivé quelque chose...

– Rentre, Piquet! Couche-toi pis dis à la veuve d'en faire autant! Elle va finir par arriver, je l'sais... Mais, si t'entends des voix, sois pas surpris. J'compte régler ça demain, mais ça s'peut que j'm'emporte. Elle a besoin d'avoir une maudite bonne excuse! Minuit! Ça s'peut-tu!

Et Sam veilla à la lueur de sa lampe jusqu'à deux heures du matin. Il était blanc, rouge, bleu, il avait le sang viré dans les veines. Soudain, un bruit de moteur au loin. Une auto de couleur pâle qui venait en sens inverse de la route du village. Une auto qui s'immobilisa au pied de la butte, cachée par les arbres longeant la côte. Et, dans le noir, la silhouette de Pauline qui s'avançait vers le shack sans faire de bruit. Elle rentra, elle le regarda, et une odeur de lilas envahit la cambuse.

– D'où viens-tu, toi? À deux heures du matin! Pis, mens-moi pas, Pauline!

Elle était sidérée. Jamais elle n'avait vu Sam avec des yeux aussi cruels.

– Je, je... j'ai pas vu les heures passer. On parlait...

– Je t'ai demandé d'où tu viens, Pauline! T'as pas encore répondu!

Retrouvant quelque peu son assurance, le défiant du regard, elle lui cria:

– Prends pas l'mors aux dents, Sam! De chez Jovette, c't'affaire!

– De chez Jovette? Toute la soirée? Tout c'temps-là?

– Oui, tout c'temps-là! Ça jacasse, des femmes! La tasse de thé...

Sam la fixa droit dans les yeux, se leva, appuya ses mains sur la table, puis la dardant d'un regard haineux, il lui cria:

— Maudite menteuse! En pleine face, à part ça!

Pauline recula de quelques pas et balbutia dans une peur soudaine:

— Qu'est-ce... qu'est-ce qui t'prend? Tu m'as jamais parlé comme ça...

— Parce que tu m'as jamais menti au nez comme tu viens d'le faire, Pauline! T'étais à l'hôtel, pas chez Jovette! Pis après, j'sais pas où, mais pas chez la Jovette! J'suis allé voir, j'suis allé t'chercher! À onze heures à part ça!

Pauline tremblait, elle ne savait que dire.

— Pis, j'suis rentré sans frapper! J'étais sûr que t'étais là...

— J'étais là, Sam! J'venais sans doute de partir...

— Dans l'auto pâle? Avec qui, Pauline? Pis, t'as encore menti, t'étais pas chez Jovette! Pas d'la soirée, ça, j'en suis sûr! Tu veux savoir pourquoi j'en suis sûr, Pauline? Ben, j'vais t'le dire! C'est parce que quand j'ai rentré sans frapper, j'l'ai surprise en flagrant délit! À s'faire aller avec Ti-Guy, nu comme un ver, dans son lit!

Chapitre 7

En rentrant à une heure aussi tardive, malgré l'inquisition de Sam et ses véhéments reproches, Pauline n'avait qu'un visage en tête, celui de Marcel qui lui avait promis de la revoir. Il désirait même la fréquenter... sérieusement. Ce qui laissa Pauline indifférente, ou presque, face aux injures de Sam, à son allusion à Ti-Guy dans le lit de Jovette et à tout ce qui pouvait s'ensuivre. Constatant qu'elle ne cherchait même pas à se défendre, Sam, à bout de souffle, lui avait dit:

– C'est ça, dis rien! Joue à l'innocente! Pis, va t'coucher, j'ai pas envie d'réveiller la butte en pleine nuit! On va s'parler demain matin, pis tu perds rien pour attendre, Pauline!

Elle n'avait pas répliqué, s'était déshabillée et, enfouie sous les draps de son sofa, elle serrait contre elle son ourson de peluche en songeant à Marcel. Sam, bourru, mécontent, «bardassa» tout sur son passage. Il était si agité que, dans un geste brusque, il renversa par terre la tasse verte qui contenait son dentier. Et, par bonheur, sans le briser.

Le lendemain matin, s'étant levée avant lui, Pauline avait choisi de jouer le tout pour le tout, quitte à se retrouver sur la route du village si elle sortait perdante de sa stratégie. Elle savait qu'elle n'avait rien en sa faveur pour se défendre, que Sam était au courant de son vagabondage, qu'il s'était même rendu chez Jovette. Et elle savait qu'elle lui avait menti en plein visage! Sans défense, sans arguments, perdue d'avance, elle n'avait aucune chance de s'en sortir à moins qu'il comprenne… Et ça, Pauline en doutait fortement.

Réveillé par le bruit, Sam ouvrit les yeux, regarda à sa gauche et vit Pauline tout habillée qui rangeait ses vêtements dans sa valise. À peine sorti du sommeil, ce fut comme un coup de couteau en plein cœur pour lui.

— Qu'est-ce que tu fais là? Veux-tu m'dire c'que tu fais là, Pauline?

Sur un ton mielleux, sans même le regarder, Pauline lui répondit tout en pliant ses blouses:

— Comme tu peux l'voir, ma valise, Sam. J'vais m'en aller, j'ai pas l'choix. Avec c'qui m'attend avec toi… C'est peut-être mieux ainsi…

Sam, stupéfait, pris de panique, encore fou d'elle, lui cria en se levant:

— Aie! Une minute, là! J'ai encore rien dit, Pauline, on a même pas parlé.

— Ça va servir à quoi, Sam? Tu vas me faire cracher la vérité, tu vas m'engueuler, tu vas t'emporter, pis à soir, tu vas encore faire griller d'la corneille, j'suppose? Non, j'pense que j'suis mieux d'partir, d'aller chez Jovette pis chez l'curé… Peut-être qu'y est encore temps pour la *job* à Joliette…

Devenant doux comme un agneau, inquiet jusqu'au fond de son âme, Sam se leva et, assis sur sa chaise, lui dit calmement:

— J'suis pas un monstre, Pauline… J'suis capable de discuter… J'veux juste savoir où t'es allée. Sois juste franche avec moi.

Constatant que le stratagème marchait, Pauline prit le dessus:

– Franche, Sam? J'veux bien, mais j'suis sûre que tu l'prendras pas! Pis, c'est pour ça que j'mens, Sam! Parce qu'avec toi, c'est tout ou rien! Tu vas crier, tu vas m'dire des bêtises, tu vas m'reprocher tout c'que tu m'as donné! J'ai assez souffert dans ma vie, Sam! J'suis plus capable…

Et, pour que le plaidoyer ait plus d'impact, elle se mit à pleurer. Tout doucement, avec des larmes sur les joues, avec une mine de chien battu. Secoué, prêt à fondre en larmes avec elle, l'ermite lui murmura d'une voix tremblante:

– Arrête de plier ton linge, vide ta valise, Pauline, on va parler, j'vais t'écouter, mais j'veux pas qu'tu partes. J'suis capable de comprendre.

Pauline s'empara d'un mouchoir, essuya une larme, prit place sur le sofa et lui dit sans qu'il puisse l'interrompre:

– J'vais être franche, Sam, j'ai rencontré quelqu'un. J'aime un homme et il m'aime aussi. C'est chez lui que j'étais cette nuit. Pis, avant qu'tu dises quoi que ce soit, faut qu'tu comprennes quelque chose, Sam. J'ai vingt ans! J'ai la vie devant moi! J'ai l'goût de me marier un jour pis d'avoir des enfants. J'veux pas être une servante toute ma vie, moi!

Sam bouillait, la jalousie le rongeait jusqu'au cœur, mais il se contint.

– Mais j't'aime, moi, Pauline… J'pensais que tu m'aimais aussi…

– Ben sûr, Sam, mais c'est pas pareil… On a quarante ans de différence, tu devrais l'savoir, non? T'as soixante ans, Sam! T'en rends-tu compte?

– Ça semblait pas te bâdrer dans mon lit, Pauline…

– Dans ton lit, non! Mais pas pour faire ma vie, Sam! Reviens sur terre! Bien sûr que j'aime faire l'amour avec toi, t'as jamais eu à m'prendre de force, tu sais… Mais faut qu'tu penses plus loin, Sam… J'ai une vie qui m'attend, tu comprends? T'as fait la tienne, Sam, pas moi! T'as eu Clarisse, toi, t'as aimé…

– Pas autant que j't'aime, Pauline, ça, je peux te l'jurer!

– Ça s'peut, mais n'empêche que vous aviez le même âge, Clarisse pis toi! C'est ça que j'veux vivre, Sam! J'veux m'caser avec un homme encore assez jeune… Ça veut pas dire que j'suis pas bien ici pis que j'veux partir demain, mais j'ai besoin d'm'amuser, de rencontrer du monde, de rêver… J'pense au futur, Sam.

– J'te gâte pourtant, Pauline, j'te refuse rien…

– Mais j'prends soin du shack, Sam, j'lave, j'nettoie, j'fais à manger. J'travaille ici, moi! Tu m'gâtes peut-être, mais j'ai pas d'gages, Sam! C'est pas que j'veux être payée, on s'est entendus là-dessus, mais sais-tu c'que c'est que d'pas avoir une cenne noire dans sa sacoche? Sais-tu c'que c'est que d'sortir pis de m'fier sur Jovette pour payer ma liqueur? C'est pas normal, Sam! J'peux pas faire ça toute ma vie, moi…

– J'ai pas les moyens de t'payer, Pauline, j'ai pas d'argent, c'est pour ça que j'te force pas à t'maganer sur le maudit plancher! J'te donne tout pis j'te demande rien si t'as remarqué.

– N'empêche que j'te l'rends bien, Sam!

– Qu'est-ce que tu veux dire?

– Tu l'sais! Fais-moi pas parler pour rien! J'te l'rends d'la même manière que la Gisèle quand tu l'aidais pis qu'tu l'hébergeais.

– Ah! ça, non, par exemple! Compare-toi pas à elle, Pauline! T'es pas une fille de joie, toi! C'est le hasard qui a voulu…

Puis, retenant son souffle, il marmonna en fronçant les sourcils:

— Veux-tu dire que faire l'amour, c'est ta façon de payer pour ton hébergement, Pauline? Veux-tu dire que tu fais ça pour être en règle, que tu m'aimes pas, que tu t'plies pour compenser?

— Non, Sam, c'est pas c'que j'veux dire! Mais faudrait pas croire que c'est juste toi qui m'as donné! Moi aussi, j'l'ai fait! Par goût, par désir, je l'avoue, mais dis-moi pas qu'ça faisait pas ton affaire, Sam!

— Pauline… C'est toi qui élèves la voix… J'cherche juste à comprendre…

— Ben, j'te fais comprendre, c'est-tu assez clair? J'suis logée, nourrie, blanchie pis habillée, mais j'te prive pas, si tu m'suis bien…

— Mais tu disais m'aimer, Pauline, être bien avec moi, ne pas vouloir t'en aller…

— Tout ça, c'est vrai, j't'ai pas menti, Sam!

— Alors, pourquoi un autre?

— Pour faire ma vie, Sam! J'ai vingt ans! J'me morfonds à te l'dire! Faut que j'pense à plus tard, moi! On est pas mari et femme! T'agis comme si on était mariés, toi pis moi! C'est pas l'cas, Sam! J'suis juste de passage, tu l'sais! Pis, t'as plus l'âge…

— N'empêche que j't'aime, Pauline.

— Oui, je l'sais, mais faut pas qu'tu m'aimes comme ça, Sam! Pas avec ton cœur! On a fini par coucher et c'est normal, on est en chair tous les deux. Et pis… et pis… y'a-tu d'autres choses à faire que ça, ici?

Contenant la colère qui le dardait, Sam lui demanda sans détour:

— C'est qui l'autre, Pauline? C'est qui celui avec qui t'as bamboché cette nuit?

— Marcel Marande, si tu veux l'savoir! Le chauffeur de taxi! Un bon gars…

– Lui? Y'a pas bonne réputation, tu sais! Pis, tu parlais d'un gars d'ton âge! Si j'me fie à c'que j'vois, c'est pas un p'tit jeune, ton amoureux!

Pauline, soulagée de s'être vidé le cœur, ajouta sans songer qu'elle allait le blesser:

– Y'a trente-six ans, lui! Pas vingt, mais quand même pas trois fois mon âge!

Marcel Marande. Marcel Marande… Sam tentait de se rappeler ce que Piquet avait pu lui dire à son sujet à la fin du printemps. Puis, dans un éclair de génie, croyant tenir entre ses mains le nœud qui la ficellerait à lui:

– C'est un sorti d'prison, Pauline! Le savais-tu? Un gars de vol à main armée!

– Oui, j'sais, mais y'a payé sa dette, Sam! Y m'a tout raconté! Pis c'est pas ça qui m'dérange. On l'a accusé sans preuves, on l'a condamné…

– Pis tu l'as cru, toi! Comme une cruche! T'as tout avalé ça, Pauline!

– Oui, parce que moi aussi ça m'est arrivé. Tu t'rappelles du rouge à lèvres?

– Un rouge à lèvres, c'est pas une banque avec un *gun* dans la main! Je l'connais pas, c'gars-là, j'veux pas l'connaî- tre, mais moi, j'me tiendrais loin d'lui, si j'étais toi!

– Ben, t'es pas moi, Sam! Pis j'l'aime! Pis lui aussi! Pour une fois qu'j'ai un *chum*, y'a rien qui va m'faire changer d'idée. Rien ni personne! Pas même toi, Sam!

– Ça veut dire que toi pis moi, c'est fini? Après une nuit avec lui?

– Pas même une nuit… Pis, j'ai pas dit qu'c'était fini nous deux…

– Ça veut dire quoi, ça?

– Ben comme toi avec la veuve pis son Piquet! Comme toi avec la Gisèle pis Tobie!

– Tu penses qu'il va accepter ça, ton chauffeur de taxi?

– Y'a pas besoin de l'savoir, Sam! C'qui s'passe ici…

Sam n'en croyait pas ses oreilles. Amoureuse de Marcel, elle était encore prête à se donner à lui. Et par la suite… à l'autre! Sans qu'il le sache! Faisant fi de sa fierté, écrasant sa jalousie du pied, Sam laissa échapper un soupir de soulagement. À défaut d'avoir Pauline dans son cœur, il l'aurait au moins dans son lit. Et elle ne partirait pas! Dès lors, il se promettait d'être moins généreux avec elle, d'être plus avare encore de son argent, et comme il n'avait pas à lui verser de gages… Perdant, piétinant son orgueil de mâle, l'ermite sortait gagnant puisque Pauline se prêtait au… partage. Jusqu'à ce qu'elle le quitte pour suivre Marande ou que lui l'abandonne comme il le prévoyait. Jusqu'à ce que la peau douce et la chair tendre de sa pensionnaire soient sous ses reins, dans ses mains, dans le sillon de son doigt-fesses, il en profiterait à satiété. Jusqu'à ce que… Mais Sam n'osa prononcer dans sa tête le chiffre de son âge avancé qui… avancerait davantage. Et Sam, en dépit de ce derniers recours, l'aimait toujours.

Elle vida sa valise sur le sofa, rangea ses blouses dans la commode et, feignant un sourire, Pauline sentit qu'elle venait de gagner. Sur toute la ligne! Elle avait un amoureux «nouveau-né», de l'espoir plein le cœur, du vice jusqu'aux entrailles et, pour l'instant, un shack pour l'abriter de toute intempérie. Et elle avait encore Sam qui, au lit, la rendait plus animale que Marcel et Ti-Guy. Pauline Pinchaud, quelque peu détraquée, vivait avec l'épée de Damoclès suspendue au-dessus de la tête… et trois hommes à ses pieds!

Octobre s'annonçait froid et Sam avait enfin eu recours à son poêle à bois. «La truie chauffe déjà», disait Piquet en référant au sien. Un terme qui eût mieux convenu à la veuve, selon Pauline, qui regardait de haut cette ennemie jurée. Mais le shack était chauffé et Pauline en était fière. L'humidité s'était dissipée et, le soir venu, c'était dans une cuve d'eau chaude qu'elle lavait ses bourrelets. Avec la main de Sam pour lui frotter le dos et le virulent rituel qui s'ensuivait.

Le vendredi suivant, elle se rendit chez Jovette pour lui dire de plein fouet:

– Si t'avais été plus fine, t'aurais pu m'abrier, toi! J'ai eu pas mal de trouble!

Jovette, décontenancée par le ton, lui répondit avec rapidité:

– Écoute, Pauline! Tu joues avec le feu? Brûle-toi et subis-en les conséquences! Pis, j'avais pas à t'camoufler! T'es assez vieille pour savoir c'que tu fais! Pis, l'ermite, tu lui dois rien, non? Tu travailles pour lui, tu couches pas avec, à c'que j'sache?

Pauline avait perdu la face. Gênée de lui avouer la vérité, elle avait bifurqué du sujet pour lui dire:

– T'étais avec Ti-Guy, Jovette? Pour une fille qui voulait pas d'un p'tit jeune!

– Ouais… mais pas si mal! Tu devrais l'savoir, non? Tu t'es pas gênée, toi!

– Non, mais j'ai jamais dit que j'attendrais qu'il soit un homme, moi!

– Ben, j'ai changé d'idée et pis, j'avais pas l'choix!

– Qu'est-ce que tu veux dire par ça?

– Rien, ça m'regarde! Dis donc, avec Marcel Marande…

– J'suis allée chez lui, c'est fait, Jovette. On est en amour, je pense…

– Tu penses ou t'en es sûre? T'es une ben drôle de fille, toi!

– Ben, on va voir, on doit s'revoir à soir. Y va être à l'hôtel pour me r'trouver.

– J'espère que t'as d'l'argent, Pauline, moi, j'suis cassée comme un clou! Pis j'ai pas l'intention d'y aller! Pas à soir en tout cas! Ça file pas…

– J'ai pas d'argent, mais Marcel va être là… C'est lui qui va payer pour moi. Mais, pourquoi ça file pas, Jovette? Qu'est-ce que t'as sur le bras?

– Ça?… Un bleu. J'me suis cognée contre la glacière. C'est rien… Non, c'est dans ma tête que ça file pas. J'vois tout en noir…

– As-tu revu Ti-Guy Gaudrin? As-tu des problèmes avec lui?

– Non, non, y'a rien à voir là-dedans! J't'ai dit qu'avec Ti-Guy, j'avais pas l'choix…

– Comment ça? J'te suis pas, Jovette, c'est pas clair, ton affaire.

Jovette éclata en sanglots, à la grande surprise de Pauline qui ne savait que faire.

– Aie! Ça va vraiment mal, toi! Dis-moi c'qui s'passe, j'suis ton amie…

– J'en ai envie, Pauline, j'voudrais m'vider l'cœur, mais j'ai peur…

– Peur de quoi? De qui? J'suis ton amie, tu peux t'confier…

– Tu m'promets d'garder ça pour toi, Pauline? Tu me l'jures?

– Sur la tête de ma mère, Jovette! J'te jure que ça va rester entre toi pis moi!

— Tu sais, Ti-Guy, quand j't'ai dit que j'avais pas eu l'choix...

— Oui, tu me l'as dit trois fois, Jovette, mais pourquoi?

— Parce que si ç'avait pas été Ti-Guy, ce... ç'aurait été mon père qui aurait encore embarqué dans mon lit.

Pauline sentit un long frisson lui parcourir l'échine. Elle avait peine à croire ce qu'elle venait d'entendre. Se ressaisissant, regardant son amie qui pleurait, elle demanda avec une certaine gêne dans la voix:

— Tu veux dire que... que...

— Oui, que mon père couche avec moi, Pauline! Depuis que j'ai seize ans! Depuis qu'y m'a enfermée ici après que j'ai eu mon p'tit! Fallait qu'ça sorte un jour, fallait que j'le dise à quelqu'un, pis c'est tombé sur toi. J'peux plus garder ça juste pour moi!

Jovette pleurait de plus belle et Pauline, indignée, lui cria avec rage:

— Mais c'est écœurant, c'que tu m'dis là! C'est pas normal! Jamais j'aurais pensé qu'ton père... Y'a l'air si catholique, si réservé...

— Oui, j'sais! Un bel hypocrite! Une ordure comme y s'en fait pas! Pis, tout l'monde au village le respecte comme un honnête homme, le garagiste Biron! Y va à la messe tous les matins, le salaud, pis y tripote sa fille le soir...

— T'en as jamais parlé à personne, Jovette? Pas même au curé?

— Penses-tu! En confession, j'suppose? Tu penses qu'y m'croirait, l'curé? Y m'accuserait d'vouloir salir mon père! Le père l'a dans sa poche, le curé Talbert! Il dépose ses cennes dans l'tronc chaque matin, il est généreux avec les pauvres, y va aux vêpres, y fait des réparations pour rien au presbytère...

Pis, penses-tu qu'c'est lui qui va s'confesser d'coucher avec sa fille? Y va mourir avec son secret, l'écœurant! Pis, si j'en parle, j'suis dehors, Pauline, tout' nue dans la rue!

— Et ta mère? Tu peux pas t'confier à elle, Jovette? J'peux pas croire que pendant toutes ces années, elle s'est aperçue de rien...

— J'pense qu'elle s'en doute, j'pense qu'elle le sait, mais elle se ferme, Pauline. Qu'est-ce qu'elle pourrait faire, la mère? Lui dire sa façon d'penser pis recevoir une raclée? Ça fait des années qu'il la bardasse! C'est une brute, mon père! Un lâche! Un torchon!

Pauline était dans tous ses états. Ne sachant trop que dire, elle ajouta:

— Pis la police, Jovette? T'as jamais pensé d'le faire arrêter?

— Quelle police? Le gros lard de Saint-Lin? Le gros chien qui vient faire réparer son char pour rien? Tu penses qu'y pourrait m'sauver d'ça, lui?

— T'as jamais pensé à t'en aller, à décamper, à t'pousser en ville?

— Avec quoi? Y m'prend la moindre piastre que j'fais!

— J'comprends pas, tu travailles pas...

— J'couche avec des gars, Pauline, ça tu l'sais! Pis j'leur charge! Pis mon père prend tout c'qu'y m'donnent! J'ai pas d'argent à moi, Pauline! Y m'fait vivre, y m'nourrit, pis, de temps en temps, y m'glisse une piastre ou deux pour aller à l'hôtel. T'en fais pas, c'est pas pour rien, y sait qu'c'est là que j'ramasse les touristes pis que j'les emmène dans l'camp. Moi, j'suis écœurée de c'te vie-là, tu peux pas savoir comment! J'aimerais qu'y crève, que j'm'en débarrasse, mais y'a la couenne dure, y'est fort comme un bœuf, l'écœurant! Des fois, j'prie pour qu'un char soulevé s'décroche, pis qu'y l'écrase dans son garage!

Pauline, de plus en plus mal à l'aise, inapte à composer avec une telle situation, ajouta sans y penser:

– Pis ton père pis toi, c'est l'affaire… au complet?

Jovette se remit à pleurer, se moucha le nez, et répliqua:

– T'as d'ces questions, toi! Si c'était qu'ça…

– C'est pas possible, Jovette, faut faire quelque chose, ça peut pas continuer, t'es majeure…

– Écoute, Pauline, j'avais besoin de m'vider l'cœur, mais va pas plus loin, cherche pas à m'aider. Ça va s'arrêter un jour… Y va finir par… Pis, heureusement que j'ai rien qu'des p'tits frères, parce que si j'avais des sœurs, elles passeraient par là…

– Pauvre Jovette, j'sais plus quoi dire…

– Dis rien, surtout! À personne, tu l'as juré! Jure-le encore, Pauline!

– Ben non, j'parlerai pas, j'aurais ben trop peur que ça s'tourne contre toi… Mais, dis-moi, Ti-Guy, ton père savait qu'il était ici l'autre soir?

– Ben oui, il l'a vu rentrer! C'est pour ça qu'il est pas venu ce soir-là, mais le lendemain, quand il a su que Ti-Guy m'avait rien donné, j'ai écopé du bleu que j'ai sur le bras.

– C'est lui qui t'a fait ça?

– Qui d'autre? Pis j'te cache les bleus que j'ai sur le ventre et les cuisses. C'est pour ça que ça file pas, Pauline. J'ai encore mal partout, pis j'suis pas pour aller flirter avec les gars amanchée comme ça…

– Veux-tu que j'couche ici cette nuit? Au cas où…

– Non, t'en fais pas, y viendra pas! Quand j'ai des bleus su'l'corps, y prend *off* jusqu'à c'que ça guérisse.

– C'est écœurant, Jovette! J'en crois pas mes oreilles… Mais j'te crois, tu sais! Pis, imagine si t'avais demandé une piastre ou deux à Ti-Guy…

– Le village au complet aurait su que j'couchais pour de l'argent! C'est c'que j'ai essayé d'lui dire, Pauline, mais ça l'a pas empêché de tapocher! Y m'a dit que j'avais pas d'faveur à faire à ce p'tit verrat-là, qui avait pas encore le nombril sec. Mais j'pense qu'y a saisi que j'me suis servi de Ti-Guy pour me sauver d'lui. J'aime encore mieux les mains du fils Gaudrin sur moi que la… Pis j'arrête là, Pauline, j't'en ai déjà trop dit. J'te fais confiance, mais si y fallait que ça s'répande… Y m'tuerait, Pauline!

La pauvre fille était dans un tel état que Pauline, voulant la calmer, lui dit:

– Écoute, tu peux avoir confiance en moi, j'dirai rien à personne, Jovette. Et pour te l'prouver, confidence pour confidence, moi, j'vais t'dire que j'couche avec l'ermite. Pas d'force, de bon vouloir…

– J'm'en doutais, Pauline. Ça, on en parle au village…

– Ben, ça m'fait rien! On en parle, on jacasse, mais on peut pas l'prouver. À toi, je l'dis, parce que t'es mon amie pis, comme tu m'as confié…

– Marcel est au courant, Pauline?

– Penses-tu? Des plans pour que ça finisse avant qu'ça commence…

– Pis Sam? Il sait pour Marcel et toi?

– Oui, pis j'lui ai dit que si ça faisait pas son affaire, j'faisais ma valise.

– C'est pour ça que t'avais peur de prendre la route avec l'autre? Tu couches avec Sam depuis longtemps?

– Un bon bout d'temps, j'sais pas, c'est arrivé un soir comme ça.

– Y'est pourtant plus vieux qu'toi, Pauline, j'comprends pas c'qui t'a poussée…

– Ben à force d'être ensemble… pis Sam, y m'a tentée, Jovette. Y'est encore bien fait, y'a déjà été marié, y fait bien ça… Mais pas un mot à Marcel. Tu me l'jures toi aussi, Jovette? Secret pour secret?

– Oui, mais j'aime mieux l'tien! Sam Bourque, c'est pas ton père, au moins!

Pauline s'était rendue à l'hôtel, mais elle n'avait guère le cœur à la fête. Le triste récit de son amie l'avait bouleversée. Elle, qui se croyait victime d'un monde désabusé, venait de se rendre compte qu'une autre fille était plus malheureuse qu'elle. Et beaucoup plus à plaindre! Une victime de l'inceste, une fille jetée en pâture à son ignoble père dans la pire des débauches. Contre son gré! Pauline avait la tête ailleurs lorsque Marcel, vêtu d'un complet bleu, l'invita à danser. La tête sur sa poitrine, un *slow* popularisé par Dick Haymes, Pauline était songeuse, pensive, ailleurs que sur cette piste de danse.

– Qu'est-ce que tu as? Pas contente de me voir, ce soir?

Retrouvant la raison, Pauline se serra contre lui et lui répondit:

– Oh oui, Marcel! Plus que la dernière fois… C'est juste que j'ai appris que ma mère était très malade, mentit-elle.

– Tu aimerais aller la voir? J'peux t'emmener à Montréal, tu sais?

– Non, pas ce soir, j'ai pas la force… Un de ces jours, peut-être, lorsque ça ira mieux.

Ils dansèrent, elle sirota sa limonade, Marcel avala son gin et, après vingt minutes, il lui murmura à l'oreille:

– Un petit tour au chalet, ce soir?

– Ben… pas au chalet. Ailleurs, si tu veux, pas si loin, pas cette fois.

Il l'embrassa, elle lui rendit son baiser et ils montèrent dans la voiture jaune qui démarra en trombe. Ils traversèrent le village et, soudain, Pauline se rendit compte que Marcel écrasait davantage le champignon de la voiture.

– Aie! Qu'est-ce que tu fais? Pas trop vite!

– Tiens-toi bien, la p'tite, pis écoute ça!

Elle ferma les yeux, entendit un bruit sec et violent, puis, les rouvrant, elle eut juste le temps d'apercevoir quelque chose qui venait de choir sur une pelouse.

– Qu'est-ce que c'est, Marcel? As-tu frappé quelque chose?

– Oui, un chat.

Elle resta figée, sidérée, elle n'en croyait pas ses yeux.

– Quoi? Tu as tué un chat? Et tu l'as fait exprès?

– Bah! J'aurais pu l'manquer, tu sais…

– Non, t'as pesé au fond! Tu l'as tué de sang-froid, Marcel! D'un coup sec!

– Fais-en pas un drame, la p'tite, un chat, c'est juste un chat…

– Mais y'était en vie, Marcel! T'avais pas l'droit! C'est cruel!

– Aie! Vas-tu gâcher notre soirée pour un vieux chat d'gouttière?

– C'est peut-être le chat d'un enfant… Tu t'imagines sa peine? Comment as-tu pu faire une chose pareille? T'as pas d'cœur, Marcel Marande!

– Là, tu pousses trop loin, Pauline! J'ai pas commis un meurtre, calvaire, j'ai juste expédié un vieux chat dans l'monde des chats! Pis, comme ça vit neuf fois, c't'animal-là, arrête de m'casser les oreilles avec ça!

Voyant que le ton montait, Pauline préféra se taire, mais ce n'était guère «sa soirée». Un chat écrasé volontairement après les assauts de Biron sur sa fille, c'était trop pour son cœur tendre le même soir. Marcel s'engagea dans une allée bordée d'arbres et s'immobilisa en plein centre d'un sous-bois. La prenant par la taille, l'attirant à lui, elle ne résista pas, mais murmura...

– Ici? En plein bois? Tu es sûr que...

Il l'avait embrassée et elle en était déboussolée. Un tel baiser sur une banquette d'auto, avec une main qui se faufilait dans son corsage. Puis, cette odeur de lavande qui lui faisait oublier que la nuit était fraîche, que le moteur de l'auto n'était plus en marche. À l'étroit, pas très à l'aise, les amoureux trouvèrent le moyen de se retrouver l'un sur l'autre. Elle caressait les poils de sa poitrine pendant que, d'une main habile, il soulevait sa jupe. Et l'harmonie d'un va-et-vient corporel, le souffle dans son cou, le coït sensuel, n'avaient pour témoin que la pleine lune, péché d'alcôve dans le ciel. Remontant sa braguette, Marcel lui dit en lui mordillant un sein:

– Ç'aurait été dix fois mieux au chalet.

Et Pauline rentra tôt, plus tôt que prévu, pour oublier Jovette et son malheur. Pour oublier Marcel et le chat écrasé. Car elle n'avait que ça en tête, pas le moindre soupçon de souvenir de son étreinte. Et c'est avec joie, soulagement, délivrée de tout ce mal qui la hantait, qu'elle retrouva Sam, les yeux rivés dans son vieux dictionnaire. Il lui sourit, la regarda, ferma son livre et se coucha. Samuel Bourque savait d'instinct, par l'odeur d'un parfum étrange qui embaumait le shack, que Pauline était assouvie.

Chapitre 8

– **S**avais-tu, Pauline, que l'impératrice Joséphine, la femme de Bonaparte, était née en Martinique? C'est curieux parce que j'ai toujours pensé qu'elle était née en Italie. Bonaparte pensait qu'elle était stérile et elle avait eu deux enfants de son premier mari... Ça t'intéresse pas, l'histoire, hein, Pauline?

La grosse fille croqua dans sa pomme et lui répondit:

– Ben, pas tellement, Sam. C'est qui ça, Bonaparte?

La culture générale de Pauline était plus que limitée. Sam, avec son dictionnaire Larousse, aurait voulu l'intéresser, du moins, aux amours célèbres des siècles passés, mais sa compagne était plutôt portée sur les romans à l'eau de rose de sa défunte Clarisse. Sam aurait aimé lui dire que l'une des sœurs de Bonaparte, tout comme elle, se prénommait Pauline, mais se rendant compte qu'elle ne savait même pas qui était Napoléon, c'eût été perdre son souffle et son temps. Cherchant à l'épater, Pauline lui dit qu'elle connaissait la fable *Le criquet et la fourmi* et Sam, ne voulant pas la décevoir, n'osa pas la reprendre pour lui dire qu'il s'agissait de «la cigale» et non du criquet, dans la célèbre fable de Jean de La Fontaine.

Plus intéressée à fureter dans le garde-manger que dans le dictionnaire en ce premier jour de novembre, Pauline dit à Sam sur un ton réprobateur:

— On a pas grand-chose à manger, Sam. J'sais pas c'qui arrive, mais depuis une semaine, on dirait qu'tu coupes les vivres. Piquet va plus au village?

Sam fit mine de ne pas avoir compris, le nez plongé dans un court résumé sur Bonaparte où le signet était en place. Il était vrai que les denrées étaient moins abondantes, Sam avait coupé ses commandes de moitié. Délibérément! Et ce, depuis que sa jeune maîtresse avait un autre amant.

— Sam, j't'ai parlé! As-tu entendu, au moins? Toi pis ton livre…

— Quoi? Tu parles des provisions? Oui, c'est vrai que j'ai négligé, mais comme tu t'occupes plus d'la liste…

— C'est pas une raison pour me priver! Si ça continue, j'vais fondre à vue d'œil, moi!

Sam, poussant quelque peu le cynisme, lui lança:

— Ça t'ferait pas d'tort, Pauline!

Insultée, elle le regarda, fronça les sourcils et lui demanda:

— Es-tu après me mettre au régime malgré moi, Samuel Bourque?

— Non, mais t'étais la première à dire y'a pas deux jours que tu rentrais plus dans ton costume bleu. Tu penses pas…

— Quand j'voudrai perdre du poids, Sam, j'le ferai de moi-même! Moi, j'pense que t'en profites pour sauver de l'argent… C'est ça, hein? Ben, si tu penses que j'vais crever d'faim pour que tu sauves tes cennes, tu te trompes, Sam Bourque! J'ai plus rien à mettre sur mes toasts!

— Y'a d'la mélasse, Pauline.

– Coudon! C'est-tu une nouvelle façon de m'punir, ça? Après la corneille, la mélasse? Ça va être quoi après? Du jus d'betterave?

Constatant que le ton montait, Sam mit un frein à la discussion.

– Énerve-toi pas, Piquet va au village ce matin. J'ai fait la liste et t'auras tout c'qui t'manque, même tes *cup cakes* aux fraises.

À ces mots, Pauline Pinchaud soupira d'aise.

Sam se leva, encercla la taille de sa bien-aimée et lui murmura:

– Te rends-tu compte que c'est ta fête, vendredi, Minoune?

– Oui, je l'sais, pis j'ai hâte d'être majeure en maudit! J'dis pas ça pour toi, Sam, mais pour tous ceux qui parlent dans mon dos. Depuis l'temps que j'l'attendais, ce 5 novembre! Enfin, vingt et un ans!

– J'aimerais ça t'faire un *party*, inviter quelques personnes…

– Ici? Tu y penses pas, Sam! C'est grand comme ma gueule!

– On a quand même une table, deux chaises, un pouf, un tabouret, pis Piquet pourrait m'prêter une chaise ou deux…

– Parce que t'as l'intention de l'inviter, ce morpion-là?

– Pauline! Arrête de l'traiter comme du fumier… Piquet t'aime bien, il nous rend des services, il va chez Gaudrin chaque matin…

– Lui, ça peut toujours passer, mais la veuve, j'veux pas la voir ici! Si tu penses qu'elle va venir se bourrer dans mon gâteau pis m'regarder de haut… Non, Sam, oublie ça! J'aime mieux fêter seule avec toi.

– J'avais pensé inviter Jovette. C'est ta meilleure amie…

Pauline se redressa. Là, c'était une autre affaire! Jovette qui ne sortait jamais, sauf pour se rendre à l'hôtel. Et avec ce qu'elle endurait…

— Ben là, j'dis pas non, mais si tu l'invites, faudra inviter Ti-Guy Gaudrin aussi. Jovette viendra pas toute seule du village.

Sam se grattait le menton. Il n'était pas très entiché à l'idée d'avoir le fils Gaudrin dans sa «maison». Mais, sautant sur l'occasion, il lui dit:

— J'l'aime pas trop, celui-là, mais ça pourrait aller à une condition.

— Laquelle?

— C'est que j'invite Piquet pis la veuve aussi. Pis, comme c'est juste pour souligner ta fête, on invite tout c'beau monde pour le dessert, pas pour souper. Comme ça, ça va être moins long, pis la veuve traînera pas ici. Pis un souper, tu sais… Pas d'électricité, le poêle à bois… On fera du café, on servira d'la bière, d'la liqueur, pas plus. Ça fait-tu ton affaire, Minoune?

— Ben, j'pense que oui… Avec le peu d'place qu'on a…

Et Pauline était ravie juste à l'idée d'avoir Jovette sous son toit. Pour la sortir de son trou! Pis, Ti-Guy Gaudrin, ça lui déplaisait pas… «itou».

Le soir de ce premier jour de novembre, alors qu'une pluie fine tombait, Pauline exprima le désir de se coucher tôt. Elle était fatiguée, épuisée par le ménage qu'elle avait fait durant la journée. Sam n'y vit pas d'inconvénient et se plongea, à la lueur de la lampe, dans un autre résumé qui parlait de Charles Péguy, un écrivain français qu'il ne connaissait pas, mort en 1914, au moment où Sam allait s'enrôler dans l'armée. Sam furetait dans le dictionnaire, s'instruisait sur le vif, oubliant souvent le lendemain, mais la grosse brique de monsieur Larousse était son livre de chevet. Il regarda l'horloge qui sonnait ses douze coups, se déshabilla, enfila sa «combine» d'une seule pièce et se faufila dans son lit après avoir éteint la lampe à l'huile. À quelques pas, sur son sofa, Pauline ronflait, digérant, sans doute mal, ses cinq biscuits au chocolat.

Une heure plus tard, alors que les seuls bruits auraient dû être les grains de pluie portés par le vent, Pauline sursauta. Tendant l'oreille, prise de frayeur, elle cria de son sofa:

– Sam, ça gratte dans l'mur du shack! En arrière, près d'mon châssis!

Réveillé en sursaut, il se leva d'un bond, s'empara de sa carabine sous le lit et, de sa fenêtre, inspecta les environs. Puis, à l'aide d'une chandelle, il perçut par la fenêtre de Pauline, un ours de forte taille qui grattait le bord d'un autre «châssis», après avoir vidé le sac à ordures près d'un arbre.

– Sam, j'ai peur… Qu'est-ce que c'est? demanda Pauline d'une voix éteinte.

– Bouge pas d'un pouce, c'est un ours! Ils ont faim quand vient l'automne…

À demi morte de frayeur, elle lui dit sans bouger les yeux:

– Tire-le, Sam, pis manque-le pas, sinon y va défoncer l'mur!

Sam braqua sa chandelle dans la fenêtre et, à la vue du feu de la bougie, l'ours recula de plusieurs pas. Puis, faisant demi-tour, il s'en alla dans le bois suivi de deux oursons que Sam n'avait pas vus.

– Y sont partis, Pauline, t'as plus à t'inquiéter, ils ne reviendront pas.

– Y sont? Y'en avait plus qu'un, Sam? Pis t'as pas tiré?

— J'ai pas osé, Pauline, c'était une mère avec ses p'tits. J'leur ai fait peur, c'est tout c'que ça prenait pour les faire décamper.

— Mais ils peuvent revenir, non? Pis la mère, c'est pas un ourson, elle!

— Si c'est l'cas, j'suis armé, Pauline, crains pas! Mais c'est pas la première fois, tu sais. L'année passée, y'en avait quatre sur mon terrain.

— Pis tu les as pas tués?

— Non, Pauline. J'tue pas des animaux sans défense. Surtout quand ils attaquent pas. Y sont plus chez eux que j'peux être chez nous, ici, moi. On est dans l'bois, Pauline, pas en plein village. Pis, si tu veux pas les attirer, faudrait pas qu'tu laisses les vidanges dehors. On a une boîte pour ça...

— Oui, c'est d'ma faute, mais n'empêche que j'dormirai pas d'la nuit, moi!

— Ben... si t'as peur pis si ça peut t'rassurer, tu peux m're-joindre...

Pauline ne se fit pas prier et, d'un bond, elle était dans le lit de l'ermite.

Sam, qui n'avait pas prévu un si doux «voisinage», sentit une fièvre l'envahir lorsque la cuisse de la fille se colla sur son bras.

— J'ai peur, j'en tremble encore... murmura-t-elle, en se rapprochant de lui.

— J'suis là, t'as rien à craindre, Minoune... lui répondit l'ermite, en l'encerclant de ses deux bras comme pour la protéger d'un éventuel danger. Puis, de sa main chaude, après le tour de sang dans ses veines, il lui massa le cou. Collée contre lui, rassurée ou presque, Pauline sentit sur son genou quelque chose de dur qui...

N'écoutant que sa passion sauvage, elle glissa sa main jusqu'au membre rigide, puis, emportée dans une chaleur torride, elle déboutonna, de ses doigts libres, la fente de la combinaison d'où jaillit... ce qu'elle cherchait. Sam, prêt à bondir sur elle, se retint et se tortilla tel un serpent. Pauline, après sa frayeur de l'ourse, dans la phase de l'apaisement, avait envie de lui. Plus que jamais avec cette pluie qui ruisselait à la fenêtre. En proie à un désir soudain, elle se glissa de ses reins, de ses mains, jusqu'à «l'objet» de sa convoitise. Sam suait, Sam se retenait pour ne pas... Il désirait prolonger le plaisir. Les doigts crispés sur la crinière de sa jeune maîtresse, il râlait de jouissance. Et Pauline, plongée dans son «orgie», avait oublié l'ourse, lorsqu'elle sentit une main se faufiler entre ses jambes. Puis, le doigt-fesses.

La relation fut violemment sexuelle... puis sensuelle. À bout de souffle, à bout de cris, deux corps inanimés reposaient l'un contre l'autre. Sam l'embrassa avec passion et elle se mit à lui lécher le cou. Et la pluie cessa graduellement de jouer de ses notes sur le toit. Au moment même où le vent se calma. Conquise, épuisée, plus femelle que femme, Pauline lui murmura:

– Je t'aime, Sam! Jamais je n'ai aimé un homme comme toi...

Flatté, réinstallé sur le podium de sa fierté, Sam n'osa pas lui demander: «Et l'autre?» Ne voulant pas raviver chez sa compagne le souvenir de Marcel, il se contenta de répondre:

– Et moi, donc!

Comme si cette nuit était celle de la renaissance. Comme si, dès lors, Pauline ne quitterait plus ses draps, prisonnière de ses bras, et elle, de son vice.

Mais Pauline avait revu le visage de Marcel au moment de l'accalmie des sens. Marcel avec ses cheveux noirs, son corps d'athlète, ses yeux moqueurs. Marcel, avec qui elle comptait faire un jour «sa vie». Puis, de l'autre œil, elle voyait Sam, sa bonté, sa tendresse, ce besoin qu'il avait d'elle. Et elle revoyait Sam, carabine à la main, n'osant tuer l'ourse et ses petits. Sam qui, avec le regard parfois dur, avait un cœur à épargner les animaux sans défense. Pendant que Marcel, lui, avec ses yeux de chien battu, son cœur de bois, avait, sans la moindre pitié, écrasé un chat.

Le vendredi 5 novembre 1948, Pauline s'était levée fraîche et dispose. En fredonnant tout bas, pour ne pas réveiller Sam, une chanson à la mode intitulée *It's a Most Unusual Day*, dont elle massacrait les paroles anglaises du premier couplet, pour ensuite attaquer le refrain qu'elle faussait de son filet de voix. Mais Sam, étant réveillé, la contemplait pendant qu'elle sortait du garde-manger ce qu'il fallait pour le déjeuner. La bouilloire échappait déjà sa vapeur, les grains de café dans une tasse, le sachet de thé dans une autre. Elle le regarda, lui sourit, puis d'un air réjoui, elle lui lança:

– Enfin! J'ai vingt et un ans, Sam! J'suis majeure! J'suis une femme!

Plus amoureux que jamais, il contribua à sa joie en lui souhaitant du lit:

– Bonne fête, Minoune!

Elle était gaie comme un pinson, même si ce n'était pas le printemps et que les feuilles mortes jonchaient le sol, trempées par les dernières pluies. Sam était avenant, gentil, affable; il voulait tant qu'elle soit heureuse, elle qui le rendait si heureux depuis quelque temps. Car, depuis la nuit de «l'ours qui a vu l'ourse», les effusions avaient été sans répit. Ils s'étaient aimés en quelques jours comme d'autres n'allaient jamais le faire le temps d'une vie. Si bien, si souvent, que Piquet et la veuve s'interrogeaient. C'était à peine si Sam était sorti de sa cabane pour balayer les feuilles éparses sur ses marches, et à peine si Pauline avait pu être entrevue en se rendant, châle sur les épaules, épingle à linge sur le nez, au «petit coin» rudimentaire. Et c'était de son shack que Sam avait crié à Piquet: «On fête Pauline vendredi et vous êtes invités à partager le gâteau!» La veuve avait failli tomber à la renverse! Le «vous» voulait dire elle aussi? Malgré sa haine plus que visible envers Pauline? Ce qui lui avait fait dire à Piquet: «Si a pense que j'vas lui faire un cadeau...» Et le vieux lui avait répondu: «On peut pas arriver les mains vides, la veuve... Dis-moé pas qu't'as pas un coussin d'trop? Tu tricotes sans arrêt, batêche!»

Sam n'avait pas attendu le *party* pour lui offrir son présent. Sortant de sa poche une petite boîte avec un ruban, il la lui avait tendue en lui disant:

– Rien pour te faire tomber par terre, mais c'est d'bon cœur.

Pauline avait retiré la boucle de soie, soulevé le couvercle de carton et avait découvert, enfoui sous de la ouate, un petit cœur en argent au bout d'une chaîne. Un cœur sur lequel était gravée une rose sur sa tige, ornée de feuilles.

– Sam! C'est trop beau! C'est gentil, mais j'sais plus quoi dire...

Puis, le portant à son cou, elle s'émerveilla encore une fois et l'embrassa sur la joue.

– T'aurais pas dû faire ça... C'était pas nécessaire...

Et Sam souriait d'aise. Heureux de la sentir comblée, ravi d'avoir si bien choisi. Sans pour autant lui dire que madame Gaudrin avait repoli le bijou qui commençait à ternir. Et sans lui avouer, surtout, qu'il s'en était tiré pour… quarante-neuf cennes!

La noirceur était hâtive en novembre, les jours de plus en plus courts, et Pauline et Sam avaient soupé tôt, après que Piquet leur eut apporté deux chaises de plus pour recevoir les invités. Pauline s'était coiffée à l'aide du fer à friser qu'elle avait chauffé sur le feu d'une chandelle, et elle avait, pour la circonstance, revêtu ses plus beaux atours. Une jupe noire et ample, sa blouse de dentelle blanche et ses nouveaux souliers à talons hauts. Elle s'était appliqué du rouge à lèvres, du fard à joues, et s'était enduite de Fresh Wind en inondant le shack d'une incommodante odeur. Puis, fière comme un paon, elle avait suspendu à son cou gras le cœur en argent que Sam lui avait offert. Lui, pour être à la hauteur, s'était rasé, avait peigné les quelques poils de son crâne dégarni et avait revêtu un pantalon noir et une chemise rouge à manches courtes pour que les muscles de ses bras soient bien en évidence.

Jovette et Ti-Guy arrivèrent les premiers dans le camion du père de ce dernier. La grande blonde aux yeux tristes s'était mise sur son trente et un pour impressionner la galerie. Maquillée à outrance, elle portait une robe si étroite qu'on pouvait deviner ses courbes à chaque mouvement. Ti-Guy, faisant fi de l'effort, avait gardé sa salopette qui recouvrait son chandail blanc, sans oublier son coupe-vent gris pour contrer la fraîcheur de la nuit. Mais, quoique désinvolte dans sa façon de s'habiller, Pauline le trouva fort beau. Même si quelques boutons d'acné persistaient encore sur son menton. Pauline était heureuse d'être entourée de «jeunes», elle qui passait ses jours avec des vieux. Elle sentait une complicité entre Jovette et le fils Gaudrin. Pas un amour, mais une complicité. Comme si le petit jeune était devenu sa bouée. Ils donnaient l'impression de former un couple, malgré les dix-huit ans à peine révolus du garçon, le 14 octobre dernier. Un jour de fête qui avait été célébré chez ses parents. Sans que Pauline ni Jovette soient invitées. Que la stricte parenté.

Piquet, plus «chambranlant» que jamais, la maladie évoluant, arriva avec sa «vieille sorcière» que Pauline accueillit poliment mais froidement. Piquet avait de nouvelles bretelles pour soutenir son pantalon qui, sans elles, serait tombé par terre. Il était si maigre qu'on pouvait presque voir à travers, sans «rayons x» comme s'amusait à dire Jovette, quand elle l'apercevait au village, avec sa caisse de bière dans son char. Charlotte, dite la veuve, portait une robe de coton mauve, des souliers lacés, des boucles d'oreilles de la grosseur d'un pois vert et sa veste de laine tricotée de son savoir-faire. Derrière ses lunettes, Pauline put percevoir deux petits yeux gris et sournois, comme ceux de son chat lorsqu'il était prêt à bondir à la vue d'un oiseau. Et tout ce beau monde, après les poignées de main et les sourires de politesse, prit place à la table. Sam offrit une bière à Piquet, une à Ti-Guy, et Pauline, altière, servait le thé à la «grenouille» et à son amie Jovette. Puis, ce fut le moment des cadeaux, les «c'était pas nécessaire» et «c'est trop…» de la part de celle qu'on fêtait et qui déballait avec joie ses présents, espérant y trouver plus que ce qu'ils contenaient. «Tu sais, avec les moyens que j'ai, c'est pas grand-chose, Pauline,» lui avait dit Jovette, lorsque la «fêtée» déchira le papier imprimé. Mais Pauline fut ravie. C'était une boîte de chocolats Lowney importés de… Montréal. Une boîte d'une livre de chocolats assortis qu'elle s'empressa d'offrir aux invités. Tous refusèrent, à l'exception de la veuve qui, de deux doigts osseux et jaunis, s'empara d'un chocolat au hasard. Elle en prit une bouchée et Pauline fut soulagée. La veuve, peu chanceuse, était tombée sur celui qui contenait de la gélatine. Celui dont personne ne voulait quand on pigeait dans une telle boîte. Celui que Pauline n'aimait pas, préférant ceux au caramel et aux noix. Et comme elle désirait garder les autres pour elle seule, elle s'empressa de ranger la boîte dans un tiroir de la commode, au cas où la veuve, pour mal faire, en pigerait un autre pour tomber, cette fois, sur celui avec une cerise et de la grenadine.

Ti-Guy lui offrit un cadeau mal emballé dans du papier crêpé. Pauline le déballa et trouva, à sa grande joie, un foulard de laine blanc avec de la frange aux extrémités. Un foulard que Ti-Guy avait piqué sur un *rack* du magasin de sa mère. Un foulard de l'année passée, en vente, que la Gaudrin avait tassé derrière les nouveaux arrivés. Pauline se leva, l'embrassa pour le remercier, tout en humant l'eau de Floride que le jeune homme avait sur les oreilles et dans le cou.

La veuve et son Piquet lui offrirent un coussin de plumes recouvert d'une taie de laine tricotée à la main, avec comme motif un chien courant après sa balle. Mais c'était beau, bien fait, chaud et douillet, dans les tons de beige et de vert. Le coussin que la veuve aimait le moins, parce qu'elle avait horreur des chiens. Piquet buvait sa bière, jasait avec Sam, et Pauline, agitée comme une enfant gâtée, s'empressait auprès de Jovette en essayant de l'épater. Ce qui fut difficile, à la lueur d'une lampe à l'huile et de quelques chandelles. C'était à peine si l'on pouvait discerner la couleur des yeux de l'un ou les boutons d'acné du jeune freluquet. Et lorsque Pauline exhiba fièrement le cœur en argent que Sam lui avait offert, tous ou «presque» s'exclamèrent. Ti-Guy Gaudrin avait vu ce bijou traîner depuis deux ou trois ans dans le comptoir de fantaisies de sa mère. Mais la veuve, en son for intérieur, rageait de jalousie. «Un si beau présent... pour une garce!» Elle qui n'avait jamais rien reçu de Sam en dix ans, malgré tous les «services» rendus. Et la «croupe» de la grosse fille la rendait hors d'elle! Elle, Charlotte, qui n'avait que la peau et les os sur le dos.

Sam sortit le gâteau de la glacière et la joie fut à son comble lorsque Pauline compta les vingt et une chandelles roses qui allaient s'allumer. Elle était majeure, elle s'en faisait une gloire, elle le disait à tous et la veuve lui avait répliqué: «Moi, quand j'avais ton âge, j'étais mariée!» Un très beau gâteau au chocolat glacé à la vanille, acheté la veille au comptoir de «la livrée du jour» chez la Gaudrin. Un gâteau rond comme la lune et orné de bougies que Pauline souffla d'un seul trait. Tous applaudirent, la veuve plus discrètement, et Pauline enleva les roses en sucre dur qu'elle croqua... une à une.

Piquet buvait sa grosse bière et titubait déjà sur ses deux «cannes». Sam n'osait pas trop boire au cas où, quand viendrait la nuit... Ti-Guy modérait ses transports, aux prises avec la veuve qui l'entretenait de ses parents, de son chat, de l'hiver qui viendrait à grands pas. Et Jovette, songeuse, parfois rieuse, partageait le bonheur de Pauline, tout en visant de l'œil cet habitat, à peine plus grand qu'une «chiotte», dans lequel elle vivait. Mais Sam était aimable, gentil, poli et finalement, pas mal de sa personne. Jovette comprit les «engouements» passagers que Pauline pouvait ressentir pour lui. C'était la première fois que la fille du garagiste causait avec l'ermite. Et Sam, sans connaître le drame qui se jouait chez les Biron, vantait les mérites de son père, son intégrité, sa générosité. Ti-Guy, plus malin, avait compté les pas qui séparaient le lit du sofa. Il ne pensa pas un instant que Pauline et Sam... Mais il aurait donné sa chemise pour passer une nuit avec elle dans ce shack. Sans électricité, avec une fille en chair… Que des idées grotesques dans sa tête, dès qu'il voyait Pauline se dandiner sur ses talons, le gros derrière… «d'un bord pis de l'autre»!

La fête se termina et tous quittèrent le shack en même temps. Avec les souhaits de Jovette, les remerciements de Ti-Guy, les compliments de la veuve sur le gâteau qui était succulent et la dernière bière de Piquet qu'il échappa sur le plancher de sa main tremblotante. Saoul comme une «botte», le chenapan! Soutenu par Charlotte qui l'entraînait en maugréant, mais encore assez lucide pour remercier Sam de l'invitation et de la bière, en ajoutant qu'il avait été «ben *blood*» avec lui. Seule avec Sam, Pauline savourait le succès de sa soirée, la réussite de son *party*. Puis, fatiguée, elle lui dit: «J'rangerai tout ça demain, j'm'en vais m'coucher.» Et c'est sur son sofa qu'elle s'endormit, même si l'ermite avait espéré que… Mais, «fallait pas trop lui en demander.» La lampe s'éteignit, les chandelles aussi, et la nuit vint clore le jour tant attendu de celle qui ne dépendait plus de… personne! Et Pauline avait certes eu raison de fredonner… *It's a Most Unusual Day.*

Le lendemain, levé tôt, Sam s'était empressé de ranger à peu près tout, discrètement, sans faire de bruit, pour ne pas réveiller Pauline qui sommeillait encore. La soirée l'avait énervée, surexcitée, épuisée. C'était la première fois depuis qu'elle était là qu'il y avait de «l'action» dans le shack. Elle avait bien dormi, elle avait fait de beaux rêves, même si les roses en sucre dur avaient de la misère à être filtrées par sa vésicule biliaire. Elle ouvrit les yeux, vit Sam qui s'affairait à quelques pas d'elle, lui sourit, et s'étira paresseusement en bâillant la bouche grande ouverte.

– T'as bien dormi, Minoune?

– Oui… mais j'pense que j'ai trop mangé. Y'a quelque chose qui passe pas…

– Le crémage, Pauline! Le sucré! T'exagères, tu sais…

– Oui, j'sais, mais c'était ma fête, j'avais l'droit d'tricher. Pis, t'en fais pas, j'vais avaler deux *soda mints*, pis ça va m'faire roter.

Pauline regardait le coussin de la veuve et, le tournant de tous côtés…

– Elle est pas mal bonne de faire ça à la lueur de la lampe. J'l'aime pas plus pour autant, mais elle a du talent. Pis, ça va m'faire un coussin d'plus quand j'vais m'écraser pour lire mon roman.

Sam souriait, heureux de la voir si heureuse, seule avec lui.

– T'es contente de tes cadeaux, au moins? Pis du gâteau?

– Oui, tout l'monde a été fin, pis toi aussi, Sam. C'est gentil d'avoir pensé à moi, d'avoir invité mes amis pis… les tiens.

– La Jovette, elle est pas bête, tu sais. Assez brillante pour une fille pas instruite. Pis, le p'tit Gaudrin, j'dois dire qu'y s'présente bien. Poli, bien élevé… C'est du bon monde à fréquenter, ces deux-là… ajouta-t-il tout bas.

Pauline avait pris la relève et, en peu de temps, le shack brillait presque comme un sou neuf. Elle avait même brossé le plancher avec un abrasif pour le récurer de la bière renversée par Piquet. Ce faisant, elle avait dit à Sam: «Si ça continue, y va falloir tenir sa bouteille pour lui ou l'arrêter d'boire! Tout lui part des mains! Y font pas d'calmants pour l'empêcher d'*shaker* comme ça? Plus ça va, pire c'est, Sam!

– C'est une maladie, Pauline, pis j'pense que ça s'guérit pas.

– Ben, dans c'cas-là, arrête de lui mettre de la bière dans les mains, maudit! Le plancher est tout gommé!

En plein cœur de l'après-midi, Sam remarqua que Pauline faisait sa toilette. Avec un seau d'eau chaude, une débarbouillette et une serviette.

– T'aurais pu attendre à ce soir, on aurait pris un bain dans la grande cuve.

– Ben, voyons donc, Sam! J'sors, moi!

Il était resté figé sur place, glacé d'effroi à l'idée que...

– Tu sors? Avec qui? Pas avec... lui, au moins?

– Oui, avec lui! C'est à son tour de fêter ma fête... C'était prévu, Sam, pis tu vas pas recommencer...

– Non, j'ai rien dit... Mais, j'pensais pas qu'ça continuerait...

– Arrête! Pas un mot d'plus! Tu vois? Ça recommence!

– Non, non, Pauline, fais c'que tu veux, t'es assez grande...

– Pis assez vieille, Sam! J'ai l'âge de décider, plus d'comptes à rendre! À soir, c'est Marcel qui m'invite! Pis j'ai pas l'goût de manquer une sortie!

– Ça va, prends pas les nerfs, Pauline... Si on peut plus rien dire, astheure...

Elle n'avait pas répliqué et choisissait déjà les vêtements pour sa soirée. Sam était mécontent, déçu, hors de lui, sans trop le laisser paraître. Il avait cru qu'après les nuits sublimes, qu'après la fête, qu'après tout... Mais il s'était leurré. Marcel Marande était encore dans le cœur de celle qu'il désirait pour lui seul. Marcel Marande avec son «gros char» jaune de l'année. Avec ses trente-six ans et sa moustache soignée. Sam était malheureux. Profondément malheureux. Il ne pouvait envisager que les mains de ce séducteur allaient palper... C'était inacceptable! Pas après tout ce qu'il venait de faire pour elle! Compromis ou pas, Sam Bourque ne pouvait se résigner au partage. Il aimait Pauline, elle l'aimait, et être trompé par elle, c'était... c'était... presque de l'adultère! Son amour-propre s'y refusait, son orgueil de mâle s'y opposait. Il n'avait rien à dire, il se devait de fermer les yeux de peur qu'elle ne revienne pas, mais, silencieux jusqu'au soir, répondant à peine à ses questions, il la boudait pour ne pas qu'elle parte sans savoir qu'au fond de lui, sa fierté protestait.

Aux environs de sept heures, après avoir copieusement soupé, et pendant que Sam rentrait quelques bûches pour le poêle à bois, elle s'était préparée en vitesse. Lorsqu'il rentra les bras chargés pour la troisième fois, il l'aperçut, vêtue comme une dame, la sacoche sous le bras. Une jupe verte, une blouse beige, ses souliers neufs, un manteau trois quarts et, à son cou, le cœur en argent qu'il lui avait offert. Bref, tout ce qu'elle avait sur le dos venait de Sam, les sous-vêtements inclus. Désemparé, ne pouvant en croire ses yeux, il lui murmura:

— T'aurais pu au moins t'passer de porter le cœur que j't'ai donné...

— Pourquoi? C'est-tu pour le laisser dans le tiroir que tu m'l'as acheté?

— Non, mais... ça représente nous deux. C'est symbolique...

— Toi pis tes grands mots! T'as encore appris ça dans l'dictionnaire? Un bijou, c'est un bijou, Sam, pas une relique! C'est fait pour porter! Pis, si j'le porte, c'est parce que je l'trouve de mon goût, pis que j'suis fière de l'montrer!

— Peut-être, mais pas à lui...

— Aie! Arrête! Sinon j'vais penser que tu t'plonges le nez dans mes romans!

Sam baissa la tête et, alors qu'elle s'apprêtait à partir, il lui demanda:

— Tu vas marcher jusqu'au village à la noirceur?

— Ben non, c't'affaire! Marcel va m'prendre en bas d'la côte! Pis, en passant, attends-moi pas! Couche-toi! J'sais pas à quelle heure j'vais rentrer!

Elle sortit, s'éloigna, et Sam la regardait aller avec le «motton» dans la gorge. Avec une certaine envie de pleurer. De peine ? De rage? Il ne le savait trop, mais dans son cœur, il vociférait contre celle qu'il aimait. Il avait cru, il aurait pu jurer qu'elle «l'avait» oublié... Mais non, Pauline, aussi repue par «leurs nuits» put-elle être, avait encore assez de souffle pour... l'autre. Et c'est cette pensée qui fit de Sam Bourque, ce soir-là, une loque humaine. Un homme sur lequel on se jetait pour ensuite le rabrouer du pied. Une bête qu'on flattait et qui, en retour, léchait, pour ensuite se faire dire d'aller se coucher. Un chien, quoi!

Marcel lui paya verre sur verre. Des John Collins dont elle ne calculait pas les effets. Il était beau, il dansait bien, ils étaient même restés soudés l'un à l'autre durant deux *slows*. Et Marcel avait insisté auprès des musiciens pour qu'ils jouent *Stardust* en l'honneur de la fête de sa «blonde». Enchantée, traitée comme une reine, elle rêvassait calée dans le siège de l'auto lorsque Marcel passa devant la butte pour emprunter la route de son chalet. Et ce fut, de nouveau, la magie du premier soir. Plus magique encore, parce que Marcel avait tout mis en œuvre pour qu'elle n'oublie pas ses ardeurs. Des disques de Judy Garland, du champagne et un petit présent qu'il lui remit entre les mains. Pauline le déballa et resta stupéfaite devant le petit pendentif en forme de trèfle à quatre feuilles serti d'une pierre brillante au centre.

— Qu'est-ce que c'est, Marcel? Pas ma pierre de naissance…

— C'est un diamant, Pauline. Un diamant sur un trèfle en or, la chaîne aussi.

Elle faillit perdre conscience. La pierre était petite, mais elle scintillait de mille feux.

— Un diamant? Un vrai, Marcel? Pis sur une chaîne en or?

— Oui, la p'tite, et le trèfle à quatre feuilles, c'est un porte-bonheur.

Elle était restée la bouche ouverte, elle croyait rêver.

— Mais ça coûte une fortune, un bijou comme ça! Pas pour moi, Marcel?

— Oui, pour toi, tu mérites bien ça, t'es majeure, ça s'fête, ça…

La main aussi tremblante que celle de Piquet, elle enleva d'un geste brusque le cœur en argent que Sam lui avait donné et le fourra au fond de sa sacoche. Puis, délicatement, comme s'il se fut agi d'un joyau de la reine mère d'Angleterre, Pauline attacha à son cou le trèfle en or avec le diamant. Émue, ravie, mais indiscrète, elle demanda:

— T'es donc ben riche, Marcel! As-tu découvert une mine d'or?

— Pose pas d'questions, Pauline. Si t'aimes ton cadeau, c'est tout c'qui compte.

— Si je l'aime? Faudrait être folle pour lever l'nez sur un bijou pareil!

Il l'attira à lui, mais elle se sentait étourdie, prise de vertiges. Non pas par la passion, mais par la boisson ingurgitée sans s'en rendre compte.

– Sers-moi plus rien, Marcel, la tête me tourne…

– Ça va, mais endors-toi pas sur le divan, y'a un grand lit qui nous attend.

Elle n'opposa aucune résistance quoique ses jambes étaient molles et sa tête un peu lourde. Elle le suivit, le laissa la déshabiller et lui dit:

– Tu sens bon, Marcel. Qu'est-ce que tu portes?

– Rien de spécial, une eau de Cologne qui vient des États-Unis.

– Maudit qu'ça sent bon! Pis, ça donne le goût de t'mordre dans le cou…

Et, de la parole aux gestes, elle lui mordilla la nuque, les oreilles, le menton, tout en glissant une main moite dans le *short* dernier cri qu'il portait. Marcel la renversa et exigea d'elle des choses qu'il n'avait pas demandées la première fois. Des choses qu'elle faisait à Sam sans qu'il le demande. Mais, à moitié ivre, un diamant au cou, les chansons de Judy Garland en sourdine, Pauline, sans pudeur, se prêta au moindre de ses caprices. Sans se rendre compte, encore une fois, que Marcel Marande était plus «preneur» que… «donneur». Ils firent l'amour, elle ne sut trop combien de fois, puisque, le champagne aidant, elle finit par clore ses paupières lourdes sur l'oreiller douillet. Et elle sombra dans les bras de Morphée, avant même que Marcel puisse tenter de lui prouver qu'il descendait tout droit de la cuisse de… Casanova!

Le réveil fut brutal pour Pauline; elle souffrait d'un violent mal de tête. À ses côtés, Marcel, beau dans son sommeil, plus attirant que lorsqu'il avait la lèvre dure, ne se réveilla pas lorsque «la p'tite» se leva pour boire un grand verre d'eau. Puis, au bruit de la porte de la glacière, il se réveilla en sursaut et, l'apercevant par la porte entrouverte, lui dit en bâillant:

– Pas déjà debout? Viens te recoucher… Pour ce qui s'est passé cette nuit…

– J'me suis endormie, Marcel, pis c'est d'ta faute! T'avais juste à pas m'faire boire!

– C'était ta fête, la p'tite. Tu vas quand même pas m'reprocher d'y avoir mis l'paquet? J'pensais pas que le champagne te ferait partir comme ça…

– Ben, c'est comme ça… lui répondit-elle tout doucement, se rappelant soudainement le diamant. À l'avenir, sers-moi rien d'autre que d'la liqueur pis tu seras pas perdant. Là, j'ai un mal de tête, mais ça va passer…

– J'te garde pour la fin de semaine, la p'tite. Ça te va?

– C'est pas qu'j'aimerais pas ça, Marcel, mais…

– Viens pas m'dire que t'as des comptes à rendre au vieux, toi! T'as pas à travailler sept jours sur sept, pis comme y t'paye même pas… Y'aura même pas à t'nourrir, c'est moi qui vas l'faire! C'est quoi l'problème?

– Heu… y'en a pas, Marcel, mais j'ai juste c'que j'ai sur le dos…

– Pis après? On sortira pas du chalet et comme j'ai des robes de chambre en masse… Tu vas pouvoir prendre un bon bain, écouter des disques, manger avec moi, partager mon grand lit et profiter du confort au lieu d'être dans la marde avec lui dans son shack. C'est pas invitant, ça?

– Et comment! T'as raison, Marcel, j'travaille du lundi au vendredi pour Sam. J'lui dois rien les fins d'semaine. Si c'est c'que tu veux, j'reste! Tu m'ramèneras lundi matin. De toute façon, j'lui ai dit d'pas m'attendre…

– T'avais prévu qu'on serait longtemps ensemble, c'est ça, hein?

– Ben… pas aussi longtemps, mais avec toi, ici, c'est l'paradis, Marcel.

Mais Pauline était songeuse. Elle savait que son audace risquait de lui causer bien des problèmes. Elle connaissait Sam, son caractère, ses injures, sa fureur, mais ancrée dans le «luxe», traitée en grande pompe, couchée dans un lit moelleux avec un homme beau comme un dieu… Et Marcel qui semblait se foutre de son embonpoint. Jamais la moindre remarque, lui qui aurait pu séduire des filles aussi belles que Veronica Lake. Mais elle était songeuse parce qu'elle se sentait fautive. Quelque chose en elle lui disait que ce qu'elle faisait était mal. Que Sam ne méritait pas un tel affront après tout ce qu'il avait fait pour elle. Sam, qu'elle sentait plus sincère, plus vrai que Marcel dans sa relation avec elle. Le petit cœur en argent, aussi peu coûteux soit-il, lui avait été offert avec beaucoup d'amour. Le gâteau, les bougies, c'était peu, mais elle savait que c'était de bon cœur que Sam avait tout fait pour qu'elle se sente heureuse. Et, malgré elle, malgré Marcel et son diamant, elle éprouvait quelques remords. C'était Sam qui l'avait recueillie jadis, pas… lui. Et c'était avec Sam qu'elle avait partagé ses plus «belles nuits» que d'autres auraient qualifiées d'orgies. Sam avec son shack, la balançoire improvisée, les romans de Clarisse…

Pour s'enlever le moindre doute, Pauline regarda Marcel. Il semblait être bien avec elle. Il l'avait choisie parmi tant d'autres. Il possédait une voiture, un chalet «somptueux» et de l'argent dont il n'était pas avare. Entre son cœur et ses ambitions, la tête de Pauline chancelait. Et, regardant Marcel en petite tenue dans la force de ses trente-six ans, elle se mit à rêver du jour où elle et lui… Non, c'était trop tôt, mais ce n'était pas impossible. Qui sait si, avec lui, elle ne deviendrait pas «la dame» qu'elle avait rêvé d'être? Troquant la mansarde contre le «palais», troquant les nuits ardentes avec Sam contre les relations peu éloquentes avec Marcel, elle ne songea qu'à l'avenir. Elle ne se voyait pas vivre, vieillir et se retrouver un jour comme la veuve. Et ce, sans Sam, puisqu'il ne serait plus là… Non! Pas un tel sort alors qu'elle venait à peine d'atteindre la fleur de l'âge. Non, merci! Elle ne rentrerait que le lundi.

Sam, peu inquiet parce qu'il savait où elle se trouvait, fut quand même déçu de voir le temps passer sans que «Minoune» ne revienne. Amèrement déçu! Et la colère grondait de plus en plus dans son cœur comme dans sa tête. Le dimanche, s'apercevant de sa détresse, Piquet, compatissant, lui demanda:

— La Pauline est pas encore là, à c'que j'vois?

— Elle reviendra quand elle voudra! J'la retiens pas, Piquet!

— Ça s'pourrait-tu…

— Fais pas l'innocent, tu sais où elle est pis avec qui!

— Batêche! J'aurais jamais pensé ça d'elle! Après c'que t'as fait pour lui plaire!

— Mêle-toi de c'qui t'regarde, Piquet! Pauline, c'est d'mes affaires!

— J'sais ben, Sam, mais entre toé pis moé… Viens pas m'dire qu'est correcte!

— Ça, j'm'en charge! C'est à moi d'juger! Pis, elle est majeure…

— Majeure ou pas, moé, si c'était…

— Si c'était quoi, Piquet?

— Ben, tu l'sais… Fais-moé pas parler, Sam! Ça pourrait t'choquer!

— Ben, ferme ta gueule, Piquet, pis va reconduire la veuve à la messe!

Et sur le chemin de l'église, avant d'aller communier, Charlotte déblatérait: «Tu vois ben qu'c'est une grosse maudite? Faire ça à un homme qui la porte sur la main! Elle a pas d'cœur, la garce! Quand j'pense que j'y ai donné un coussin! J'vois encore Sam les yeux dans' graisse de bine, pis le lendemain, elle s'envoye en l'air avec un autre! Un voleur! Un restant d'prison à part ça! Faut-tu être assez cave pour endurer ça? Moé, je l'comprends pas, Sam Bourque! Y s'est fait enfirouaper par la grosse, pis c'est toé qui manges les bêtises, Piquet! Parce qu'y s'est fait avoir par elle, y'a même l'air bête avec moé! Ah! la damnée!» Et la veuve fit son signe de croix pour se faire pardonner. Elle avait peur que l'hostie lui tombe de la langue après avoir tant calomnié. Ou que le curé passe tout droit en voyant ses lèvres pincées, collées par le venin craché.

Il pleuvait abondamment lorsque Pauline grimpa la côte le lundi. Avec l'imperméable de Marcel sur le dos et le parapluie qu'il lui avait prêté. La veuve qui l'avait aperçue de sa fenêtre avait marmonné: «A r'vient, la truie!» Et Piquet avait ouvert une fenêtre pour entendre, de loin, la querelle qu'il prévoyait.

Sam l'avait vue venir, il avait même vu l'auto «pâle» la déposer au pied de la butte. Assis à la table, jouant nerveusement avec ses cartes, il l'attendait de pied ferme. Elle secoua son parapluie, poussa la porte et, l'apercevant, le regard dur, les mâchoires serrées, elle lui dit en retirant l'imperméable de Marcel:

– J'pensais pas…

Elle n'eut pas le temps d'ajouter un mot de plus. Sam, debout, la dardait de ses yeux haineux. Blanc comme un drap, les poings serrés, il lui cria:

– Si tu penses que ça va marcher comme ça, Pauline, tu t'trompes en crisse!

Elle recula de quelques pas. Jamais Sam n'avait juré dans ses colères.

– Si tu penses que tu vas t'envoyer en l'air avec c'te rapace-là pis qu'tu vas revenir te bourrer l'cul ici, tu m'connais mal, Pauline Pinchaud!

– Aie! Ça va faire! lui cria-t-elle. J't'avais prévenu de pas m'attendre, tu sais que j'sors avec lui, j'prendrai pas d'marde de toi, Sam Bourque!

Le combat semblait engagé et, voyant que Pauline était prête à reprendre la porte, Sam préféra baisser le ton et lui dire comme l'aurait fait un père:

– Bon, on va faire une chose, on va s'asseoir pis on va s'parler, toi pis moi. Y'est temps de mettre les cartes sur table, Pauline. Ça peut pas continuer comme ça. Ferme la porte, prends une liqueur pis viens t'asseoir en face de moi.

Surprise du changement de ton, Pauline s'exécuta sans rien dire de plus. L'un en face de l'autre, elle attendait, prête à se défendre, que le tigre sorte ses griffes.

Calmement, mais décidé à la mettre à l'épreuve, Sam lui dit:

– Y va t'falloir faire un choix, Pauline. C'est lui ou moi!

– On s'était pourtant entendus…

– Non, ça marche pas! Pas avec moi! J'suis pas capable de *dealer* avec ça, moi! J'tiens pas à être la risée d'la butte pis du village, Pauline. J'ai passé l'âge de jouer à ça, moi! C'est lui ou moi, compris? J'ai peut-être moins à t'offrir que lui, moi, mais j'suis sincère, j'suis pas un aventurier. Si t'aimes mieux tenter ta chance avec un gars comme ton Marande, vas-y, c'est ton droit, t'as l'choix! Moi, j'ai rien d'autre à t'offrir que c'que j'ai. Mon amour pis ma sincérité. Mais demande-moi pas d'partager, Pauline, j'suis pas capable! J'aime mieux crever tout seul que de m'sentir cocu pis d'attendre deux jours pour que tu reviennes. Comprends-tu? J'suis fait comme ça, j'ai ma fierté, j'ai pas été élevé à m'fermer les yeux pis à tout avaler. C'est lui ou moi, Pauline, sinon j'aime mieux tout oublier.

Pauline, ne sachant que dire, se sentant en faute, balbutia:

– Pourtant... avant, avec la veuve, Piquet pis toi...

– C'était pas la même chose, Pauline, je l'aimais pas, la veuve! Pis, depuis qu't'es là, m'as-tu vu avec elle? Non, Pauline, ça s'compare pas!

– Moi, j'pensais bien faire...

– Bien faire? J'te comprends pas, Pauline! Tu trouves ça normal, c'que tu fais là? Tu trouves ça correct, toi, d'être avec deux hommes à la fois, pis d't'en tirer comme si de rien n'était? Y'a quelque chose qui tourne pas rond dans ta tête... Il l'sait-tu, ton Marcel, que tu couches avec moi?

– Non, c'qui s'passe ici...

– Tu vois bien qu't'es pas normale? Penses-tu qu'y serait content d'apprendre que tu sautes dans son lit après avoir passé une semaine dans l'mien? Penses-tu qu'y'endurerait ça, ton *bum* qui est habitué à tout avoir pour lui? Dis-lui, si t'as pas peur! Dis-lui que toi pis moi... pis j'te gage tout c'que j'ai qui va t'sacrer là! Avec une tape sur la gueule, en plus d'ça!

Le ton avait encore monté. Malgré sa retenue, Sam était dans tous ses états.

– Non, j'le ferai pas! J'sais qui l'prendra pas!

– Alors, pourquoi j'le prendrais, moi? Me prends-tu pour un torchon, Pauline? Ben, tu t'trompes! Un fou dans une poche! Mam'zelle bamboche avec un sorti d'prison, pis l'vieux va s'fermer la gueule! J't'aime, Pauline, mais pas au point d'passer pour un cave pis un épais! Sais-tu c'est quoi, Marcel Marande?

– Ben… j'comprends pas c'que tu veux dire…

– C'est ben simple, enlève la voyelle pis la consonne du milieu d'son nom, pis tu vas l'savoir!

– J'sais même pas comment faire ça…

Exaspéré, Sam prit un bout de papier, un crayon, traça le nom de Marande et raya de deux tirets les lettres mentionnées.

– Tu sais lire, j'espère? Tu lis assez d'romans…

Pauline posa les yeux et, timidement, les leva et murmura en guise de question:

– Marde?

– Oui, tu l'as, Pauline! Marcel MARDE! C'est ça, l'gars avec qui tu sors!

Pauline aurait voulu pouffer de rire. La trouvaille de Sam l'avait amusée, mais le moment était mal choisi. Ne relevant pas la remarque, elle demanda sérieusement:

– Qu'est-ce que tu comptes faire, Sam? Me jeter dehors?

– C'est pas c'que j'ai dit, mais choisis! C'est moi ou lui!

– J'sais plus quoi faire, moi… marmonna-t-elle en sanglotant.

– Commence pas à brailler, Pauline, c'est pas l'temps! Pis, ça prendra pas avec moi! Les émotions, j'les ai loin de c'temps-là! J'te donne une heure pour faire ton choix, Pauline, pas une minute de plus. Si c'est lui, tu r'tournes le retrouver, pis si c'est moi, tu me l'dis pis j'arrête là. Pis, si c'est lui, pense pas que j'vais mourir drette là! J'reprends ma vie pis j't'oublie!

Sam Bourque venait de faire tout un effort pour prononcer ces mots sans frémir. Il ne pouvait plus vivre sans elle, il l'aimait, et ce, malgré les pires blessures au cœur qu'elle lui infligeait. Il l'aimait tant qu'il redoutait de tout son être que, réflexion faite, elle choisisse... l'autre.

Pauline n'attendit pas que le temps alloué soit écoulé. Pensive, songeuse, elle avait médité sur la situation, puis dans un sursaut, elle était sortie de sa torpeur pour lui dire:

– Il faut que j'vois Marcel ce soir, Sam. Faut que j'lui parle, que j'tire des choses au clair. J'ai même l'intention d'lui dire ce qui s'passe entre toi pis moi. T'as raison, y faut que j'prenne une décision, mais j'veux qu'ce soit la bonne! J'veux rien avoir sur la conscience, moi! Faut que j'sois franche! Avec lui comme avec toi! J'le rencontre, j'lui parle comme on vient d'le faire toi pis moi, pis après, j'fais mon choix. Comme tu m'l'as demandé, Sam!

– Et tu vas l'rencontrer où, ton bon-à-rien?

– Arrête les injures, Sam! Marcel parle pas en mal de toi, lui!

– Ça s'comprend! Y'a rien à m'reprocher! J'suis honnête, moi!

– Oui, on l'sait! T'as pas besoin d'le répéter! Coincé ici depuis dix ans, c'est pas l'endroit pour commettre des fautes graves! As-tu déjà vu un ermite aller en prison, toi?

– Ça m'dit toujours pas où tu vas l'rencontrer, Pauline.

– J'le trouverai, t'en fais pas! Si Piquet m'conduit au village, y sera pas dur à trouver, c'est là qu'y fait du taxi la nuit.

Sam n'eut pas d'autre choix que celui de s'incliner. Il l'avait mise au pied du mur? Il ne pouvait plus reculer d'un pas. Mais Pauline verrait Marcel et c'était ça qui l'inquiétait. Il avait peur qu'en sa présence, elle oppose peu de résistance s'il lui faisait miroiter la belle vie et les gâteries. Pauline avait pris soin de cacher le trèfle avec le diamant. Elle ne voulait pas que Sam se sente humilié face au bijou de prix, comparé au cœur d'argent qui ternissait déjà. Mais lui comptait sur sa franchise pour que Marcel, choqué et indigné, la retourne dans son shack à coups de pied. Lorsqu'elle partit le soir avec Piquet, bien vêtue, maquillée, dégageant son Fresh Wind aux quatre vents, Sam eut peur de la perdre. Prenant son courage à deux mains, il lui demanda alors qu'elle se dirigeait vers la porte:

— Pauline, malgré tout c'qui arrive, m'aimes-tu, au moins?

Se retournant, le fixant droit dans les yeux, sans sourire, elle lui répondit:

— Si c'était pas l'cas, Sam Bourque, c'est avec ma valise que j'sortirais d'ici. Pis, comme tu vois, j'ai juste ma sacoche.

Piquet conduisit Pauline au village sans lui parler ou presque. Il ne digérait guère la façon dont elle traitait son vieil ami. Et il n'éprouvait pas l'envie de lui mettre la main sur le genou ce soir-là. Rendus sur place, rue Principale, elle cherchait des yeux le taxi de Marcel, mais, ne le voyant pas, elle se tourna vers Piquet.

— Tu vas pas m'laisser ici toute seule, hein, Piquet? Tout d'un coup qu'y serait parti en ville?

— Ben, moé, j'pense plutôt que Marcel est à l'hôtel. Y'a un *parking* en arrière. Grouille pas, on va faire le tour pis si on voit son char, j'pourrai t'laisser à la porte pis m'en r'tourner au plus sacrant. La veuve m'attend avec des œufs que j'vais prendre chez l'fermier en passant. A veut manger une omelette, pis…

— Bon, vas-y, fais l'tour, pis ménage-moi l'souper d'la veuve, ça m'intéresse pas!

«Bête comme ses pieds!» pensa Piquet en contournant l'hôtel. Et la voiture de Marcel fut facile à repérer. C'était le seul «char» de l'année du village. Et jaune serin, ça ne se manquait pas, même en pleine nuit.

– Tiens! J'te l'avais dit! Y'est là! Ben, moé, j'te laisse pis j'prends l'bord! Y commence à pleuvoir, pis la garnotte mouillée, ça rend la route glissante.

Pauline descendit de la bagnole sans même le remercier. Sans même un bonsoir ni un sourire. Ce qui fit dire à Piquet, seul au volant de sa voiture: «Une face de beu, celle-là! Pis mal élevée en plus! Après l'coussin d'la veuve, a pourrait au moins s'montrer *smart* avec moé!»

Marcel était au bar, une bière entre les mains, en conversation avec l'hôtelier. Apercevant Pauline, il se précipita au devant d'elle et lui demanda discrètement:

– Qu'est-ce que tu fais ici? J'viens à peine de te ramener au shack…

Stoïque, altière, la tête haute, elle lui répondit:

– Faut que j'te parle, Marcel, t'as pas d'voyage en vue, au moins?

– Non, je reviens juste de Saint-Lin, pis là, ça semble tranquille. Tu veux une limonade? Une liqueur?

– Non, j'veux rien, pis j'veux pas qu'on discute ici. J'aimerais qu'on aille à ton chalet. J'en ai long à t'dire. J'ai ben des choses à mettre au clair.

– Comme tu voudras, la p'tite. J'finis ma bière pis on s'en va.

Marcel paya, alla chercher sa voiture et fit signe à Pauline de l'attendre à la porte de l'hôtel. La pluie était forte et elle dut courir pour ne pas être trop trempée lorsque l'auto arriva. En cours de route, il chercha à savoir, mais elle insista pour

qu'il ne la questionne pas avant d'être au chalet. Pauline...
jonglait.

Installés au salon, une musique en sourdine, Marcel se
versa un gin et offrit une limonade à sa belle.

— Ben, vas-tu me dire c'qui t'arrive, toi? On dirait qu'on
t'a attaquée, à t'voir dans cet état.

— Écoute, Marcel, ce que j'ai à t'dire va t'faire sauter de
sur ta chaise, mais j'prends une chance. J'peux pas continuer
à jouer ce jeu-là.

— Alors, explique, passe pas par quatre chemins...

— C'est Sam! J'ai du trouble avec lui! Quand j'suis revenue, y m'attendait avec une brique pis un fanal. J'ai essayé
d'lui faire comprendre, mais y m'a dit de m'brancher, de
choisir entre lui pis toi.

— Choisir? J'comprends pas, Pauline...

— C'est là qu'j'ai peur de ta réaction, Marcel, mais j'peux
plus te l'cacher. Sam pis moi, avant qu't'arrives dans les parages...

— Tu veux pas dire que Sam pis toi... Pas la couchette,
Pauline?

Elle baissa les yeux, posa sa main sur son visage, comme
si elle craignait d'être frappée.

— Oui, Marcel, pis plusieurs fois. C'est arrivé sans que j'y
pense... Seule, recueillie par lui, enfermée dans la cabane, ç'a
fini par arriver...

— Il t'a prise de force, le vieux salaud?

— Non, Marcel, de mon plein gré. J'dirais même que j'en
avais envie... Ça faisait des mois que j'étais privée d'un
homme... Pis, Sam, même si y'a pas ton âge, c'est pas l'paquet d'os à Piquet, tu sais! Comprends-tu pourquoi j'hésitais à
passer la fin d'semaine ici? Tu disais que j'avais pas d'comp-

tes à rendre, mais moi, j'savais que j'en avais. Lui pis moi, toujours ensemble, ça finit par former un couple, Marcel.

— Calvaire! Y'est assez vieux pour être ton grand-père! Jamais j'aurais pensé… Pourquoi tu m'l'as pas dit, Pauline?

— Parce que j'pensais que toi pis moi, ça serait l'affaire d'un soir. J'avais pas l'goût d'étaler ma vie, moi. Pis, c'était un secret…

Marcel, la main sur le menton, jonglait. Puis, dans un sursaut de colère:

— Tu veux dire que tu couchais avec lui pis avec moi en même temps? Sais-tu que t'es pas mal au boutte, la p'tite?

— Pas en même temps, Marcel, j'devais m'partager, c'est pas pareil.

— Le vieux l'sait-tu que tu couches avec moi?

— Oui, y l'sait! J'lui ai rien caché! Ça l'a choqué, mais y'a compris qu'y'était pas d'taille avec toi. Mais là, ça marche plus, pis y m'a dit d'faire un choix.

— J'comprends, calvaire! Moi, j'te l'aurais dit ben avant!

— Écoute, Marcel, c'qui est fait est fait! On peut pas revenir en arrière et pis, quand j'ai commencé avec lui, t'étais pas dans l'portrait, j'savais rien d'toi…

— Es-tu en amour avec lui, Pauline?

— Pas une miette! mentit-elle effrontément, mais si tu m'rejettes, j'aurai pas l'choix que d'continuer avec lui. J'ai rien, moi! J'suis dans la rue!

Avec ses sanglots dans la voix, Pauline eut raison du cœur dur de Marcel.

— Pis là, t'es ici pourquoi, au juste?

— Pour savoir si toi pis moi… Parce que j't'aime, Marcel.

— Veux-tu sortir de là pour de bon? Veux-tu que j'te prenne en charge? Moi, pour t'aider, j'suis prêt à bien des choses, tu sais… Le vieux maudit!

– Parle pas comme ça, j'lui veux pas d'mal, Marcel! Sam a quand même été bon pour moi. Sans lui, j'me demande encore où j'aurais échoué. J'ai dérangé sa vie quand j'suis arrivée là…

– Ouais… pas son lit en tout cas! Vieux… J'me retiens, Pauline!

– Écoute, Marcel, faut régler la question. À soir, pas demain! Si tu veux plus d'moi, tu m'déposes au pied d'la butte. Pis, j'te force pas, t'as le chemin libre! Moi, j'veux pas t'mettre dans l'embarras…

– Ouais… y'a juste une chose qui m'dérange, Pauline.

– C'est quoi? Dis-le!

– C'est que j'ferme le chalet chaque hiver. Tu l'sais, j'travaille en ville, l'hiver, moi! J'ferme le chalet la semaine prochaine, Pauline.

– Ben, dans c'cas-là, ramène-moi, parlons-en plus, oublie ça…

– Aie! Une minute, la p'tite! Ça veut pas dire que j'veux pas d'toi, pis, y'a peut-être une autre solution…

– Comme quoi?

– Ben, tu restes ici pour la semaine, tu passes deux ou trois jours chez Jovette, pis j'reviens t'chercher pour passer l'hiver avec moi à Montréal.

– Tu ferais ça, Marcel? Tu m'aimes assez pour ça?

– Ben oui, tu l'sais! Là, tu pars pas d'ici, tu restes avec moi pour la nuit. Demain matin, j'vais voir Jovette, pis si ça marche avec elle, mon plan va aller comme sur des roulettes. Demain après-midi, on s'rend chez Sam, tu sors tes affaires, tu lui dis que tu t'en viens avec moi, pis bonjour la visite! Tu verras pas l'hiver dans c'te trou-là, Pauline! Pas avec lui! Fini son lit! T'es ben trop belle pour ce vieux croque-mort-là!

– Ça sera pas facile pour nous deux d'aller chercher mon *stock* comme ça…

– Pourquoi? Il t'a demandé de faire ton choix, non? Ben… tu l'as fait! Pis, j'vais être avec toi, la p'tite! Avec moi, y va filer doux, l'vieux matou!

– Parle pas d'lui comme ça! Y'a quand même été bon pour moi… J'veux qu'ça s'fasse en douce, Marcel. J'veux pas d'rigueur pis pas d'coups, compris?

– T'en fais pas, j'ai pas l'habitude de tapocher les vieux de l'âge de mon père!

Et Pauline ne rentra pas au shack ce soir-là. Heureuse quoique nerveuse, elle entrevoyait des jours meilleurs avec Marcel. En ville, parmi les civilisés! Avec le creux de l'épaule de son amoureux pour s'y blottir. Mais, ce soir-là, c'est dans le lit de Marcel qu'elle versa un acompte sur son bonheur futur. En payant de son corps les caprices, les fantasmes et les grossièretés de son amant. Parce que, Marcel, sans donner, était friand… d'obscénités.

Lorsque Sam se rendit compte que Pauline ne rentrait pas, il eut la certitude qu'il venait de la perdre. Marcel, au cœur de sa jeunesse, l'avait certes emporté sur lui. Et Sam Bourque était triste, pensif. Peut-être aurait-il dû… mais à son âge, peine perdue. Il aurait dû prévoir que leur liaison ne serait qu'éphémère. Il aurait dû savoir qu'une fille de vingt et un ans n'allait pas choisir de passer sa vie dans un taudis. Il aurait dû savoir, il le savait, mais il avait espéré qu'avec le temps… En vain. Pauline n'était que de passage; elle le lui avait souvent dit. Elle devait être là pour un jour ou deux seulement. Il ne devait que l'héberger en attendant… Mais, pourtant, c'était elle qui l'avait supplié de la garder, de convaincre le curé. Et c'était elle qui, bien souvent, se jetait dans ses draps, avide de chair, avec des mots d'amour plein la gorge.

Mais le rêve était terminé, il le sentait. Terminé dans les plus beaux moments, alors que, vraiment, il l'aimait. Il passa la nuit blanche, à se remémorer le passé comme si elle était déjà loin derrière lui. Pendant qu'à quelques milles du shack, Pauline se livrait comme une proie à «l'autre» qui, cette nuit-là, était mi-homme mi-bête. Tout comme le Sagittaire qu'il était, fidèle à l'effigie du centaure. Avec des exigences qui ressemblaient à tout... sauf à l'amour.

L'aube perça et Sam était encore à sa fenêtre. Couché sur ses cartes, endormi sur la dame de pique. «Mauvais présage...» murmura-t-il en regardant la carte sous ses yeux. Il se prépara un café, puis deux. Il marchait de long en large, espérant voir surgir celle que son cœur aimait. Il faisait peine à voir dans son miroir craqué. Comme si les fissures formaient, sur son visage, de nouvelles rides. Il lui semblait avoir vieilli d'un an en une nuit. Et il maugréa un «non» sec lorsque Piquet frappa pour s'enquérir s'il avait besoin de quelques victuailles au village. Le petit homme, dévoué, affable, mais vif comme l'éclair, avait compris que Pauline n'était pas rentrée. Sans rien dire à la veuve qui le questionnait par des gestes, il se rendit au village comme chaque matin, acheter sa caisse de bière et sa miche de pain.

Il était deux heures de l'après-midi lorsque la voiture de Marcel s'engagea dans l'allée menant au shack. La veuve, de sa fenêtre, appréhendait le pire. Piquet, derrière le rideau, lui chuchotait: «Toé, mêle-toé pas d'ça, la vieille!» Les voyant arriver, Sam Bourque fut pris d'une rage folle. Sortant en trombe avant que Marcel descende de son taxi, il lui cria:
– Toi, avance pas d'un pas! Reste où tu es ou j'te plombe la cervelle!

– Aie! Prends pas les nerfs, le vieux, on vient juste chercher ses affaires.

– Qu'elle rentre seule! Toi, si tu t'pointes ici, j'prends ma carabine pis…

Pauline était morte de peur. Sam avait les yeux sortis de la tête. Marcel la rassura et lui dit:

– Rentre, prends tes affaires, pis sors au plus vite! Moi, j'fais l'guet! Si l'vieux tente de lever la main sur toi, j'le tue, Pauline!

Puis, s'adressant à Sam, il lui débita d'un ton narquois:

– Elle a fait son choix, Bourque, pis c'est avec moi qu'elle s'en va. Je reste là, je l'attends, mais si tu la bardasses, j'rentre dans ton shack avec mon char, compris?

Témoins des menaces par le biais de l'écho, Piquet et la veuve tremblaient de tous leurs membres.

– J'suis pas un sauvage, Marande! Si Pauline a choisi, qu'elle parte! Mais toi, j'veux jamais t'voir ici! Pas d'rapace près d'mon shack!

Pauline s'était faufilée à l'intérieur et, sans rien dire, fourrait son linge dans sa valise. Puis, regardant Sam sans le fixer, elle lui demanda:

– J'peux tout emporter?

– Oui, tout ton linge pis, si t'en oublies, j'le brûle, Pauline.

Voyant qu'elle ne parvenait pas à tout ranger dans sa valise, ayant retrouvé un calme momentané, Sam lui lança:

– Prends des sacs à poignées! Y'en a deux ou trois derrière la commode.

Puis, voyant qu'elle s'emparait de son ourson de peluche, il l'arrêta:

– Pas ça! C'est un souvenir pis j'veux l'garder. Prends tout c'que tu voudras, mais pas ça! C'est tout c'qui va me rester d'toi…

Le ton de la dernière phrase était triste et Pauline, émue, laissa l'ourson sur le sofa. Sam la regardait, l'observait, et dans un ultime effort lui demanda:

— T'es sûre de ton choix, Pauline? C'est vraiment lui que t'as choisi?

— Oui, Sam! répondit-elle nerveusement sans oser le regarder.

— Tu vas le regretter, Pauline… C'est un pas-bon, c'gars-là…

Elle ne répondit pas et, les bras comme les mains chargés, elle poussa la porte et se rendit à la voiture de Marcel, en échappant des effets qu'il s'empressait de ramasser. Sam referma la porte sans lui faire un adieu, sans lui dire qu'il l'aimait, sans lui crier sa rage ni son désarroi. Sans… rien.

Marcel recula vivement, effectua un virage à droite et s'engagea, le pied pesant, dans la descente de la côte. De son rétroviseur, il surveillait, mais non, le vieux n'était pas sorti de son shack avec sa carabine à la main. La voiture sillonnait le sentier de la butte et, à un tournant, Marcel pesa davantage sur l'accélérateur. Pauline entendit un bruit, un bond, et vit une forme qui tombait dans les broussailles.

— Qu'est-ce que c'est? T'as encore frappé quelque chose, Marcel?

— Bah… c'est rien! Une bête puante qui traversait l'chemin.

— En plein jour? J'en doute, Marcel!

Puis, regardant en arrière et voyant Piquet le poing levé en leur direction, Charlotte à genoux…

— Marcel! C'est le chat d'la veuve que tu viens d'écraser! Pis tu l'as fait exprès! Comme l'autre soir, Marcel! Le chat d'la veuve, que j'te dis! C'est ignoble c'que t'as fait là! Elle l'adorait, son chat, Marcel! Elle n'avait qu'lui pour la consoler de Piquet!

– J'savais-tu, moi? Un chat, c'est juste un chat…

– Ça fait combien qu'tu tues comme ça, Marcel?

– Comme si j'les avais comptés! Ils ont juste à pas s'mettre devant mes roues!

– T'es dur, Marcel, t'as pas d'cœur! Le chat d'la veuve à part ça…

– Aie! Ça va faire! Arrange-toi pas pour que ça commence mal, la p'tite!

Piquet avait juré de lui crever ses pneus, la veuve avait juré de lui arracher les yeux. Charlotte était inconsolable. Son chat tué d'un coup sec! Mais, ce qu'elle ne savait pas, c'était que Marcel l'avait fait exprès. De sang-froid comme pour tous les autres! Sam s'était juré de le tuer de sa carabine s'il revenait dans les parages, mais la veuve, dans sa désolation, lui criait sa fureur: «C'est d'ta faute, Sam Bourque! Si tu t'étais pas entiché de c'te grosse-là, mon chat serait encore en vie!» Puis, pointant son index osseux sur Piquet, elle lui cria: «Pis d'ta faute aussi, Piquet! C'est toé qui l'a amenée sur la butte, c'te saleté-là!» Et dans ses pleurs mêlés de rage, elle se tourna encore vers Sam pour lui darder le cœur de son venin: «Pis, tant pis pour toé, Sam! Partie la truie! Finis les cris!»

Sam vit le soir venir avec une infinie tristesse au fond de l'âme. Il n'avait rien mangé de la journée, pas même un morceau de pain. Enfermé dans son shack, il ne voulait plus voir personne, pas même Piquet qui voulait le réconforter, le rassurer et l'épauler, se sentant quelque peu responsable de la détresse de son ami. Mais Sam lui signifia de s'en aller.

La cabane était vide. Il ne restait plus rien d'elle, pas même un morceau de savon parfumé. Le silence était de retour, la solitude retrouvait son gîte. Sur le sofa, Sam ne trouva que le roman inachevé oublié et le coussin de la veuve que Pauline avait laissé derrière elle, pour ne plus sentir l'odeur de cigarette imprégnée dans le chien courant après sa balle. Et pour ne plus se rappeler l'hideuse créature qui avait oppressé son séjour. Seul avec sa paillasse, son jeu de cartes, son dictionnaire, Sam, plus sombre, plus obscur qu'un cimetière, buvait lentement sa bière. Il noyait son chagrin dans l'espoir de mieux cuver sa peine. Mais, le tic-tac de l'horloge poursuivait sa course folle et Sam était désespéré. Elle n'était plus là, partie, disparue, enfuie… avec l'autre. Ivre, désœuvré, il la cherchait, l'appelait, la suppliait, mais l'écho ne lui rendait que la tristesse de sa complainte. Déshabillé de peine et de misère, titubant sur ses jambes musclées, l'ermite se traîna jusqu'à son grabat et se coucha sur le dos, les yeux rivés sur le passé… encore si près. Puis, les larmes aux yeux, il se recroquevilla avec l'ourson entre ses bras. Un ourson de peluche blanc qu'il pressa fortement sur sa poitrine, parce qu'il dégageait encore le Fresh Wind de Pauline.

Chapitre 9

Installée confortablement dans le chalet de Marcel, Pauline flottait sur des nuages. Le luxe! Le grand luxe pour elle après les dures privations dans la cabane de bois. La radio, le tourne-disque, l'eau qui coulait dans le bain, la toilette qui évacuait en tirant sur une chaîne, le poêle à gaz qu'elle avait appris à manier sans problème, les repas qu'elle pouvait préparer, la soupe chaude, les fritures dans un poêlon… Mon Dieu que c'était loin du petit rond «patenté» et de la chiotte extérieure de l'ermite.

Dès le lundi suivant, Marcel l'avait emmenée chez Gaudrin où elle avait effectué une bonne commande d'épicerie. Sans parler des vêtements, des chaussures, du maquillage et des parfums que Marcel Marande avait payés rubis sur l'ongle. Au grand plaisir de madame Gaudrin qui traitait sa «cliente» comme si elle avait été l'épouse du maire. Et ce, sous les yeux de Ti-Guy qui venait d'apprendre que Pauline était la maîtresse de Marande, qu'elle vivait avec lui et qu'elle quitterait bientôt Saint-Calixte pour s'installer à Montréal avec lui. Parce que Piquet, tôt le matin, avait affranchi le «p'tit jeune» sur le nouveau «statut» de… mademoiselle

Pinchaud! Madame Gaudrin lui fit certes des courbettes, mais s'empressa, dès que le couple fut parti, de répandre la nouvelle dans quelques téléphones à ligne double du village, comptant ensuite sur le «bouche à oreille». Et lorsque le curé l'apprit parmi les ragots de sa servante, loin d'en être vexé, il lui répondit en ajustant son col romain:

– Elle est maintenant majeure, Hortense. Elle est libre de vivre comme elle l'entend. Marcel Marande est un célibataire, un bon parti pour elle... Et je me sens plus à l'aise.

– Mais, sans être mariés, c'est pas vivre dans le péché, Monsieur l'curé?

– Vous savez, Hortense, le concubinage, ce n'est pas ça qui me dérange, moi. Si tel était le cas, si le péché était si grand, comment se fait-il que personne n'ait jeté la pierre à la veuve et Piquet?

– Ben voyons, Monsieur l'curé, à leur âge...

– Vous seriez surprise, ma bonne Hortense. Il n'y a pas d'âge pour le fruit défendu. Et, aussi bien vous le dire, je me sens la conscience plus en paix de la savoir avec Marcel qu'avec Samuel Bourque dans son shack.

– Pourquoi? Qu'est-ce que vous voulez dire?

– Rien, Hortense, je me comprends. Et le Seigneur a été bon pour moi.

Sur ce, le curé fit son signe de croix et goûta, pour s'assurer qu'il n'avait pas tourné au vinaigre, son vin de messe!

Pauline, non plus servante mais «maîtresse de maison», ne portait plus à terre. Lorsque Marcel travaillait le soir, elle écoutait la radio, sa tasse de thé à la main, ses beignets à la crème à côté d'elle. Elle ne captait pas toutes les ondes sur sa radio, mais la station de l'État lui permettait d'écouter des programmes, des chansons de Jacques Normand et d'autres de Georges Guétary ou de Lys Gauty, des vedettes de Paris. Et, avec «sa maison» propre, entretenue au jour le jour, elle se sentait comme les dames du village qui portaient le glorieux titre de «ménagère».

Le seul accroc à sa vie de «grande dame», c'était lorsque le soir venait et que Marcel, insatiable, lui réclamait son «dû» sur le matelas. Et ce, même s'il rentrait en pleine nuit après quelques voyages avec son taxi et que Pauline, dormant à poings fermés, était réveillée pour des... obscénités. À un point tel qu'elle lui dit un certain soir:

– Marcel, tu fais l'amour d'une drôle de manière. Tu demandes, tu prends, mais tu donnes rien en retour. J'ai du sang dans les veines, moi aussi! J'suis pas juste une... J'ai envie de jouissances, moi aussi!

– Qu'est-ce que t'allais dire? Juste une... Une quoi?

– Ben, c'est gênant... mais on dirait que tu m'prends pour une fille de joie.

Il éclata de rire, lui désignant du doigt tout ce qu'il avait acheté pour elle.

– C'est pas beau, tout ça? Regarde ton linge, tes parfums, les meubles! Avais-tu ça chez l'vieux, Pauline?

– Non... Pourquoi tu m'demandes ça?

– Parce qu'avec tout ça, tu penses pas qu'tu pourrais t'fermer la gueule?

– Aie! la p'tite, ça te tenterait de descendre à Saint-Lin demain? J'ai des affaires à régler là-bas, et pendant c'temps-là, tu pourrais peut-être te trouver des belles robes et des bijoux plus exclusifs que chez Gaudrin.

Pauline faillit échapper la bouilloire.

– À Saint-Lin? Ben sûr que ça m'tente! Y'a un beau magasin à c'qui paraît, mais j'voudrais pas abuser d'tes bontés...

– Tu prendras c'que tu voudras! L'argent, ça pousse parfois dans les arbres! Du moins, avec moi! Pis, ça va t'faire sortir un peu. Tu passes tes journées seule dans l'chalet, les voisins sont déjà retournés en ville, pis comme j'le ferme dans trois jours…

Pauline sentit une flèche lui transpercer le cœur. Elle savait que le temps s'écoulait et que, bientôt, Jovette l'accueillerait pour quelques jours jusqu'à ce que Marcel revienne la chercher… Mais elle était si bien au lac Desnoyers qu'elle y aurait volontiers passé l'hiver en entier.

Tôt le matin, dès le jeudi, la voiture jaune empruntait la route de terre pour se rendre au village et bifurquer jusqu'à Saint-Lin. En passant près de la butte, Pauline détourna promptement la tête. Dans un tournant, elle avait aperçu de loin la silhouette de Sam qui fendait son bois. Que sa silhouette! Furtivement! Mais elle avait ressenti un malaise qu'elle ne s'expliquait pas. Et elle avait vu la bagnole de Piquet à côté de la boîte à déchets. Si peu de temps et, déjà, des souvenirs.

Ils arrivèrent à Saint-Lin assez tôt, commandèrent du café et du thé dans un restaurant où Marcel semblait être connu et, après, il la dirigea vers une boutique qui semblait d'avant-garde pour 1948. C'était coquet, avec une belle devanture et de jolies vitrines contenant des choses exquises.

– Tu entres là, tu prends ton temps, tu achètes ce que tu veux et je te rejoins au restaurant dans une heure.

Pauline entra et une dame très élégante s'approcha pour la servir. Une dame avec de la classe, un bon maintien et un vocabulaire qui intimida Pauline, habituée avec «la» Gaudrin.

– Bonjour, Madame! Je peux vous être utile?

– Ben… j'voudrais juste regarder, faire le tour, jeter un coup d'œil sur les robes.

– À votre aise! Faites! Enlevez votre manteau et si vous avez besoin de moi, je suis à quelques pas.

Pauline était gênée. Tout était beau mais passablement cher pour ses moyens. Elle regarda une robe ornée de dentelle, mais la dame, la suivant de l'œil, lui dit gentiment:

– C'est la seule que j'ai et je suis désolée, mais pour la pointure… Venez, Madame, regardez dans cette section, c'est pour les tailles fortes.

Et c'est à ce moment précis que Pauline, pour la première fois, se rendit compte de son excès de poids. Insultée sans le laisser paraître, elle fureta et jeta son dévolu sur une robe de taffetas beige avec quelques pierreries au collet. Une robe pour les grandes occasions qu'elle pourrait porter à Montréal. Et comme elle lui allait comme un gant, elle l'acheta, faisant fi du prix puisque c'était Marcel qui allait la payer. Puis, se dirigeant vers les bijoux, elle jeta un regard sur un ensemble de collier et boucles d'oreilles, avec les mêmes pierres brillantes que celles de la robe. Mais elle parvint à convaincre la dame de ne lui vendre que les boucles d'oreilles; le collier tour de cou, genre *choker*… l'étouffait! Et pour cacher son malaise, elle s'éloigna de ce comptoir et se sentit plus à l'aise dans les parfums, les huiles et les savons qu'elle acheta à profusion. La dame tenta de savoir de quelle région elle venait, mais Pauline contournait ses questions. Puis, impatiente, fatiguée d'avoir cette «sangsue» collée à la peau, elle lui demanda de tout mettre de côté, alléguant que «son mari» viendrait régler et prendre les paquets dans l'heure qui suivrait.

Pauline sortit en trombe, anxieuse de retrouver le restaurant où elle attendrait Marcel en sirotant un *cream soda*, mais au moment où elle s'engageait dans la rue, une voix derrière elle l'interpella.

– Pauline? Toi, ici? T'es pas retournée à Montréal?

Surprise, elle se retourna et se retrouva face à face avec sa sœur, Raymonde.

– Tiens! Toi! Ça m'surprend qu'tu m'adresses la parole! lui répondit Pauline qui n'avait pas oublié le reniement de cette dernière et de son mari.

– Ben, c'est pas parce qu'on s'fréquente pas qu'on peut pas s'dire deux mots! Qu'est-ce que tu fais ici? T'es quand même pas venue à pied!

– Non, j'suis avec Marcel! C'est à lui l'char jaune qui est *parké* de l'autre côté d'la rue. Y'avait des affaires à régler, pis j'vais l'attendre au restaurant.

– Coudon! Es-tu mariée, Pauline?

– Non, j'vis avec lui, mais ça pourrait ben arriver… Y possède un chalet à Saint-Calixte pis une maison à Montréal. On ferme le chalet en fin d'semaine, pis on s'en va passer l'hiver en ville.

Raymonde, plus démunie qu'à l'aise dans sa petite maison avec Léo, tenta de lui parler de ses enfants pour éviter de se «pâmer» devant le sort de sa cadette. Puis, empruntant un air grave, elle dit à Pauline:

– Tu savais qu'la mère était morte? Berthe t'a avertie?

– Quand? Je l'ai pas su! Elle est morte à l'asile?

– Ben oui, on l'a pas guérie, tu sais! Pis si tu l'as pas su, c'est sans doute parce que Berthe savait pas où t'étais. Moi, j'l'ai appris par téléphone, mais j'suis pas descendue à Montréal. Tu sais, la mère pis nous autres… Y'a juste Berthe qu'elle affectionnait sans même savoir qu'elle était sa fille. La «bonne sœur» s'est occupée des funérailles. C'est arrivé à la fin du mois d'août, j'me rappelle plus d'la date au juste.

Pis, regarde-moi pas comme ça, Pauline! Moi non plus j'savais pas où t'étais!

– J'te reproche rien, Raymonde! Pis, pour la mère, c'est aussi ben comme ça! Tant qu'à végéter pis à s'faire bardasser parce qu'elle avait pas toute sa tête, j'aime mieux qu'a soit six pieds sous terre!

– Pis toi, Pauline, qu'est-ce que t'es devenue depuis que...

– Depuis que tu m'as sacrée dehors, Raymonde? Cul par-dessus tête?

– Exagère pas, on n'avait pas d'place pis pas d'argent, Léo pis moi.

– N'empêche que j'me suis retrouvée dans la rue! Pis là, tu m'demandes ce que j'suis devenue? Ben, pour te mettre à jour, Raymonde, j'viens d'm'acheter des robes, des bijoux pis des parfums de l'autre côté! Pis j'te dis qu'c'est pas donné avec la dame le nez en l'air! Comme tu peux voir, j'me suis pas mal débrouillée, à partir du pavé! As-tu vu mon manteau pis mes bottes? J'roule pas sur l'or, mais ça m'a pris juste trois mois pour me placer les pieds! Pis là, j'pense qu'on a plus rien à s'dire, Raymonde! Marcel s'en vient pis on doit repartir à matin.

Et, comme de fait, Marcel traversait la rue et Raymonde le regardait venir avec les yeux grands ouverts. Elle ne pouvait pas croire que sa petite sœur, sa «grosse» sœur, avait pu mettre le grappin sur un homme d'une telle apparence. Et elle ne connaissait pas Marcel Marande même s'il venait avec son taxi à Saint-Lin de temps à autre. Raymonde dormait... la nuit. Pauline prit «son homme» par le bras pour en mettre plein la vue à sa sœur et dit à ce dernier:

– C'est ma sœur, Raymonde, celle dont je t'ai parlé.

Marcel, poli, même s'il ne prisait guère celle qui avait jeté sa sœur dehors, lui dit avec courtoisie:

— Enchanté, Madame.

Raymonde voulut lui rendre sa politesse, mais Pauline lui coupa la parole, et tira Marcel par le bras en lui disant:

— Faut prendre mes paquets à la boutique, Marcel. J'ai dépensé, c'est pas possible, mais tu vas aimer tout c'que j'ai acheté.

— Bon, allons-y, parce que j'ai pas de temps à perdre aujourd'hui, pis c'est pas chaud.

Raymonde, ébahie et envieuse du sort de sa sœur, leur dit avant qu'ils ne s'éloignent en direction du magasin:

— Si jamais ça vous tente de venir prendre un café, si jamais vous repassez...

Pauline se retourna, dévisagea sa sœur, puis, sur un ton ironique lui lança:

— Ça s'peut, Raymonde! Dans la semaine des quatre jeudis!

L'autre, stupéfaite, resta plantée sur le trottoir, la bouche ouverte et ne répliqua pas. Mais dans son cœur comme dans sa tête, le sang bouillait!

Sur le chemin du retour, Pauline semblait maussade.

— C'est ta rencontre avec ta sœur qui te donne cet air bête?

— Quand j'pense qu'elle a osé nous inviter, Marcel! Faut avoir de l'audace! Après m'avoir sacrée dehors comme une mendiante! Pis, c'est quand elle t'a vu qu'elle a changé son fusil d'épaule! Elle a vu que j'avais pogné l'*jackpot!* J'lui ai montré ton char, j'lui ai parlé de ton chalet, j'lui en ai mis plein la vue, quitte à la faire tomber su'l'cul! L'hypocrite! La sans-cœur! Comme de raison, j'lui ai pas parlé d'mon séjour chez l'vieux...

Pauline s'arrêta net. C'était la première fois qu'elle employait ce terme pour désigner celui qu'elle avait tant aimé. Et elle s'en repentait. Mais, à force d'entendre Marcel le qualifier de la sorte… Puis, juste à penser à lui, elle avait ressenti comme un émoi, quelque chose d'étrange qu'elle ne s'expliquait pas. Pour s'évader du passé, revenir au présent, elle baissa la tête et dit à son amant de l'heure:

– Ma mère est morte, Marcel. Morte et enterrée. Raymonde me l'a appris…

– Ça m'fait d'la peine, Pauline. Elle était encore à…

– Oui, à l'asile, avec Berthe, ma sœur religieuse qui s'occupait d'elle. Ben là, la famille, c'est fini. Y m'reste rien qu'toi, Marcel, le reste est enterré.

Marcel Marande, mal à l'aise, conduisait sa voiture, les yeux dans le vide.

Il pleuvait à boire debout, le vent était fort, et Pauline, aussi triste que Dame Nature, avait le moral bien bas cette journée-là. C'étaient les dernières heures qu'elle allait passer dans ce chalet où elle avait vécu durant cinq jours, dans la dignité, ce que son être réclamait depuis des années. Marcel, levé tôt, lui avait dit en préparant le thé et le café:

– Il va falloir faire ta valise, tu sais. C'est la dernière journée, la dernière nuit que nous passerons ici. Demain…

– Oui, pas besoin de m'le rappeler, j'le sais! Tourne pas le fer dans la plaie, Marcel… C'était trop beau pour durer…

Il s'approcha d'elle, l'embrassa dans le cou et lui murmura:

– Voyons, la p'tite, c'est pas l'enfer qui nous attend. Quatre ou cinq jours chez Jovette, pis après, c'est la grande vie, tu sais…

– Oui, j'sais bien, mais j'm'accroche vite au bonheur, moi. Ici, Marcel, c'est comme ma maison. On dirait même que les murs m'ont adoptée…

– Ben, tu la r'trouveras, «ta maison», la p'tite! Mais, d'ici là, tu seras pas dans une *shed* à Montréal! Pis, les sorties, la grande vie… Avec Noël qui s'en vient!

Elle l'embrassa, lui caressa la moustache du doigt, puis, avec un doux sourire, elle murmura:

– Tu vois? Fallait pas m'gâter, Marcel. J'm'habitue vite au changement, moi.

La pressant contre lui, fier d'être son chevalier pour ne pas dire «son maître», Marcel lui susurra en lui caressant un sein:

– Ben, t'as encore rien vu, la p'tite… Laisse-moi ça entre les mains…

Maussade, triste comme la pluie, Pauline aida Marcel à tout mettre en ordre dans le chalet qu'il allait fermer pour l'hiver. Puis, après un léger dîner, ô surprise, n'ayant pas faim dans son chagrin, elle s'affaira à tout ranger dans ses valises et les sacs à poignées. Sauf les derniers achats effectués à Saint-Lin qu'elle laissa dans les boîtes et les sacs du magasin. Elle écouta la radio, fit tourner des disques de Glenn Miller, puis, à deux reprises, la chanson *Over the Rainbow* de Judy Garland, sa préférée. Marcel, dehors, voyait à tout neutraliser ce qui ne devait pas incommoder le chalet par temps froid. Un verre de gin dans une main, le tournevis dans l'autre. Puis, à l'heure du souper, ils mangèrent froid, le poêle à gaz étant maintenant hors d'usage. Une salade, du pâté de foie gras, des viandes froides, des desserts, et Marcel ouvrit une bouteille de vin qu'il vida seul. Pauline, sombre comme le soir venu, sirotait de sa paille un gros verre de *root beer* Hires. Un peu plus tard, elle prit un dernier bain dans la cuve de fonte émaillée bleue, se parfuma et, dans sa robe de ratine, valises faites ou presque, elle vint rejoindre Marcel sur le divan.

– Quand nous serons à Montréal, lui dit-il, nous irons voir le film *Key Largo* avec Humphrey Bogart et Lauren Bacall. On dit que c'est un succès, ce film-là! Pis moi, la p'tite Bacall, j'la trouve pas mal excitante avec ses grands yeux pâles pis son béret.

– C'est sûr que j'suis rien à côté d'elle... murmura Pauline avec une moue enfantine.

Il éclata de rire, la serra entre ses bras et lui dit à l'oreille:

– Elle, c'est du cinéma, Pauline. Toi, t'es là en chair et en os. Toi, t'es la femme de ma vie. Et pis, c'est pas avec Lauren Bacall que j'vais passer ma dernière nuit ici...

Elle esquissa un léger sourire, lui serra les doigts de sa main forte, puis, couchée sur ses genoux, elle lui demanda:

– Tu veux remettre *Over the Rainbow,* Marcel? Juste pour une dernière fois?

Le grand lit du chalet les accueillit à draps froissés, ouverts, avec les oreillers «fripés». Pauline se coucha, prête à combler la moindre de ses demandes. Toujours les mêmes... Comme celles d'un violeur sur sa proie dont les exigences ne sont pas celles de l'acte complet. Mais, à sa grande surprise, Marcel lui fit l'amour comme la première fois. Avec tendresse, avec une infinie délicatesse. Elle croyait rêver, elle était transportée... au septième ciel. Marcel, la chevauchant «normalement», tel un amant, avec des gestes appuyés de mots romantiques, avait fait fi, cette fois, d'une relation... à sens unique.

Le lendemain, samedi, avec un soleil qui transperçait les nuages persistants de la veille, Pauline s'apprêta à tout ranger dans le coffre de la voiture. Dès neuf heures, le chalet était fermé à clef et c'est d'un œil triste que Pauline jetait un dernier regard sur le «palais» qui avait abrité le bonheur des amants qui s'y étaient aimés. En dépit des obscénités! Ils se rendirent jusqu'au village et, passant devant la butte, comme pour dissoudre un malaise qui survivait dans sa mémoire, Pauline ferma les yeux et détourna, encore une fois, la tête. Ils déjeunèrent dans un *snack bar* à l'entrée de la rue Principale et, après le copieux déjeuner, Marcel, aussi mélancolique que Pauline pouvait l'être, lui dit en lui pressant la main dans la sienne:

— J'pense que Jovette doit être debout. C'est l'temps d'y aller, la p'tite.

Elle le suivit sans rien dire, résignée au «sursis» que son bonheur lui infligeait. Jovette était debout depuis longtemps, prête à accueillir son amie pour quelque temps. Voyant Pauline qui s'avançait avec ses valises et ses sacs, elle lui dit:

— Contente de t'voir! Rentre tout, y'a d'la place! Pis, j'ai du café et du thé chaud…

Pauline lui sourit, la remercia, même si elle avait le cœur fragile au bout des doigts. Marcel entra, but un dernier café avec elles, puis, prenant Pauline dans ses bras, il lui dit en la serrant contre lui:

— Faut que j'y aille, moi… J'te laisse entre bonnes mains, la p'tite…

Une larme perlait sur la joue de sa jeune maîtresse et, l'épongeant de son index, il ajouta:

— Pas de scène dramatique, Pauline. On s'quitte pas pour un an… Jeudi ou vendredi au plus tard, mon char sera ici pour te ramener en ville, avant qu'les premières neiges commencent à tomber.

— Ça va être long sans toi, Marcel… Pis j'dis pas ça pour toi, Jovette!

— T'en fais pas, j'ai compris… J'ai déjà vu des vues d'amour, tu sais.

Pauline et Marcel échangèrent un dernier baiser. Un interminable baiser. Puis, se dégageant de son étreinte, il sortit, sauta dans sa voiture, et démarra en lui faisant un signe de la main. Un au revoir rapide, de peur que «la p'tite» fonde en larmes ou s'accroche après le pare-chocs. Restée seule avec Jovette, Pauline se sécha les yeux, puis sourit à son amie.

— Aie! Ça semble sérieux, vous deux! s'exclama Jovette, témoin des dernières minutes.

— Je l'aime comme une folle, Jovette! Avec lui, j'ai trouvé l'paradis! Je l'aime tellement que j'ferais n'importe quoi pour lui!

Pauline avait partagé sa joie comme sa peine avec Jovette tout au long de la journée. Déballant ses choses, elle avait voulu offrir une blouse à son amie, mais cette dernière refusa, alléguant qu'elle l'hébergeait de bon cœur et non pour un présent.

— Dans c'cas-là, tu vas m'laisser acheter d'la nourriture. Marcel m'a laissé de l'argent. J'veux pas être à ta charge, Jovette.

— Pas nécessaire, Pauline, Marcel m'a donné de l'argent pour la commande de la semaine. J'voulais pas, mais il a insisté pour payer ta pension. Il m'a remis l'argent à ton insu pendant qu't'avais le dos tourné.

— Ben, dans ces conditions, j'vais m'sentir plus à l'aise, marmonna Pauline.

Puis, d'un ton sérieux, elle demanda à Jovette:

— Ton... ton père est-il au courant d'mon séjour ici, Jovette?

— Oui, pis au départ, ça l'a pas enchanté! Tu comprends pourquoi, n'est-ce pas? Mais comme il savait que j'allais être payée parce que Marcel me l'avait dit, y'a changé d'air. C'est sûr qu'y va essayer d'm'arracher c'que j'ai eu, mais j'ai menti sur le montant. Marcel a été très généreux, tu sais…

– Oui, j'imagine, mais c'que j'voulais dire…

– J'sais de quoi tu parles, Pauline, mais t'en fais pas, y viendra pas ici le temps que tu seras là. Mal pris, y m'force à m'rendre à d'autres endroits…

– Tu veux dire que ça continue, si j'comprends bien?

– Penses-tu que ça s'arrête du jour au lendemain, un vice comme ça? La grange derrière son garage, ça sert pas juste à entreposer ses vieux chars, tu sais…

– J'sais pas comment tu fais, Jovette! Y devrait être arrêté, fouetté… Pis, c'qui m'inquiète… T'as pas peur des conséquences? Si y fallait qu'un jour…

– Pas d'craintes de c'côté-là, y prend ses précautions, le cochon! Y s'approvisionne à Saint-Lin, c'est moins gênant qu'chez Gaudrin! Pis, comme c'est un moyen à la mode même si l'Église est contre ça, les ménages commencent à s'en servir quand ils ont trop de p'tits à charge. Inquiète-toi pas pour lui, y'a tout calculé dans sa tête, l'écœurant! Y s'arrangera pas pour être montré du doigt par les voisins et encore moins d'être la honte du village. Mais j'veux plus qu'on parle de ça, Pauline. C'est privé, c'est personnel, pis comme t'es la seule à savoir… Oublie ça pis viens m'aider à préparer le souper.

– Ben sûr, j'demande pas mieux que d'me rendre utile, moi. Dis-moi, Jovette, vas-tu aller à l'hôtel à soir? D'habitude, le samedi…

– Pour un bout d'temps, peut-être, y'a encore des touristes dans l'coin… Ça te tente de venir avec moi?

– Non, j'ai promis à Marcel de pas sortir, de pas aller danser avec d'autres, mais prive-toi pas pour moi, Jovette, j'vais écouter la radio pis lire.

– J'y vais pas d'bon cœur, tu sais, mais j'vis pas d'amour pis d'eau fraîche, moi. Pis, avec l'hiver qui s'en vient, l'hôtel se vide, tu sais…

Pauline, embarrassée, lui demanda timidement:

– Mais, si ça arrive… comment tu vas faire? Avec moi dans tes jambes…

– Y'a pas juste mon camp, Pauline, y'a d'autres moyens… Laisse-moi faire pis dors sur tes deux oreilles. Pis j'pense pas rentrer tard… Avec c'que Marcel m'a donné, j'aurai pas à forcer de mains… à soir!

La semaine qui s'écoulait semblait longue, interminable pour Pauline qui avait hâte de plier bagage et de s'éloigner de ce «camp» peu confortable à côté du chalet. Elle avait croisé le père de Jovette qui l'avait regardée d'un drôle d'air, et c'était à peine si elle l'avait salué poliment. Pour ne pas éveiller les soupçons. Le père Biron l'avait à son tour saluée d'un signe de tête sans même lui adresser la parole. Mais elle avait senti qu'il avait hâte qu'elle parte, qu'elle lui laisse le chemin libre… Le jeudi arriva et la journée s'écoula sans que Marcel Marande donne signe de vie. Il avait dit: «Jeudi ou vendredi au plus tard…», mais elle avait espéré qu'il revienne plus vite, le mercredi si possible, pour la sortir de là, sachant qu'elle n'y serait pas à l'aise. Le jeudi soir, alors qu'elle écoutait un programme avec Jovette, le barman de l'hôtel frappa à la porte du camp et cria:

– Jovette! Viens vite à l'hôtel, y'a un téléphone pour toi.

– De qui? J'connais personne…

– Viens, la ligne pend, pis c'est important et personnel.

Jovette enfila son manteau et le suivit pendant que Pauline, inquiète, avait baissé le son de la radio.

Jovette se rendit à l'hôtel, s'empara du récepteur, puis, la bouche collée sur le cornet:

— Allô?

— Jovette? C'est toi? C'est Marcel qui parle...

— Marcel? Qu'est-ce qui s'passe? On dirait que t'as pas la même voix...

— Écoute, Jovette, j'ai des problèmes, de graves problèmes, pis c'est pour ça que j'ai voulu t'parler à toi. Y faut qu'tu m'aides à ta manière, Pauline le prendrait pas...

— Qu'est-ce qu'il y a? Pas un accident, j'espère?

— J'ai été pris dans une combine, Jovette! On m'a arrêté! Là, j'te parle en présence de mon avocat, mais j'pourrai pas m'étirer longtemps sur la ligne. J'rentrerai pas dans les détails, mais j'suis en tôle encore une fois. Pis là, j'ai ben peur d'en prendre pour six mois...

— Qu'est-ce que t'as fait, Marcel? T'as quand même pas commis un crime?

— Non, pris dans une combine, pis j'suis pour rien dans ça, mais avec c'qu'on a contre moi, avec c'qu'on a forgé pis avec mon casier... Tout ça pour te dire que j'pourrai pas aller chercher Pauline, tu comprends? Pis, pas question d'la ramener à mon chalet, on m'l'a saisi, Jovette! Pis l'char aussi! J'suis dans d'beaux draps, mais j'ai pas l'choix...

— Marcel! Qu'est-ce que j'vais faire avec elle? J'peux pas la garder avec moi, j'ai pas d'place...

— J'le sais, pis t'as rien à voir dans nos affaires. Dis à Pauline de s'débrouiller comme elle pourra, d'aller voir le curé, de s'trouver une place à Joliette ou n'importe où... mais j'peux rien faire de plus! J'suis pris à la gorge, moi! J'aurais pas dû revenir ici, mais j'savais pas c'qu'on avait monté contre moi... Dis à Pauline que j'vais lui écrire plus tard en passant par toi, mais j'suis sûr qu'elle va comprendre pis qu'elle va s'débrouiller. J'ai encore de l'argent d'côté, mais tu comprends, ça s'malle pas comme ça... chuchota-t-il. Pis là, faut que j'te laisse, mon avocat s'impatiente, on m'fait des signes...

— Raccroche pas comme ça, Marcel! T'en as vraiment pour longtemps en dedans?

— Ben... pour un bon six mois au moins d'après mon avocat, mais là, faut vraiment que j'te laisse sinon on va couper la ligne.

— Marcel! Comment j'vais faire pour lui dire ça? Et pis, qu'est-ce qu'elle va faire?

— J'sais pas, Jovette, mais qu'est-ce que tu veux que j'fasse? Dis-lui de s'démerder jusqu'à c'que mon cas s'règle, pis dis-lui qu'après, j'vais revenir la chercher. Dis-lui de m'faire confiance, dis-lui que j'vais revenir... J'me fie sur toi, Jovette! Faut que j'te laisse, j'te parle pas d'un restaurant, j'te parle d'un téléphone de la prison, Jovette!

— Aie! Tu peux pas m'laisser avec ça sur les bras...

— Jovette! Calvaire! J'ai les chaînes aux pieds! J'peux quand même pas...

Puis, ligne morte, la communication avait été coupée. Jovette, l'appareil encore entre les mains, ne savait plus que faire. Pauline ne s'en remettrait pas. Elle revint au camp à pas lents. Elle réfléchissait, elle ne savait comment aborder le sujet avec Pauline. Elle redoutait que son amie pique une crise de nerfs. Elle avait peur que ses cris alertent son père. Comment faire? Quoi dire, quoi faire? Elle rentra la mine basse et Pauline, la voyant, lui demanda nerveusement:

— Juste à t'voir l'air, y'est arrivé quelque chose de grave... Pas ton père?

— Non, Pauline, c'est pire que ça. Ça... ça t'concerne, pis j'sais pas par où commencer.

Pauline était devenue blanche comme un drap. Son sang s'était figé dans ses veines.

– Moi? Pourquoi qu'le téléphone était pour toi, alors?

Jovette, prenant son courage à deux mains, lui dit d'un seul trait:

– C'était Marcel, Pauline. Y'est en prison. Y'a été pris dans une combine. On l'a arrêté… Y reviendra pas, Pauline, pas avant six mois…

La «grosse» fille s'agrippa à une chaise et Jovette la poussa vivement sur le divan. Elle était passée à deux cheveux de perdre connaissance.

– Marcel? Qu'est-ce qu'il a fait? Qu'est-ce qu'il… puis elle éclata en sanglots.

Jovette, prise de compassion, lui fit boire un verre d'eau et, la calmant du mieux qu'elle put, lui raconta sa conversation avec Marcel. Sans omettre le moindre détail, la saisie du chalet et de la voiture aussi. Ayant écouté sans l'interrompre, Pauline, essuyant quelques larmes de rage, lui cria:

– Trop lâche pour me le dire à moi! Fallait qu'y passe par toi!

– Non, Pauline, y voulait t'épargner. T'aurais pas pu prendre la nouvelle avec le même sang-froid que moi. Pis, comme il a dit, y va revenir un jour…

– Jovette! C'est la fin d'tout! Qu'est-ce que j'vais faire? J'peux quand même pas l'attendre ici? C'est pas un refuge, ton camp!

– Non, pis l'pire, c'est que j'ai dit à mon père que tu partais demain. Un jour de plus, pis c'est moi qui vas avoir des ennuis, tu comprends? Y va falloir trouver une solution, mais on a pas grand temps…

Pauline avait les yeux hagards. Elle ne pouvait croire que son grand rêve s'évanouissait ainsi. D'un coup de fil! D'un coup d'marteau sur la tête! Les mains moites, désespérée puis affolée, elle cria à son amie:

— J'comprends pas qu'y m'fasse ça! Pas après tout c'qu'y m'a promis?

— Pauline, y'a été pris, c'est pas d'sa faute... Y'a tout perdu, lui aussi...

— Peut-être, mais en prison, c'est mieux que d'être dans la rue, non? J'me retrouve à la même place... J'ai jamais eu d'chance... Pour une fois qu'j'avais cru...

— Pauline, prends sur toi, on va rien régler comme ça. Faut s'tourner d'bord pis vite! T'es... t'es sûre que ta sœur à Saint-Lin...

— Es-tu folle? Après c'que j'lui ai dit? Si tu savais comme elle m'haït! Pis, a pense que Marcel, c'est l'*jackpot!* Imagine si j'lui dis qu'y'est en tôle!

— Ben, peut-être que la *job* à Joliette... On peut en parler au curé...

— Non! Pas ça! Pas lui! J'veux plus y voir la face! Pis, j'en reviens pas... Marcel! Ses promesses! Qui c'est qui t'dit qu'c'est pas un prétexte pour se débarrasser d'moi? Pourquoi y m'a laissée ici? Penses-y, Jovette!

— Non, j'le connais trop, c'est pas son genre. Y s'est fait pogner dans j'sais pas trop quoi, mais d'après l'ton d'sa voix, y'avait rien d'monté dans ça. J'entendais même son avocat... Non, Pauline, juge-le pas mal! Marcel, y'a qu'une parole! Y'est pris, y'est en dedans, pis y va s'en sortir un jour.

— Y t'a-tu dit quelque chose pour moi, au moins? Qu'il m'aimait, Jovette?

— Ben... c'est sûr... Dans mon énervement, j'ai oublié! C'est la première chose qu'y m'a demandé de t'dire... lui mentit-elle, pour ne pas lui asséner un autre coup de masse sur la tête.

Pauline pleurait, Pauline croyait rêver, puis, encore sous le choc de la nouvelle, émue jusqu'au fond de la gorge, elle vomit son souper dans l'évier.

Par solidarité, Jovette était restée auprès d'elle. Au détriment des touristes de l'hôtel qui se demandaient où la «grande blonde» était passée. Jovette ne voulait pas laisser Pauline seule avec son désespoir. Elle craignait que dans une dépression soudaine, en proie à un terrible accablement, elle tente de mettre fin… Non, ce n'était pas le moment de laisser une copine dans un si douloureux tourment.

La nuit fut longue pour celle qui pleurait plus souvent qu'elle ne dormait. Pour Pauline, ce bris soudain, c'était la fin du monde. Sans Marcel, livrée à elle-même, elle n'était plus que le pantin de son cruel destin. Jovette dormait d'un œil, l'autre sur son amie qu'elle plaignait de tout son cœur. Mais, aussi triste était le sort de Pauline, il n'était en rien comparable au drame qu'elle vivait, elle, enfermée dans un camp, son père sur elle, chaque nuit… ou presque.

Au petit jour, levée, assise avec les yeux rougis, Pauline buvait à petites gorgées sa tasse de thé. Il s'en fallut de peu pour qu'elle ne demande une cigarette à Jovette, mais comme elle n'avait jamais fumé… Jovette, la voyant éplorée, lui donna la moitié d'un calmant. Pour qu'elle cesse de trembler, pour qu'elle retrouve ses sens, pour qu'elle affronte la réalité, molle dans sa tête, peut-être, mais plus forte sur ses jambes. Après avoir envisagé mille situations qui s'avéraient du domaine de l'impossible, elle lui dit calmement:

— Pauline, il faut que tu partes d'ici, ça m'fait d'la peine, mais si tu t'en vas pas, j'ai peur que l'père s'en mêle. Surtout si c'est écrit quelque part au sujet de Marcel ou que l'hôtelier lui en parle.

— J'veux bien, moi, mais pour aller où? J'pourrais m'payer une chambre d'hôtel pour un jour ou deux, mais Marcel m'a pas donné l'motton, tu sais. J'ai vingt piastres et quelques cennes dans ma sacoche.

— Ben, moi j'ai une idée! Au moins jusqu'à demain!

— Laquelle? N'importe quoi, Jovette! J'veux pas t'causer d'problèmes!

— Écoute, les Gaudrin sont partis ce matin à Montréal pour la fin de semaine. Ils reviennent demain soir. Aujour-d'hui, à soir, pis pour la nuit aussi, j'suis certaine que Ti-Guy t'hébergerait. Y'a un sofa dans l'salon, c'est un ami, y va être du complot si c'est moi qui lui en parle. Pis, y va s'la fermer, tu peux lui faire confiance. Pis, pendant qu'tu seras là, j'vais trouver une solution. Laisse-moi ça, j'vais y penser comme y faut! Ça t'convient-tu, Pauline?

— Ben... j'ai pas l'choix... mais t'es certaine que les Gaudrin reviennent pas avant demain? S'y fallait qu'ils arrivent pendant que j'suis là! Tu t'imagines? J'veux pas que Ti-Guy s'retrouve dans l'pétrin, moi!

— J'en suis sûre! Le père Gaudrin passe les deux jours chez son frère. Laisse-moi parler à Ti-Guy, pis j'te reviens avec plus de détails.

Pauline, le sédatif aidant, se sentait plus détendue, plus rassurée. Elle en avait vu d'autres et passerait sûrement à tra-vers... Quitte à rentrer à Montréal avec son peu d'argent et aller demander la charité à sa sœur, Berthe, dans son couvent. Ti-Guy Gaudrin fut plus que «ravi» de pouvoir aider Pauline qui, selon lui, s'était mis les pieds dans les plats. Ravi de voir que «son» Marcel l'avait «plaquée» là, prison ou pas. Et comme ses parents étaient absents pour deux jours, il avait dit à Jovette: «Amène-la-moi, j'vais la garder jusqu'à demain, y'a l'sofa pis d'quoi manger. Mais demain, faudra qu'tu la sortes de chez nous. Avec le père pis la mère qui reviennent…»

Jovette s'empressa d'annoncer la «bonne nouvelle» à sa copine. Un jour de plus, c'était mieux qu'un quart d'heure pour trouver une solution. Et c'est ainsi que Pauline, avec sa valise, ses sacs et ses boîtes, se retrouva dans le salon de Ti-Guy qui tira vite les rideaux au cas où les voisins mettraient le nez à sa fenêtre. Jovette, durant ce temps, allait songer, ébaucher un plan, trouver le dernier morceau pour se libérer de son… «casse-tête».

Ti-Guy Gaudrin, bien peigné, bien habillé parce que, par exception, le magasin était fermé, accueillit Pauline avec tout l'intérêt qu'il lui manifestait. La pancarte dans la vitrine qui affichait <FERMÉ POUR LA JOURNÉE> le servait bien. D'ailleurs, tous les clients réguliers avaient été avertis par sa mère que le couple prenait congé pour un voyage éclair. Et, comme les touristes avaient presque tous quitté leur chalet à l'approche du froid, les gens du village pouvaient très bien se rendre au *snack bar* s'ils étaient en manque d'une pinte de lait. Madame Gaudrin n'était pas allée à Montréal depuis plus d'une année. Il était grandement temps qu'elle s'accorde un congé pour s'enquérir des commérages de la ville et les colporter à Gertrude et à la servante du curé dès son retour.

— T'es sûr que ça va pas t'déranger, Ti-Guy? T'avais peut-être une sortie en vue?

— Non, pantoute! Pis ça m'fait plaisir de t'rendre service, Pauline.

– Bon, si c'est comme ça… Mais j'défais pas ma valise, j'laisse tout comme c'est là, ce sera moins long quand j'repartirai demain.

– Comme tu voudras, Pauline, pis si tu veux prendre un bain…

– Non, merci, c'est fait. J'ai pris une douche chez Jovette avant d'partir. J'voulais rien déranger dans vot' salle de toilette. J'aime mieux pas laisser d'traces, tu comprends?

– J'aurais tout remis à l'ordre, tu sais, mais si c'est pas nécessaire…

– Ça paraît pas? J'me suis même frisée! J'voulais pas arriver délabrée!

Le jeune homme lui sourit. Il était affable, aimable; il lui offrit le fauteuil le plus confortable, une liqueur douce puis, s'ouvrant une bière, il prit place en face d'elle, ses grands yeux bleus plongés dans ses yeux noirs.

– Comme ça, Marcel…

– Parle-moi pas d'lui, Ti-Guy! C'est pas l'moment! J'sais bien qu'c'est pas d'sa faute c'qui lui arrive, mais j'aime mieux qu'on en parle pas.

– Comme tu voudras, moi, j'disais ça pour parler d'choses et d'autres.

Pauline examina les lieux et, ravie, étonnée, lui cria:

– Aie! C'est pas mal beau, chez toi, tu sais! Ta mère a du goût… j'ai jamais vu un beau tapis comme ça! Ça vient-tu d'la Turquie?

– Ça s'peut, j'sais qu'elle l'a payé un bras, elle aime le luxe, la mère!

Mal à l'aise devant le regard perçant de Pauline, le jeune homme lui demanda:

– Veux-tu faire le tour de la maison? C'est l'temps, y sont pas là!

– Ben... c'est indiscret. Ta mère aimerait peut-être pas ça...

– Bah... viens donc! Ce qu'a sait pas, ça fait pas mal!

Il la précéda et elle le suivit. Il lui fit visiter la cuisine, la grande salle de bain, la chambre des maîtres meublée à la moderne, avec des lampes de cristal, des miroirs taillés, leur portrait de noces...

– Aie! Ils étaient beaux, jeunes, ton père surtout! Mais j'dirais que t'es plus beau qu'lui, Ti-Guy! T'es moins lourdaud, plus grand, plus bâti qu'lui.

Le jeune homme flottait d'aise devant les compliments, puis il lui fit visiter sa chambre. Une belle chambre dans les tons de bleu et de rouge. Une chambre de gars avec une radio, un tourne-disque portatif, des portraits d'actrices sur les murs. La plupart en maillot de bain.

– Dis donc, c'est pas les belles femmes qui manquent sur ton mur, toi!

– Bah... juste celles que j'trouve de mon goût. Lana Turner, Jane Russell, pis c'te p'tite brune-là qui t'ressemble, Pauline.

– Jane Wyman? C'est tout un compliment, Ti-Guy! Une actrice pis moi...

– T'es aussi belle qu'elle, Pauline! C'est pas parce que c'est une actrice qu'elle a quelque chose de plus que toi!

– Ben... de l'argent en tout cas! répondit-elle en éclatant de rire.

Revenus au salon, il se déboucha une autre bière, il se sentait déjà plus à l'aise. Et Pauline, le regardant, s'aperçut que Ti-Guy était écrasé ou presque dans son fauteuil, les jambes écartées, les pantalons déjà froissés, la chemise entrouverte.

Elle ne savait trop pourquoi, mais elle se sentait bien lorsqu'elle était avec de la... jeunesse. Elle qui n'avait pas eu d'adolescence. Elle qu'on avait toujours traitée en femme dès l'âge de la puberté, au moment où, servante avec des patrons de quarante ou cinquante ans...

— T'es né ici, Ti-Guy? Pis t'es instruit? Dis-moi, c'est qui, saint Calixte? Juste pour pas avoir l'air épaisse si jamais on m'le demande.

— Ben... l'curé pourrait t'le dire mieux qu'moi, ou ma mère, mais moi, c'que j'ai appris, c'est qu'c'était un pape. Pis, y'a pas été le seul pape à porter ce nom-là! J'sais pas lequel parce que les papes sont tous des saints, mais c'que j'sais, c'est qu'c'était un pape, pas plus pas moins.

— Bon, c'est mieux que rien! Ça m'aide! J'pensais qu'c'était un des douze apôtres!

La noirceur déjà au rendez-vous, Ti-Guy suggéra:

— Si tu veux faire à souper, moi, j'me charge de la vaisselle après. J'sais pas cuisiner. Si j'avais été seul, j'serais allé manger des *hot dogs* au *snack bar*.

— On peut faire ça, si tu veux! Ce serait moins d'trouble...

— Non, non, si on nous voit ensemble... Pense aux commères, Pauline!

— Oui, t'as raison, mais j'peux pas fouiller dans la glacière... J'suis pas chez nous, ça m'gêne, ici...

— Pourquoi tu fais pas cuire des pâtes? Moi, j'ouvrirais une boîte de sauce Catelli, pis avec du pain et du fromage...

— Plein d'bon sens! Pis, ça va pas salir trop de chaudrons... Donne-moi c'qu'y faut, pis j't'arrange ça, Ti-Guy!

Et pendant que Pauline cuisinait, Ti-Guy plaçait les couverts, sortait le beurre, le fromage râpé, les serviettes de «papier»... Puis, descendant à la cave, il remonta avec une bouteille de vin rouge qu'il déposa sur la table. Apercevant la bouteille, Pauline s'exclama:

— Pas ça! Pas pour moi, en tout cas! J'ai de mauvais souvenirs…

— T'en fais pas, j'suis capable de la vider tout seul. Celui-là, y vient d'Italie, c'est un nouveau sorti. Doux, pas fort, juste c'qu'y faut.

Ti-Guy avait quand même sorti deux verres sur pied. Au moment du repas, voyant qu'il se délectait de son vin «rare», Pauline en eut envie.

— Ç'a l'air bon, ton vin. Tu veux m'en servir juste un peu, juste la moitié d'un verre?

— Ben sûr, Pauline! Mais viens pas m'dire après que j't'ai forcée si ça passe pas.

Elle trempa ses lèvres, goûta, c'était vrai qu'il était moins fort que le précédent. Du moins, elle le croyait. Elle accepta l'autre moitié, puis opta pour un second verre, mais pas davantage. Parce qu'elle se sentait bien, parce que le vin l'avait grisée quelque peu; un effet qu'elle cherchait pour contrer les malheurs des derniers jours. Parce que, ce faisant, tout en fixant Ti-Guy de ses yeux noirs, elle n'avait pas oublié Marcel. Et ce fut elle qui revint sur le sujet.

— Si j'avais su c'qui l'attendait! Dans quoi y trempe, celui-là?

— Tu parles de qui, Pauline?

— De Marcel Marande! J'l'ai encore sur le cœur, c'qu'y m'a fait! Pis, c'est pas parce qu'il est en prison…

Elle s'arrêta net, regarda Ti-Guy et lui demanda:

— Tu l'savais? J'ai-tu trop parlé?

— Ben non, j'le savais! Jovette me l'a dit! Pis, c'est pas la première fois! Moi, j'ai rien à dire, j'le connais pas, c'gars-là! Je l'ai aperçu souvent ici, mais y m'a jamais parlé. J'peux pas l'juger, mais comme m'a déjà dit mon père: «Y'a quelque chose de pas catholique dans son affaire.» Il y a deux ans, quand il est venu passer l'été à son chalet avec la rouquine aux cheveux longs…

— Quoi? s'écria Pauline. Tu veux dire qu'il avait une autre blonde?

— Ben, voyons, Pauline! Pensais-tu qu't'étais la première? Y'a vu neiger, Marande! Y sort pas d'un collège! Pis, à son âge…

Pauline avait mangé copieusement, elle s'était même gavée de deux morceaux de gâteau aux pêches, frais cuit du four de la mère Gaudrin. Ayant bu sa tasse de thé, elle se leva, lava tout, rangea tout, en priant Ti-Guy de s'asseoir, en lui disant que ce n'était pas la *job* d'un homme, ces choses-là. Puis, de retour au salon, elle lui demanda gentiment:

— T'as des disques, ici? Tu pourrais m'en faire jouer?

— Heu… oui, j'en ai, mais j'sais pas si ce sera à ton goût.

— N'importe quoi! Ce que t'aimes, Ti-Guy! Ça va mettre de l'ambiance.

Le jeune homme se leva, fouilla dans une pile et fit tourner un disque de Georges Ulmer. Une vieille chanson d'amour reprise par le chanteur de charme.

— C'est ça ton genre? lui demanda Pauline.

— Non, lui, c'est le chanteur de ma mère. J'pensais que ça t'plairait.

— Quand même! T'as rien de plus moderne?

— Ben… moi, j'aime Frank Sinatra pis Harry James et son orchestre.

— Là, tu parles! Change-moi ça, Ti-Guy! J'ai pas l'âge de ta mère, moi! C'est qui son acteur préféré, à elle? Maurice Chevalier ou Fernandel, j'suppose?

– Heu…oui, c'est dans ses goûts. Pis elle aime bien l'actrice Edwige Feuillère.

– Tout c'qui vient d'la France, à c'que j'vois! Ben moi, c'est Alan Ladd pis Veronica Lake. J'aime mieux c'qui est américain, moi! Aie! Ti-Guy! J'ai juste vingt et un ans, tu sais!

Ti-Guy fit tourner Sinatra. Une chanson triste, langoureuse, qui fit frissonner Pauline. Quoique pompette, elle avait l'un de ces vague à l'âme… Marcel, son rêve envolé, son avenir évanoui… Mélancolique sous les effets du vin, elle regarda le jeune homme et lui demanda à brûle-pourpoint:

– Sais-tu danser, Ti-Guy Gaudrin?

– Ouais… un peu, pas toutes les danses, le *slow*… T'as oublié la fête au village, Pauline?

Elle se leva d'un bond, le tira par la main et, collée contre lui, oubliant son chagrin, elle noya ses déboires en se frottant les cuisses contre les siennes. Le jeune homme sentait bon, sentait frais, et elle, humectée de Fresh Wind, sentait le cœur de Ti-Guy battre fort au creux de sa poitrine. Puis, levant les yeux sur lui, paupières quelque peu lourdes, elle lui demanda:

– Qu'est-ce que t'as fait? T'as presque plus d'boutons sur le menton…

Gêné quoique fier, Ti-Guy lui répondit en la serrant tout contre lui:

– C'est depuis que j'ai remplacé le Pepsi Cola par la bière, pis qu'j'ai lâché les *chips* pis l'chocolat. C'est ça que l'docteur m'avait dit d'faire.

– T'es de plus en plus beau, Ti-Guy, les filles doivent pas manquer autour de toi… T'en as plusieurs?

– Ben… quelques-unes, des filles qui passent l'été dans les chalets, mais rien d'sérieux. Juste pour passer l'temps, j'suis pas en amour…

– Des p'tites filles de ton âge? Peut-être plus jeunes que toi, encore?

– Aie! Me prends-tu pour un enfant, Pauline Pinchaud? Penses-tu que j'sais pas c'que c'est qu'une femme?

Puis, pour se donner de l'importance sans toutefois mentir, il ajouta:

– J'fais même l'amour avec une bonne femme de quarante-deux ans!

– Quoi? Quelqu'un que j'connais? Quelqu'un d'ici?

– La femme du conseiller du maire. On s'voit de temps en temps…

– Aie! A s'paye la traite, la vieille! Avec un p'tit jeune de dix-huit ans! Ça vaut la peine, au moins?

– Ben… répondit-il en rougissant, elle a pas l'air à s'plaindre, la madame!

Ils éclatèrent de rire et Pauline, lui caressant la nuque, poursuivit:

– J'comprends! À son âge! C'est tout un *snack*, un beau p'tit gars comme toi!

Et, sachant fort bien qu'il avait partagé le lit de Jovette, sachant surtout que cette dernière en avait été satisfaite, elle se demandait si elle n'avait pas sous-estimé Ti-Guy dans ses prouesses, la première fois. Mais elle avait tellement bu ce jour-là qu'elle ne se souvenait plus ou presque de ses gestes… tout comme du reste. L'attirant plus près d'elle alors que Sinatra «pleurait» sa chanson, elle lui mêlait les cheveux en broussaille de sa main potelée, de ses doigt dodus, et sentit que l'effet recherché par ce geste prenait de surprenantes «proportions»… sur sa cuisse.

– Tu veux qu'on monte en haut, Pauline? J'aimerais tellement…

– En haut? Dans ta chambre? T'as pas peur que les voisins…

– Dis pas d'bêtises, tout est fermé, personne t'a vue entrer…

Et, d'un geste doux, il se dégagea et l'entraîna par la main jusqu'à sa chambre où la lueur d'une petite lampe attendait leur présence. Assise sur son lit, juste assez grisée pour être vulnérable, elle le laissa lui retirer sa blouse pendant qu'elle détachait le ceinturon de son pantalon. Sur son *pick-up* portatif, il fit tourner un disque de Harry James. Une mélodie sensorielle, sensuelle, invitante dans l'état où le vin l'avait transportée. Puis, nue dans son lit, lui à ses côtés, elle regarda le corps de ce jeune «étalon» et se sentit, tel un frivole «papillon», prête à se poser sur… la tige.

Si Ti-Guy avait pu plaire à Jovette, nul doute qu'il ne pouvait la décevoir, elle, la «croupe» en manque, le cœur en miettes. La musique jouait et, dans ce lit d'adolescent, Pauline ferma les yeux pour que les plaisirs de la chair lui fassent oublier qu'elle était seule sur terre à deux pas de l'hiver. Et elle laissa Ti-Guy, adroit, lui faire l'amour comme il le faisait avec la femme du conseiller du maire. En encerclant ses reins de ses mollets potelés, en laissant les mains du jeune homme palper les seins qu'il convoitait depuis son arrivée, et en le laissant téter comme un bébé les mamelons durcis par la suave audace. Tout en glissant une main ferme sur les parties intimes de celui qui n'avait rien à envier aux *truckers* et aux débardeurs du port. Et c'est dans une jouissance extrême, de part et d'autre, que le membre assouvi du jeune homme… rendit l'âme.

Et Pauline sanglotait. De joie? De peine? De s'être donnée ou d'avoir été délaissée? Ti-Guy n'en savait rien. Il avait fait l'amour avec Pauline, tout comme avec Jovette ou la femme du conseiller du maire. Tout compte fait, sans le savoir, le jeune Gaudrin n'était que le joli tampon des pleurs de femmes désespérées.

Plus tôt, dès le départ de Pauline, Jovette, se sentant responsable d'elle, ne savait à quel saint se vouer. Elle n'avait que quelques heures devant elle et, lentement, une idée avait germé. Non pas en faveur de Pauline, mais, remords derrière elle, Jovette se disait que c'était mieux que le pavé. Distraite par Ti-Guy au moment où il lui faisait visiter la maison de ses parents, Pauline n'avait pas entendu le moteur du camion de Biron s'étouffer trois fois avant de démarrer en toussotant. Jovette, au volant, au risque de la perdre comme amie, emprunta un chemin qu'elle connaissait fort bien. En cours de route, le hasard aidant, elle croisa la bagnole de Piquet qui se rendait au village. Elle klaxonna et le vieux, la croyant en panne, s'arrêta à la hauteur de la portière.

— As-tu des ennuis avec le *truck*, la Jovette? Ça m'surprendrait! Avec un père qui tient un garage… Pis, y neige pas encore, le froid a pas pris!

— Non, Piquet, libère la route pis monte dans mon *truck,* faut que j'te parle.

Et, comble de chance, Piquet était seul. Sans la veuve dans la bagnole. Piquet obtempéra et se retrouva assis aux côtés de Jovette qui avait rangé son camion presque dans le champ pour ne pas obstruer le chemin.

— Qu'est-ce que je peux faire pour toé, Jovette Biron?

— Pas pour moi, Piquet, pour quelqu'un d'autre. Faut qu'tu m'aides!

— Ben, j'veux ben, moé, mais dis-moé c'que tu veux, batêche!

— C'est pour Pauline…

– La Pauline? Elle est pas partie en ville, elle? J'pensais...

– Oui, elle devait partir avec Marcel. Il devait revenir la chercher chez moi jeudi ou vendredi, mais y s'est passé quelque chose... Marcel a été pris dans une combine pis... pis y'est en prison, Piquet! Pour au moins six mois!

– J'l'ai toujours dit qu'c'était un voleur, c'te pas-bon-là! Tout l'monde le savait! Y'avait juste la Pauline qui voyait pas clair! Pis là...

– Écoute, Piquet, j't'ai pas demandé de faire le procès de Marcel! J't'ai juste dit que j'avais besoin d'aide! Moi, j'peux pas la garder, j'ai pas d'place, j'ai pas d'argent... Pis, comme c'est là, Pauline se retrouve dans la rue! Avec son linge pis ses larmes! Parce qu'elle l'a mal pris, c'qui est arrivé... Tu comprends? Mais faut faire quelque chose...

– Comme quoi? C'est toujours ben pas moé qui va s'embarquer avec elle...

– Non, pas toi, Piquet, Sam!

– T'es pas sérieuse, Jovette? Tu penses que Sam va la reprendre après c'qu'elle lui a fait? Ben, elle a du cran, la Pauline!

– Dis pas ça, elle sait même pas c'que j'complote pour pas la laisser dans la rue. Elle sait même pas que j'ai pensé à Sam. Penses-tu qu'elle m'aurait permis d'faire ça? J'le fais à son insu, Piquet!

– Ben là, c'est pire! Tu voudrais que Sam la reprenne, pis tu sais même pas si la Pauline veut revenir? T'aurais dû lui en parler avant, toé! Ça s'fait pas, c'que tu fais là! Pis j'imagine que tu comptes sur moé pour...

– Oui, Piquet! T'es l'seul capable de faire comprendre à Sam qu'elle est dans la rue. Toi, y va t'écouter!

– Ça veut pas dire qu'y va sauter d'joie sur ses pattes, Jovette! La Pauline, y l'a loin depuis qu'elle est partie avec le bandit. J'me demande même si Sam en est pas débarrassé. C'est un coup d'cochon qu'elle lui a fait, la Pauline! Y'a rien que Sam lui refusait… Tu l'sais, Jovette, t'étais là à sa fête! Pis, d'un coup sec, elle l'a crissé là pour sacrer son camp avec l'autre. Prends-tu Sam pour une poire, batêche?

– Oui, j'sais, mais c'est une chance à prendre, J'te demande pas d'y forcer la main, Piquet, j'te demande juste de lui dire c'qui lui arrive. S'il l'aime encore, j'suis certaine qu'y va pas la laisser sur le trottoir!

– Ben, j'suis pas sûr, moé! Pis j'ai pas l'goût de me mêler d'ça, moé! J'l'ai fait une fois, pis j'ai tout encaissé après! D'la part de Sam autant que d'la grosse qui m'a chié su'l'nez! Moé, les affaires des autres, astheure…

– Fais-le pour moi, Piquet… J'suis mal prise… J'sais plus quoi faire avec elle. Là, c'est Ti-Guy qui l'a sur les bras, mais jusqu'à demain seulement parce que ses parents reviennent. Y faut qu'a sorte de là! Si Sam la reprend pas, j'donne pas cher pour sa peau! Elle est démoralisée…

– Bon, ben, ça va, j'vais l'faire pour toé, Jovette! J'lui en parle, j'lui dis c'qui lui arrive, mais j'vas pas plus loin, compris? J'veux pas m'remettre les deux pieds dans marde, moé!

– C'est tout c'que j'te demande, Piquet! Si Sam veut pas la ravoir, on arrête là, pis moi, j'la remets entre les mains du curé. Y s'arrangera avec elle jusqu'à c'qu'y la place quelque part. Mais ça m'prend une réponse au plus sacrant, Piquet! Parce que si Sam accepte de la reprendre, moi, faut que j'l'annonce à Pauline, tu comprends? En passant, dis pas à Sam que Pauline est pas au courant… Ça pourrait nuire…

– Bon, encore une menterie, batêche! Ça, j'haïs ça, Jovette!

Jovette était retournée au village, Piquet avait fait demi-tour et, après avoir garé sa bagnole, il se dirigea vers le shack de Sam sous les yeux de la veuve qui se demandait bien ce qui se passait. Sam était dans la cuisine, en train de déplier du papier journal ramassé ici et là pour allumer ses bûches. Voyant entrer Piquet sans frapper, il lui demanda:

– Déjà revenu, toi? Tu viens à peine de partir! Y'a-tu l'feu…

– Sam, faut que j'te parle! J'peux-tu prendre une chaise?

– Ben sûr, tu l'as juste devant toi. Prends-la. Qu'est-ce que tu veux?

– J'ai croisé la Jovette en chemin. Elle m'a fait signe, j'ai arrêté.

– Et pis après?

– Ben, c'est Pauline, Sam!

Samuel Bourque était devenu blême. L'espace d'un instant, il avait cru…

– T'en fais pas, elle est ben portante, mais elle est dans la rue, Sam. Encore une fois. Marande a été arrêté, on l'a jeté en prison. Y devait revenir la chercher mais y'a sans doute volé une banque! J'sais pas, mais y'est pas revenu, Sam, pis la Jovette est pognée avec Pauline dans son camp!

– Pis? Ça m'regarde? Elle a fait son choix, Piquet! lança d'un ton ferme l'ermite, rassuré que rien de grave ne soit arrivé à Pauline.

– Peut-être pas, mais la Jovette peut pas la garder. Pas d'place! Pas d'argent! Là, c'est Ti-Guy qui l'héberge jusqu'à demain, mais après, la Pauline est dans la rue! Ou chez l'curé qui va vite s'en débarrasser du côté de Joliette ou dans un patelin d'broche à foin!

– Où est-ce que tu veux en venir, Piquet?

— C'est pas moé, Sam, c'est la Jovette qui m'a demandé de t'demander…

— De la reprendre? C'est ça, hein? Quand on a plus rien, quand on est sacrée là, le shack de Sam, c'est mieux que rien, hein?

— Choque-toé pas après moé, Sam! Pas c'te fois-là! J'voulais pas t'bâdrer avec ça, moé! C'est la Jovette qui m'a forcé la main! Paraît qu'Pauline est démoralisée, qu'elle a l'caquet bas…

— Ben, ça lui apprendra! lança Sam avec véhémence.

— Bon, moé, j'ai fait la commission, pis j'vas pas plus loin! J'vas dire à Jovette de s'arranger avec elle! Moé, j'm'en lave les mains!

Sur ces mots, Piquet se leva, prit sa casquette et sortit du shack en disant à Sam:

— Pis, si t'as besoin d'moé pour t'aider à rentrer ton bois, j'vais revenir aussi vite que j'pars. Le temps de retrouver Jovette, pas plus.

Il s'en allait, pressait le pas et, soudain, un cri derrière lui…

— Attends, Piquet! Reviens ici! Prends pas les nerfs…

Malgré ce qu'il venait de lui dire, malgré l'indépendance dont il avait fait preuve, Samuel Bourque avait senti son cœur battre à l'idée que Pauline et lui… L'ermite n'avait guère dormi depuis qu'elle était partie et, en dépit de la trahison, Sam l'aimait encore, Sam n'avait pas cessé de l'aimer. Marande parti, Pauline délaissée, elle n'aurait plus que lui sur qui compter. Et même si elle devait repartir un jour, même si Marcel revenait pour la reprendre, il aurait bénéficié d'un sursis. Joui… d'un sursis. Car Sam ne vivait plus depuis que, chaque soir, il se couchait sans sentir le souffle de Pauline dans son cou. Il ne vivait plus depuis que sa cambuse, sans son rire, sans son flot de paroles, agonisait dans le plus cruel des silences. À défaut de «tout», le «peu»… lui convenait encore. Pauline, sa Minoune qu'il croyait déjà au loin, était à quelques pas de lui. Et il avait frémi, il avait cru mourir quand Piquet, sur un ton grave lui avait dit: «C'est Pauline…» Il n'aurait pu survivre à la moindre mauvaise nouvelle la concernant. Aussi vilaine avait-elle été envers lui, aussi sournoise serait-elle encore, Sam Bourque était, dans son cœur, prêt à tout accepter. Parce qu'il l'aimait comme un… désespéré. Parce que sans elle, c'était le vide, le néant. C'était, selon lui, plus douloureux que d'être seul sur terre. Pire que… le cimetière.

Mais, la tête haute pour engloutir les pensées de son cœur, il dit à Piquet, sur un ton évasif qu'il s'efforçait de rendre indifférent:

– Dis à Jovette que si Pauline veut revenir, j'lui fermerai pas la porte. Jusqu'à c'qu'elle se trouve une place ou jusqu'à c'que Marande revienne la chercher. Dis-lui rien qu'ça, Piquet! J'suis quand même humain. On laisse personne dans la rue, pas même un chien…

Piquet s'empressa de retrouver Jovette pour lui dire que Sam était prêt à la reprendre, jusqu'à ce qu'elle se trouve une place pour travailler. Sans lui dire comment le tout s'était passé et sans lui dire que Sam, par ses mots, la reprenait par charité. Heureuse, soulagée, Jovette venait de s'enlever une épine du pied. Mais là, mission accomplie, elle se devait de convaincre Pauline. Sans penser un instant que sa copine «démoralisée» avait noyé sa peine dans deux verres de vin. Et sans savoir encore qu'elle passerait la nuit les jambes enroulées autour des fesses de Ti-Guy, dans les draps froissés de son lit.

Au petit jour, alors que les cloches de l'église sonnaient la fin de la messe du matin, Jovette se précipita en hâte chez les Gaudrin. Elle frappa à plus d'une reprise avant que Ti-Guy, en caleçon, lui ouvre la porte, après avoir vérifié de qui il s'agissait d'un coin de la fenêtre. Jovette entra et, voyant le divan vide, pas même défait, demanda:

— Où est Pauline? Faut que j'lui parle!

— Elle dort encore... répondit le jeune homme, en désignant l'étage du doigt.

— Pas dans la chambre de tes parents?

— Heu... non, répondit-il en bâillant.

Jovette venait de comprendre, mais elle ne pouvait en croire ses yeux. Son amie Pauline, le cœur en peine, la mort dans l'âme, s'était envoyée... Pendant qu'elle, depuis la veille, s'était morfondue pour la sortir du trou? Elle allait s'emporter lorsque Ti-Guy lui dit:

— Le vin, la musique, les larmes, j'ai essayé d'la consoler, Jovette. Juste ça! Comme je l'ai fait souvent pour toi...

Jovette se calma. Ti-Guy, en effet, l'avait souvent sortie de son tourment, en étant sa bouée, lorsque son père... Et comme Pauline traversait un dur moment... Et puis, moins «démoralisée», pensait Jovette, il lui serait plus facile de la convaincre, de lui faire comprendre que...

Pauline descendit enveloppée dans une robe de chambre. Apercevant Jovette, pas même intimidée par le «flagrant délit» ou presque, elle lui offrit de faire du café. Jovette refusa et lui dit d'un ton formel:

— Faut que j'te parle, Pauline, pis c'est urgent! Et pas ici! Tu t'habilles pis tu m'rejoins dans l'camp! Fais vite, ça presse!

— Mon Dieu! Minute! Le feu est pas pris! Laisse-moi ouvrir les yeux...

– Écoute, Pauline, c'est sérieux! Tu sais qu'on n'a pas d'temps à perdre! Et si les parents de Ti-Guy rentraient plus tôt que prévu?

– J'm'habille pis j'traverse, Jovette... J'laisse-tu mes valises ici?

– Non, à ta place, j'les prendrais! On sait jamais...

– Aie! Ça commence à être pesant! J'suis pas un bœuf, moi!

– J'vais t'les traverser, Pauline, lui dit Ti-Guy qui, après «sa passe» inespérée, n'était pas mécontent de la voir s'en aller. Sa chambre avait l'air d'un bordel, le parfum *cheap* de Pauline était imprégné jusque dans les tentures, il lui fallait «aérer» avant que ses parents surgissent.

– Bon, fais ça discrètement, Ti-Guy, lui recommanda Jovette. Faudrait pas qu'les voisins sachent qu'elle a passé la nuit ici.

– T'en fais pas, j'vais m'servir du *truck* de mon père. Personne va rien voir. Y fait d'plus en plus froid, y sont tous à côté d'leur poêle.

Assises l'une en face de l'autre, une tasse de thé à la main, Jovette regarda son amie et lui dit d'un ton mielleux:

– Pauline, j'ai fait tout c'que j'ai pu. J'ai cherché à gauche, à droite, mais Saint-Calixte, c'est pas Montréal, lui mentit-elle.

– Oui, j'sais. Ça veut dire que tu sais pas quoi faire avec moi, c'est ça, n'est-ce pas? J'm'attendais pas à c'que tu trouves, Jovette. T'en as assez fait comme ça! J'vais...

Et Pauline se mit à pleurer, ne sachant ce qu'elle allait faire. Jovette la consola et, d'une voix douce, lui murmura à l'oreille:

– Y reste une solution, Pauline. En attendant que Marcel revienne. Une seule solution. Pis, écoute-moi, promets-moi d'pas sauter...

Avant que Jovette ne poursuive, Pauline s'écria:

– Pas Sam, Jovette! Pas ça! Jamais j'm'abaisserais! Pis, après c'que j'ai fait... Si c'est ça qu't'as dans la tête, penses-y pas, Jovette!

– Sam est prêt à te reprendre, Pauline! Quand tu voudras!

Pauline resta bouche bée. Elle n'osait croire ce qu'elle venait d'entendre.

– Quoi? T'as fait ça? T'es allée l'supplier? Jovette! T'as pas fait ça?

– Je l'ai pas supplié, Pauline! Sam est au courant de c'qui t'arrive...

– Comment l'a-t-il appris? Par la lumière du Saint-Esprit?

– Non, par Piquet. C'est moi qui l'ai dit à Piquet, mais j'lui ai rien demandé. C'est de lui-même qu'y s'est rendu chez Sam, pis y'est revenu m'dire que si tu voulais, la porte de Sam était encore ouverte. Le temps de t'trouver une autre place ou que Marcel revienne te chercher. C'est ça que Sam a dit, Pauline! Pas un mot d'plus! Pas pour que ça r'commence, si tu comprends c'que j'veux dire... Pour te donner un coup d'main...

– J'peux pas retourner là, Jovette! Pas après c'que j'lui ai fait! Comprends-moi, c'est pas par caprice, mais ça s'fait pas! Pas là!

– Où, d'abord? Où penses-tu t'en aller, Pauline? Au diable vert? Avec vingt piastres dans ta sacoche? Pis, qui t'dit que ce sera pour longtemps?

Pauline était pensive, songeuse. Elle était plus que gênée à l'idée de se retrouver face à face avec lui. Puis, l'envie de le revoir... Mais le shack, la misère noire, la cuve, la chiotte... Et Piquet et la veuve! Ce n'était pas tant Sam qu'elle craignait de revoir, son cœur n'étant pas tout à fait mort pour lui. Mais l'entourage, l'atmosphère, la butte, le poêle à bois, le dictionnaire... C'était pour elle comme redescendre en enfer! Pas après le «palais», la belle vie entrevue et même la chambre de Ti-Guy. Pas après les disques de Judy Garland avec Marcel, ceux de Sinatra chez le fils Gaudrin. Pas après... tout ça? Mais Sam et son regard tendre, Sam et ses mains brûlantes... Et elle n'avait guère le choix. C'était le retour en arrière ou... le néant. Avec sa valise, ses sacs à poignées, ses boîtes de carton, vingt piastres, et l'hiver qui venait.

Chapitre 10

Jovette avait déposé Pauline sur la butte à quelques pieds du shack de Sam. Ce dernier, sans lui sourire, mais avec de la bonté dans les yeux, s'était chargé de rentrer ses valises pendant que son ex-amante, intimidée par le retour, s'emparait des boîtes provenant du magasin de Saint-Lin, étape de ses derniers beaux moments avec... Marcel. Jovette ne disait rien ou presque. Un mot par-ci, par-là, un sourire à l'ermite qui le lui rendait, puis, regardant Pauline, elle lui murmura: «Ça t'empêchera pas d'venir faire ton tour. Mon camp est toujours là et t'es ma seule amie, tu sais.» Pauline lui avait souri, lui avait dit: «Merci», et d'un pas maladroit, se rendit jusqu'au shack où Sam tenait la porte ouverte. Pauline entra, déposa ses affaires et, d'un coup d'œil, regarda la mansarde qui était dans un état pitoyable. Sam ayant remarqué sa moue, lui dit:

– J'sais qu'c'est à l'envers... J'ai rien fait sauf ma vaisselle à chaque jour. Pour le reste, c'était pas important.

– Ça va, j'vais remettre de l'ordre demain... murmura la fille.

– Y'a rien qui presse, pis t'es pas obligée, tu sais.

– Oui, j'sais, mais dans un réduit propre, on peut mieux respirer, répondit-elle en tassant les cintres pour accrocher ses nouvelles toilettes.

Sam avait remarqué la robe neuve mais ne commenta point. Tout ce qu'il trouva à lui dire, ce fut:

— Je sais que t'as connu mieux, Pauline, que ça doit pas être agréable de te retrouver dans l'shack, mais c'est tout c'que j'ai... Pis, comme ce sera pas pour longtemps...

Pauline le toisa du regard et lui demanda:

— Y'a-tu une date limite, Sam? Jovette m'en a pas parlé...

— Non, non, tant qu't'u voudras, mais comme j'disais, après c'que t'as connu, j'pense pas que tu veuilles moisir ici longtemps.

— Ça, j'le sais pas! J'espère que j'serai pas un embarras trop longtemps, mais j'vais faire mon possible pour pas trop déranger, c'te fois-là.

— C'est pas c'que j'ai voulu dire, Pauline.

Il avait préparé du thé, il avait mis dans une assiette des biscuits et des *cup cakes*. Puis, sur le sofa, le roman inachevé qu'elle avait oublié d'emporter. Pauline, constatant que l'accueil était courtois, gentil, lui dit:

— C'était pas nécessaire. J'aurais pu attendre le souper...

— Bah... au cas où t'aurais une fringale, j'ai pensé qu'une petite bouchée...

— Merci, c'est bien gentil, pis comme c'est pas chaud aujourd'hui, la tasse de thé va être appréciée.

Et comme de fait, la tasse de thé fut appréciée et les gâteaux aussi. Sans parler, sans trop le regarder, Pauline, mine de rien, avait vidé l'assiette en entier.

Son retour n'était pas passé inaperçu, il va sans dire. Dès que le camion de Jovette s'était engagé dans l'allée, la veuve, de sa fenêtre, avait dit à Piquet:

— Ça prend un front d'beu pour s'montrer la face icitte! Pis, à la voir, on dirait que c'est elle qui lui fait une faveur!

Moé qui pensais pas la r'voir de ma chienne de vie! Si l'diable m'aime, l'bon Dieu doit m'haïr pour me faire un affront pareil. Pis toé, t'es encore derrière ça, Piquet!

– J'ai juste fait la commission, moé! D'la part de Jovette, pas d'la Pauline! Pis j'pensais jamais qu'Sam la r'prendrait! Blâme-moé pas, la veuve! C'est pas d'ma faute si tout l'monde s'garroche sur moé pour des choses qui m'regardent pas! Pis, j'suis pas plus content d'la r'voir que toé, moé, batêche!

– Ben, après son *show off* avec Marcel, si a passe l'hiver icitte, a va voir que c'est pas pareil! Tu l'sais, Piquet? On gèle dans l'shack l'hiver! Même avec des bûches dans l'poêle! Le frette passe à travers des murs! A l'sait pas, mais des planches de bois, ça d'vient comme d'la glace! Le seul problème pour elle, c'est qu'la glace, ça fait pas fondre la graisse! Pis, c'est pas ça qui manque dans son derrière! Y'as-tu vu les bourrelets quand a s'est penchée? Ben, si c'est ça qui pogne avec les hommes astheure, ma grand'foi, j'aurai tout vu!

Avec ce que Sam avait dans le garde-manger, Pauline fit bouillir un macaroni au lait avec des croûtons de pain pour rendre la sauce plus épaisse. Et, comme dessert, d'autres *cup cakes* que Piquet avait sans doute achetés en vitesse au village. Sam, mal à l'aise, avait dit à Pauline:

– On mangera mieux demain, c'est fermé chez la Gaudrin.

– Oui, j'sais, c'est là que j'ai passé la nuit, Sam. Sans Ti-Guy pour me recueillir, j'couchais dehors.

– Ben, c'est un bon geste de sa part. Pas mauvais pour deux cennes, ce p'tit gars-là.

Mais Pauline souriait sans qu'il s'en rende compte. S'il avait fallu que Sam apprenne qu'elle avait dormi dans les bras de ce «bon» p'tit gars-là?

La soirée fut longue et pénible pour elle. Furetant dans son roman où était posé le signet, Pauline grelottait. Les bûches n'étaient pas nombreuses dans le poêle à bois. Concentré sur son dictionnaire, Sam lui parla à peine. Il savait qu'elle avait une «crotte» sur le cœur, mais pas pour lui, cette fois-là. Il ne lui parlait que par nécessité, s'enquérant parfois si elle désirait une couverture de laine ou une paire de bas pour se réchauffer les pieds.

– Non, ça va aller, c'est l'humidité qui m'fait frissonner.

Et Pauline revoyait le chalet de Marcel, la baignoire bleue, le grand lit confortable. Elle se voyait aussi à Montréal, sa robe neuve sur le dos, ses belles boucles d'oreilles… Mirage! La réalité était tout autre. Et sur son sofa, une robe de chambre sur le dos, une grosse «couverte» sur les pieds, elle se voyait comme dans le jeu des serpents et des échelles… à la case départ. Le cœur meurtri, la rage dans les veines! Parce que Marcel et ses «combines» était en tôle pour six mois. Et parce qu'elle ne savait pas ce qu'il avait fait pour mériter cela. Peine perdue, elle était à la merci de celui qui, une fois de plus, la sortait des broussailles. Non pas qu'elle en voulait à Sam, il avait toujours été bon pour elle. Non pas qu'elle le détestait, elle éprouvait encore des sentiments pour lui. Mais la «baraque», la lampe à l'huile, son avarice, la cuve de fer, voilà ce que Pauline ne voulait pas revivre. Et ce soir-là, ancrée dans ses déboires, elle pleurait en silence. Sur un oreiller où les larmes pleuvaient. Elle avait vite tourné le dos et, face contre mur, dans ses rêves les plus fous comme dans ses pensées les plus noires, elle s'endormit. Avant même que Sam éteigne et se déshabille sans pudeur devant elle.

Au petit déjeuner, passablement «copieux» pour elle, Pauline avait mangé deux œufs, cinq rôties avec de la mélasse, deux biscuits aux dattes et avait bu deux tasses de thé. Malgré les épreuves, l'estomac s'était vite remis en place, fallait-il croire. Sam s'était levé, avait mangé peu et, tout en se rasant, il avait dit à Pauline:

— Piquet va au village ce matin. Si t'as besoin de quelque chose...

— C'est pas l'mot! La *pantry* est vide, y reste à peine deux tranches de pain! Puis, s'emparant de son sac à main, elle prit le billet de vingt dollars et le tendit à Sam en lui disant:

— Tiens! Ça va aider pour la commande, j'vais m'sentir moins gênée...

— T'as pas à payer, Pauline. J'te l'ai jamais demandé...

— J'insiste, Sam! C'est plus comme avant! Pis, pour une fois qu'j'ai d'l'argent!

L'ermite, voyant qu'elle lui tendait le billet, s'en saisit, mais lui en remit la moitié de sa poche.

— Juste un dix, ça va faire, Pauline. T'es quand même pas pour tout payer.

La fille prit le billet, le mit dans sa sacoche et Sam, heureux de l'arrangement, put pour une fois glisser un billet dans son tronc d'arbre, au lieu d'en retirer à tour de bras. Puis, la regardant, il lui demanda:

— Qu'est-ce que tu veux dire par «c'est plus comme avant», Pauline?

— Ce que j'veux dire, c'est que j'veux être libre de faire c'qui m'plaît d'ici à c'que j'reparte. Ça veut dire aussi que toi pis moi, c'est chacun son matelas!

Sam, plus déçu que choqué, lui répéta sur le même ton:

— J't'ai pas demandé d'partager ma couchette, à c'que j'sache! Moi, tout c'que j'demande, c'est le ménage, les repas pis la vaisselle! Pis, rappelle-toi que j't'ai jamais rien demandé, Pauline! Moi, une servante, je l'oblige pas à me payer la traite! Tu comprends?

Elle resta bouche bée. Non pas parce qu'il jouait au mâle capable de se passer d'une femelle. Surtout d'elle! Mais parce que pour la première fois, il l'avait traitée de «servante» et non «d'invitée» comme avant.

Quelques jours s'écoulèrent et Sam la traitait bien, mais avec déférence. Elle avait remis de l'ordre dans le shack, lavé le plancher, débarrassé les fenêtres des toiles d'araignée. Tout compte fait, la cambuse était redevenue... respectable. Et le soir venu, Sam se lavait dans sa cuve, devant elle, alors qu'elle le faisait avec une certaine pudeur, couverte d'une serviette. Ils vivaient presque comme frère et sœur, et Sam, habitué à vivre seul, à contrôler ses pulsions, savait que c'était elle qui avait des «démangeaisons». Car Pauline, quoique jouant les indépendantes, se trémoussait parfois sur son sofa lorsque Sam, flambant nu, exhibait ses muscles, sa peau d'Indien et... le reste devant elle.

Décembre offrait ses premiers jours, les feuilles étaient toutes tombées et le vieil hibou, témoin de leurs premières ivresses, n'était plus dans les alentours. Et Pauline s'ennuyait! Depuis son retour chez l'ermite, elle n'avait eu aucune visite, pas même de Jovette qui, au village, gagnait sa croûte avec les quelques commis voyageurs de passage à l'hôtel. Et pas un signe de Ti-Guy, sans doute occupé au commerce de son père et, le soir venu, à faire la cour aux filles du village, après avoir honoré de son savoir-faire la femme du conseiller du maire. C'était donc le néant, la solitude, les journées sans fin avec Sam plongé dans son dictionnaire, et les quelques visites de Piquet qui, depuis son retour, était plus distant avec elle. Et Marcel était loin. De corps comme de cœur. Si loin et pour si longtemps que Pauline en faisait peu à peu son deuil. Et, comme l'avait prédit la veuve, il faisait de plus en plus froid dans le shack, malgré les bûches dans le poêle à bois et la couverte de laine qui réchauffait quelque peu... sa graisse.

Un soir de première neige, alors que le ciel avait englouti ses étoiles, Pauline, son dernier roman entre les mains, regardait Sam qui se lavait. De dos à elle, nu comme un ver, elle avait les yeux fixés sur ses mollets, ses aisselles et ses hanches. Se retournant brusquement, il fut surpris de constater qu'elle lui souriait. Il lui rendit son sourire, sauta dans sa longue «combine» et se rendit jusqu'à son lit. Ne tenant plus en place, prise de pulsions sauvages, elle lui demanda:
– Sam, je peux m'allonger à côté de toi?
Surpris, agréablement surpris, il lui répondit dans un murmure:
– Si tu veux, mais tu sais où ça peut conduire, Pauline... Tu avais pourtant dit...
Il n'eut pas le temps de terminer qu'elle était à ses côtés, chaude comme la bouilloire du matin, les fesses collées contre ses reins. Et elle se tortillait, bougeait, se rapprochait... Sam, qui n'attendait que ce moment, glissa sa main sur la poitrine ferme de Pauline. Et, sans ajouter un seul mot, ils firent l'amour comme la première fois. Bestialement! La chair en feu tous les deux! Et Sam eut la certitude que, malgré les volets clos, malgré le froid qui gelait tout écho, le cri perçant de Pauline avait fait frémir la veuve jusqu'aux os.

Et la liaison reprit de plus belle. Plus solide, plus impétueuse que la première fois. Se sentant captive, en cage dans la cabane avec le dur hiver qui s'annonçait, Pauline voulut, du moins, que les nuits soient chaudes et sensuelles. Elle s'était déshabituée de la radio, elle avait oublié les disques de Judy Garland, ceux de Sinatra; elle avait même oublié la baignoire bleue à force d'avoir les pieds gelés dans la cuve, eau tiède, sans ses huiles et sa mousse. Mais Sam, quoique amant dans toute la force du mot, ne la retenait pas liée à son lit comme la première fois. Il lui permettait de sortir, d'aller à l'hôtel si le cœur lui en disait, mais Pauline, emmitouflée dans sa robe de chenille, avait délaissé ces plaisirs qui, sans Marcel, n'avaient plus leur raison d'être. Un soir néanmoins, elle exprima le désir de se rendre chez Jovette. Sam ne s'y opposa pas et ce fut Piquet, dans sa bagnole mal chauffée, qui la conduisit au village pour la déposer derrière le garage.

Jovette était heureuse de la revoir. Une tasse de thé, des beignes, deux fauteuils, puis…

– T'en as mis du temps à venir, Pauline? J'craignais qu'tu sois malade.

– Non, fallait que j'm'habitue, pis fallait qu'j'oublie un peu…

– Pis, là, comment ça s'passe? Pas trop pénible, ton retour chez Sam?

– Ça l'a été! Entre nous deux, ç'a été aussi froid que dehors pour un bout d'temps, mais là, c'est revenu… J'ai repris ma place, si tu m'suis…

– Tu veux dire que toi pis lui…

– Oui, Jovette! À force de l'voir tourner pis m'demander chaque soir si j'voulais bien… j'ai fini par céder. Tu sais, j'suis pas faite en pierre, moi! Pis, Sam, si c'était pas d'son shack, comme homme, c'est encore mieux qu'Marcel!

– Eh ben! T'as pas niaisé longtemps, si j'comprends bien!

– Ben, tant qu'à être pognée là, aussi ben profiter de c'qui passe, non? Pis, avec le peu d'avoir qu'il a, j'dois admettre qu'y m'refuse rien. J'mange à ma faim, j'ai tout c'qu'y m'faut... Avec les moyens du bord, bien entendu, mais j'dirais qu'y fait tout pour pas que j'm'ennuie trop. Y'est même allé chez Gaudrin m'acheter des p'tits romans parce que j'avais plus rien à lire.

— C'est un bon gars, l'ermite! Dommage qu'y soit trois fois plus vieux qu'toi...

— Ben ça, ça change rien! Parce que sur le plan personnel, y peut en montrer à Marcel! Y pense pas rien qu'à lui, lui! Pis, y'a du souffle!

Jovette éclata d'un rire franc et Pauline, s'oubliant pour penser à elle, lui demanda:

— Pis toi, Jovette? Toujours dans tes sales draps? Tu sais c'que j'veux dire?

— Ben, ça s'tasse, Pauline! Y décolle malgré lui, le vieux salaud! Ça fait trois fois qu'y s'cogne le nez dans porte! J'la barre quand j'l'entends venir!

— Ça t'cause pas d'problèmes? Y t'fait pas crever d'faim?

— Y voudrait bien, mais avec les gars d'l'hôtel, j'arrive à joindre les deux bouts... Mais ça achève, Pauline! Mon calvaire achève! Parce qu'après les fêtes, j'pense ben partir pour Montréal.

Pauline resta bouche bée. De surprise, de stupeur et... d'envie.

— À Montréal? Toi? Comment tu peux faire ça?

— J'ai rencontré un commis voyageur, un maudit bon gars à qui j'ai raconté ma misère, sans lui parler du père, bien entendu. J'lui ai dit qu'mon rêve, c'était d'partir d'ici, pis là, y fait des mains et des pieds pour me trouver une *job* dans la fabrique de cigares Peg Top. Y'est même prêt à m'avancer l'argent pour me payer une chambre jusqu'à ma première paye, si ça marche.

– Une manufacture de cigares? Qu'est-ce que tu ferais comme travail?

– Ben, les rouler, c't'affaire! Ça s'apprend rapidement pis c'est assez payant.

– Oui, mais t'as pensé à ton père? T'as pas peur d'avoir du trouble si tu t'en vas, si tu l'plaques là?

– Aie! Depuis l'temps que j'veux sortir de ses pattes, le vieux cochon! Pis, j'suis majeure, Pauline! Penses-tu que j'vais lui demander sa bénédiction? Si ça marche avec le type, j'paque mes valises, pis j'me pousse en cachette s'il le faut! Mais, chose certaine, j'me sors du trou pas plus tard que c't'hiver!

– J'te l'souhaite, Jovette, mais j'ai peur de c'que ton père peut faire après…

– Rien, Pauline! Moins que rien! Y'aura plus l'choix que de s'fermer la gueule, parce que si j'entends parler d'lui, j'le dénonce au curé dans une lettre, pis j'en envoie d'autres pareilles au maire pis à la mère Gaudrin. J'vais l'menacer, Pauline! Ça va être à mon tour d'avoir le bon bout du bâton!

– Ah! Jovette, j'espère que ça va marcher… J'vais prier pour que ça marche… Avec tout c'que t'as enduré… L'écœurant! Faire ça à sa propre fille! Pis, y s'en tire à bon compte. Moi… J'aime autant pas parler, Jovette! Pis, à Montréal, ça va peut-être être la belle vie avec l'autre…

– Qui ça, l'autre?

– Ben, l'commis voyageur, c't'affaire! Y fait pas ça pour tes beaux yeux!

– Pauline! C'est pas mon *chum*! C'est juste un cli… j'veux dire un passant! Y'est marié, y'a des enfants! Non, c'gars-là veut m'aider, pas plus. Y'a encore du bon monde sur terre, pas juste des saletés comme mon père!

– Pis tu t'en irais quand, si ça marche?

– Janvier, au plus tard février, pis ça va marcher, Pauline! Compte sur moi!

Pauline était songeuse, triste, la mine basse.

– Qu'est-ce que t'as? T'es pas contente pour moi? lui demanda Jovette.

– Ben oui, voyons! C'est la plus belle chose qui peut pas t'arriver! Mais, moi... ça va être plate pour moi ici sans toi. T'es ma seule amie, Jovette, penses-y.

– T'en fais pas, on va s'écrire, Pauline. Pis j'vais t'inviter! Après l'hiver, y'a l'été, tu sais. On s'perdra pas d'vue, crains pas. Toi aussi, t'es ma seule amie, tu sais...

– Oui... jusqu'à c'que t'arrives en ville...

– Ben, tu m'connais mal, toi! J'suis une amie fidèle, Pauline! Pis, comme t'es la seule à être dans l'secret des dieux, penses-tu que j'vais t'laisser tomber comme ça? Pis j'suis pas encore partie! C'est pas demain que j'ramasse mes guenilles!

Pauline, rassurée, lui sourit et lui demanda:

– Tu peux m'reconduire à la butte, Jovette? Y fait noir, y commence à neiger...

– T'as pas demandé à Piquet de r'venir te chercher?

– Ben non, j'pensais...

– J'voudrais bien, Pauline, mais avec le père, le *truck,* j'le prends plus. C'est la première chose qu'y m'a enlevé depuis que j'lui barre ma porte.

– Ouais... ben là, j'suis mal prise... Faut que j'rentre...

– Attends! J'appelle Ti-Guy! J'suis sûre qu'y refusera pas!

Ti-Guy Gaudrin accepta de bon cœur de ramener Pauline jusqu'à la butte. Lorsqu'il vint la quérir au volant du camion de son père, Pauline faillit tomber à la renverse. Il était habillé comme une carte de mode, prêt à sortir, une eau de toilette de prix envahissait l'étroit compartiment.

— Aie! Pas mal *swell* à soir! T'allais sortir? J'te dérange, hein?

— Pantoute, Pauline. J'sors pas, j'reviens d'la ville.

— Quoi? T'es allé à Montréal? T'as fait ça aller-retour?

— Non, non, j'suis parti hier, pis j'suis rentré vers cinq heures.

— Dis donc, ça roule en grand, à c'que j'vois! Sors-tu avec Veronica Lake?

Le jeune homme éclata de rire puis, lui serrant la main, marmonna:

— Non, ce serait trop beau... J'suis l'chauffeur de Madeleine.

— Madeleine? C'est qui, ça? Une nouvelle? Pis t'es son chauffeur...

— Madeleine, c'est la femme du conseiller du maire, celle dont j't'ai parlé.

— Pas ta vieille de quarante-deux ans! Dis-moi pas qu't'es son amant!

— Un grand mot, Pauline... mais j'suis à son service de temps en temps...

— Pis c'est elle qui t'habille comme un acteur?

— Non, c'est moi, mais à Montréal, y'a des magasins qui sont pas piqués des vers... Cet habit d'soie-là, j'lai pris chez Mastercraft. Pis l'manteau d'gabardine, chez Eaton.

— Correct, mais ça prend du foin, Ti-Guy! C'est quand même pas ton père...

— J'travaille, Pauline Pinchaud! J'ai un salaire...

— Aie! À d'autres! Un salaire de crève-faim! Viens pas m'dire que c'est pas elle qui t'gâte, la bonne femme! Moi, ça m'dérange pas, j'trouve ça normal, mais ta mère se doute de rien?

– Toi pis tes questions! J't'en ai-tu demandé, moi, sur Marcel pis toi?

– Non, mais t'aurais pu l'faire, ça m'aurait pas gênée de t'répondre! Pis, t'as raison, c'est pas d'mes affaires! En autant qu't'en profites…

Le camion était sur la butte et Ti-Guy laissa descendre Pauline, pour ensuite reprendre la route du village. Seule dans le petit sentier de neige, Pauline était maussade. Elle était même jalouse. Le «p'tit» Gaudrin soigné aux «p'tits oignons» par une bonne femme de l'âge de sa mère! Et puis, ce qui l'avait le plus déçue, c'était que Ti-Guy, malgré le décolleté qui lui en mettait plein la vue, n'avait même pas tenté un geste ou une caresse. Elle s'était pourtant rapprochée, il l'avait ignorée. Les deux mains sur le volant, il l'avait ramenée jusqu'au pied de la butte, comme s'il s'était agi… de la veuve!

Le temps des fêtes était à quelques pas et les affaires allaient bon train chez Emma Gaudrin. Parce que c'était elle qui tenait beaucoup plus commerce que son mari qui, aux prises avec de l'angine, dormait plus souvent qu'il n'était derrière ses comptoirs. Et Ti-Guy, pas trop vaillant, choyé par sa mère tout comme par celle qu'il visitait l'après-midi, prenait à peine le temps d'étaler les marchandises et d'effectuer quelques livraisons pour plaire à certains clients. Sans parler de ses petits voyages éclair en ville avec la femme du conseiller du maire qui s'y rendait plus que souvent visiter son vieux père qu'elle aimait tant, selon ses dires. Le conseiller, son mari, petit pourceau avec des lunettes rondes sur le nez, ne se doutait guère que «sa dame» s'en donnait à cœur joie dans les bras du jeune homme, pendant qu'il préparait des réunions ou qu'il recevait les plaintes des citoyens de la municipalité pour une taxe trop élevée. Emma Gaudrin, les yeux beaucoup plus sur ses profits que sur son fils unique, était heureuse que ce dernier ait été choisi à titre de «chauffeur privé» pour une dame si distinguée. Une dame qui lui apprenait, au cours de leurs brèves randonnées, à bien parler, à mieux se présenter, pendant que le freluquet la comblait de ce que son pourceau de mari ne savait faire.

Sam, plus épris que jamais de sa Pauline adorée, sa «Minoune» retrouvée, n'avait pas voulu laisser passer Noël sans lui offrir un beau présent. Il s'était rendu chez la Gaudrin qui, mine de rien, ne lui laissa pas savoir qu'elle était au courant que la dodue jeune fille était de nouveau dans ses bonnes grâces. Mais elle en avait glissé un mot à Ti-Guy qui, ayant peine à le croire, avait forcé Jovette à lui avouer que Pauline et Sam partageaient le même lit. Sans en être blessé, bien au contraire, car il s'imaginait Pauline aux prises avec «le vieux», malheureuse, souhaitant sans doute ardemment se retrouver sous un corps jeune et beau. Un corps comme le sien! Même si ce corps, aussi jeune soit-il, se sentait fort «usagé» avec les ardeurs de Madeleine, la femme du conseiller du maire, sans parler des filles des fermiers qui se disputaient ses faveurs dans la boîte chauffée du camion de livraison.

La veuve et Piquet se rendirent à la messe de minuit malgré la bourrasque, mais Pauline et Sam restèrent dans le shack à l'abri du vent, de la neige et loin des chants traditionnels que le pourceau, conseiller du maire, entonnait de sa petite voix claire. Pour Pauline, c'était une nuit comme les autres. Plongée dans un roman, Sam dans son dictionnaire, ils avaient juste opté pour une veillée tardive afin de s'échanger des vœux. Pauline, dans ses pensées, était loin d'une veille de Noël comme elle en avait rêvé. Avec Marcel dans une boîte de nuit, parée de bijoux scintillants, comblée de cadeaux, dansant un *slow* sur une piste décorée de guirlandes.

Dans le shack, rien. Pas même un petit sapin ou la moindre babiole. Aux douze coups de minuit, Sam lui avait souhaité: «Joyeux Noël, Minoune» tout en lui offrant un présent enveloppé d'un papier orné de feuilles de houx, seul apparat symbolique de la fête existante. Pauline le déballa et y découvrit des pantoufles de laine roses garnies de deux gros pompons blancs. Tricotées à la main, selon madame Gaudrin, par des «artisans» de Québec. C'était sans doute pour impressionner l'ermite, car les pantoufles étaient l'œuvre d'une bonne grand-mère de Saint-Lin, tricot sans cesse à la main, en écoutant ses «programmes», après avoir épluché ses patates. Pauline fit mine d'être ravie, le remercia en l'embrassant, mais, quoique le présent fut de bon cœur, ce n'était guère le trèfle en or avec un diamant. Ils se couchèrent après avoir éteint la lampe et, seuls dans ce lit à l'étroit pour deux, ils firent l'amour comme d'autres se font la guerre. Avec les couvertures, les oreillers par terre, avec cette indécence que Pauline adorait, pendant que, tout près, on pouvait entendre la bagnole de Piquet qui revenait, le moteur qui s'éteignait, et la veuve qui lui criait: «Dépêche-toé pis rentre pas trop d'neige dans l'chalet! Pis tombe pas dans bière en rentrant! Faut r'mettre des bûches, y fait frette ici dedans!»

Janvier 1949, et l'hiver ne semblait pas vouloir être de tout repos pour les campagnards, surtout ceux qui, sur la butte, combattaient la neige, le froid et les intempéries soudaines. Pauline, rivée à son sofa, voyait le shack se calfeutrer par les lisières de glace entre les planches de bois. Le poêle avait beau cracher ses flammes, elle grelottait de tous ses membres dans cet isoloir qui la faisait se sentir comme dans un igloo du pôle Nord, malgré l'haleine chaude et la peau coriace de l'homme qui l'aimait. Piquet, de temps à autre, risquait ses pas, de la neige jusqu'aux genoux, pour leur laisser savoir qu'ils n'étaient pas seuls dans ce coin de terre congelé. La veuve, inconsolable depuis la mort de son chat, avait jeté son dévolu sur ses tricots, maille après maille, pour offrir des mitaines à son Piquet et un chaud foulard noir à Sam. Et ce, sans se soucier de Pauline qui aurait certes apprécié un châle ou un gilet. La veuve, terrée dans son chalet, le nez à l'abri des tempêtes, était absente de l'entourage. Invisible même. Car, du début de l'an nouveau jusqu'à ce que la marmotte sorte de son trou, elle ne mettait jamais un pied dehors. Elle n'ouvrait même plus ses rideaux et, à quoi bon, puisque de ses vitres givrées, elle n'aurait pu apercevoir «la grosse» et déblatérer sur son compte.

Pauline, prisonnière de ces lieux, plus morte que vive dans ce frimas qui la faisait tousser, retrouvait un peu de chaleur dans le lit de son amant, ou seule sur son sofa, son ourson de peluche entre les bras et du thé chaud à sa portée. En février, par une journée moins froide, sans neige soudaine ni tempête, Piquet s'était rendu au village. L'hiver, ses déplacements étaient plus rares et les courses ne se faisaient que deux ou trois fois par semaine, au gré des accalmies de Dame Nature. Il était venu s'enquérir auprès de Sam pour ses provisions et Pauline lui avait remis l'une de ces listes qui avaient fait blêmir l'ermite face au compte qu'il aurait à régler. Blêmir, certes, l'insécurité aidant, mais sans toutefois gémir, puisqu'il ne refusait rien à Pauline depuis qu'il était redevenu, en bonne et due forme, son amant.

De retour du village avec des sacs plein les bras pour le shack, Piquet avait dit à Pauline:

— Pendant qu'j'y pense, j'ai croisé la Jovette chez Gaudrin et elle aimerait te voir. C'est important, elle veut te voir au plus vite si t'en as l'temps!

Pauline avait regardé Sam qui avait froncé les sourcils. Il craignait que Jovette ait reçu des nouvelles de Marcel et que «sa» Pauline le quitte sur-le-champ si tel était le cas. Mais, comme Pauline ne semblait pas agitée mais plutôt triste, il lui dit:

— Tu peux y aller si tu veux... Si Piquet retourne au village...

Pauline regarda le voisin qui, baissant la tête, lui dit:

— J'sais pas... ma bagnole roule mal... Peut-être qu'après-midi, mais pas à soir... Moé, la noirceur...

— À moins qu'elle vienne veiller ici ce soir? suggéra Sam, inquiet de la savoir loin de lui et voulant être témoin de la rencontre.

— Ben, voyons donc! Dans l'noir pis avec la route glissante?

— Ti-Guy pourrait venir avec elle... Piquet pourrait leur suggérer...

— Non, j'irai la voir après-midi si Piquet retourne au village.

— J'veux ben t'emmener, Pauline, mais j'passerai pas des heures à t'attendre. La veuve aime pas que j'traîne à l'hôtel, pis...

— Ben, tu reviendras! Si c'est avant la noirceur, Jovette va m'ramener, sinon j'demanderai à Ti-Guy. Avec les commandes qu'on place au magasin d'son père, y m'refusera pas ce service.

Sam avait baissé la tête, ennuyé à l'idée de ne pas être là. Pauline, devinant son trouble, le rassura par ces mots:

– J'serai revenue avant souper! T'as pas à avoir la fale basse, Sam! J'repars pas, j'rends visite à une amie! Fais-moi confiance, maudit!

– J'ai rien dit, Pauline… T'as pas à t'emporter…

– Ben, arrête d'avoir toujours la tête entre les deux jambes! Pis arrête de prendre un air de chien battu! J'ai besoin d'air de temps en temps!

Sam ne répondit pas de peur de la mettre en colère. Et parce que Pauline le menait par le bout du nez depuis qu'il se tassait contre le mur chaque soir, dans ce lit pour un… à deux.

Piquet la conduisit jusqu'au village et la déposa chez Jovette en lui disant qu'il allait l'attendre dans le *back store* de chez Gaudrin en prenant une bière ou deux. Mais, «pas plus d'une heure» avait-il précisé à Pauline, sinon elle revenait par ses propres moyens ou par la bonne obligeance de Ti-Guy.

Pauline, heureuse de retrouver Jovette, accepta volontiers la tasse de thé qu'elle lui offrait. Puis, après avoir parlé du temps froid, de l'hiver qui n'en finissait pas, sans même lui demander de ses nouvelles, Jovette lui annonça:

– Je pars demain matin, Pauline! Fini le camp pis les visites… J'pars avec le commis voyageur. Tout est organisé, pis compte sur moi, j'reviendrai pas!

Pauline était sidérée sur sa chaise, l'anse de la tasse entre ses doigts dodus. Elle s'attendait au départ de Jovette, elle croyait même que la chose serait faite dès janvier. Mais là, de jour en jour, elle avait cru, elle avait espéré que son amie change d'idée. Non pas pour qu'elle soit à la merci de son monstre de père jusqu'à la fin des temps, mais pour ne pas être seule dans ce bled, sans confidente, sans amie… Une forme d'égoïsme dont elle se frappait la poitrine, lorsqu'elle songeait aux sévices dont Jovette était victime.

– Demain? Déjà? Là, tu m'prends par surprise, toi!

– Ben, tu trouves pas que j'ai assez attendu, Pauline? J'priais chaque soir pour l'avoir, la maudite *job*, pis là, c'est fait! On m'attend, Pauline! Le commis voyageur m'a même trouvé une chambre. J'ai prié, tu peux pas savoir comment, et pendant que j'priais, l'écœurant, tu sais de qui j'parle, venait encore en cachette! Encore hier soir, Pauline… Ben là, c'est fini! Enfin, j'décrisse!

– Y l'sait, Jovette? Y'est au courant? T'as pas peur…

– Oui, y l'sait! Pis, peur de quoi? De ses menaces? T'en fais pas, y'a ben plus peur de moi que j'ai peur de lui! Parce que si j'm'ouvre la trappe avant d'partir… Mais, j'le ferai pas! Pas pour sa réputation, le salaud! Après dix ans de tripotage, j'me gênerais pas! Mais c'est pour la famille que j'vais m'fermer la gueule! Pour ma mère, pour mes frères, parce que j'sais que si j'parle, c'est eux autres qui vont en souffrir. Pis, quand j'ai annoncé mon départ à ma mère, crois-moi, crois-moi pas, je l'ai vue faire son signe de croix. Comme si elle remerciait le bon Dieu de m'sortir de ses pattes! Pis, à soir, la porte barrée avec un cadenas! J'pars demain de bonne heure avec mon linge pis quelques affaires, pas plus. J'ai même assez d'argent pour payer ma chambre jusqu'à ma première paye! Enfin la ville! Enfin la liberté, Pauline! Pis, c'qui m'attend, ça pourra jamais être pire qu'icitte!

Pauline avait les larmes aux yeux. De joie et de peine à la fois. Heureuse que Jovette se délivre de ce «déchet» qui l'avait salie jusqu'à la dernière minute, et triste de perdre la seule amie, pour la sortir, parfois, de son mortel ennui.

– T'en fais pas, Pauline, j'vais t'écrire souvent, j't'oublie-rai pas comme ça… Pis, à l'été qui va venir, j'vais t'inviter, Pauline! Pour une semaine ou deux!

– Ben beau, mais j'suis pas tout à fait libre, moi… J'me suis, tu sais…

– Engagée? J'le sais! Mais Sam, c'est un homme qui comprend…

– Pis qui s'méfie, Jovette… Depuis Marcel pis mon retour, y'est quand même aux aguets. J'fais pas mal c'que j'veux avec lui, mais j'peux pas l'blâmer d'avoir l'œil ouvert. Chat échau-dé… tu sais, mais j'vais m'ennuyer d'toi, c'est pas possible…

– Pauline! Là, j'te trouve pas correcte! Arrête de dire des choses comme ça! Pense juste à c'qui m'arrivera plus, veux-tu? Peux-tu? Te rends-tu compte de c'qu'a été ma vie? Peux-tu penser à moi pis t'oublier juste un peu, Pauline?

Pauline, repentante, prise de remords, la regarda de ses yeux noirs trempés.

– Ah, Jovette! Si tu savais comme j'ai honte de moi! J'suis pas correcte, j'le sais… Excuse-moi, excuse-moi cent fois… J'devrais penser avant d'parler… Sam me l'dit bien souvent. J'ai pourtant l'cœur à la bonne place, mais avec ma tête de linotte…

– Bon, bon, ça va, n'en parlons plus, j'sais que c'est pas pour mal faire…

Pauline se jeta dans ses bras et, dans un ultime effort, séchant ses larmes, lui demanda:

– Tu vas m'écrire, hein, Jovette? Souvent, j'espère!

– Dès que j'serai installée, Pauline, pis toi, arrange-toi pas pour faire des bêtises. Laisse au moins passer l'hiver. Sam, c'est quand même pas un mauvais gars…

– Parlons pas d'moi, Jovette, pis inquiète-toi pas, j'ai encore toute ma tête. Pis là, faut que j'reparte. Piquet m'at-tend chez Gaudrin pour me ramener.

Les deux jeunes femmes s'étreignirent, Pauline pleurait, Jovette avait le cœur en morceaux, mais avant que Pauline ne reparte, son amie lui dit:

– Pis, si l'ermite ose mal me juger quand tu lui diras que j'pars, j'te permets d'lui dire tout c'que mon salaud d'père m'a fait. Sam l'admire tant qu'y pourrait être porté à me traiter d'ingrate, tu comprends? Dis-lui, Pauline, si ça vient sur le sujet, que mon père était un vicieux! Gêne-toi pas! Parce que j'sais qu'avec Sam, ça ira pas plus loin. Mais j'ai pas envie qu'y pense que j'pars pour faire la rue! Avec tout c'que mon père a pu lui dire de moi, tu comprends? Pis, comme Sam c'est la tombe… Alors, si jamais ça s'présente, dis-lui que Biron, son ami, le garagiste, était l'dernier des écœurants!

Pauline traversa en vitesse et retrouva Piquet qui terminait sa troisième bière. Juste à temps, juste avant qu'il ne reparte sans elle. Elle toisa Ti-Guy du regard qui, bien vêtu, revenait sûrement d'une «pause café» chez la femme du conseiller du maire. Mais cette fois, c'est elle qui l'ignora ou presque, lui rendant ainsi la monnaie de sa pièce. Et elle repartit avec Piquet qui «zigzaguait» parfois sur la route glacée. Le sommant d'être plus prudent, il lui répondit tristement: «C'est pas la bière, Pauline, et pis, c'est pas d'ma faute… Ma maladie rempire… Les tremblements d'la tête pis d'la main, ça m'descend jusque dans l'pied, batêche!»

Pauline rentra au shack, tel que promis, avant l'heure du souper. Sam avait fait chauffer la soupe et, sourire aux lèvres de la voir de retour, lui servit lui-même un bol chaud avec du pain croûté généreusement beurré. Puis, comme elle n'avait encore rien dit, il trancha le silence d'une question.

— Qu'est-ce qu'elle voulait, la Jovette? Rien de grave, j'espère?

— Non, quelque chose qui lui fait plaisir même si ça me fait de la peine. Elle quitte Saint-Calixte, elle s'en va vivre à Montréal où elle a trouvé une *job* dans une fabrique de cigares. C'est un commis voyageur qui lui a trouvé c'travail-là. Enfin, elle va être libre de faire c'qui lui plaira.

— Ben, j'trouve qu'elle était pas mal libre, ici. Son camp, son père qui la faisait vivre, pis les hommes... Ta soupe est assez chaude, Pauline?

— Qu'est-ce que tu veux dire par «les hommes», Sam?

— Pauline! Réveille! Tout l'monde sait au village qu'elle s'envoye en l'air avec tout c'qui passe! Tu l'sais? Même le p'tit Gaudrin...

— Pis? Tu la juges mal pour ça? Sans même savoir le fond de l'histoire?

— Ben... d'après Biron, c'est d'la mauvaise graine, sa fille. Moi, j'ai rien contre elle, j't'ai même dit que j'l'avais trouvée gentille, mais sa vie...

— T'as jamais pensé, Sam, toi qui s'instruis dans l'dictionnaire, qu'elle pouvait avoir une raison grave d'agir de la sorte?

— J'la condamne pas, Pauline, j'te dis juste c'qu'on dit au village...

— On dit ben des choses sur notre compte aussi, Sam!

— C'est pas pareil, pis ça, ça m'dérange pas... T'es pas à tous les hommes, toi.

— Elle non plus, tu sauras! Jovette, elle l'a pas choisie, c'te vie-là! Elle a pas l'choix, Sam! Pourquoi tu penses que son père l'a casée dans l'camp?

— Écoute, Pauline, on va pas s'pogner aux cheveux pour ça! J'ai pas l'goût d'entrer dans un débat, moi! Qu'est-ce que t'as, toi, depuis un bout d'temps?

– Rien! Rien d'pas pareil avec avant! C'est juste que des fois, tu parles sans rien savoir de c'qui s'passe! Comme Piquet pis la veuve!

– Pauline! Compare-moi pas à eux autres! Pis, viens pas m'dire que la Jovette, en ville, a va juste vivre de sa p'tite paye dans les cigares.

– Non, ça s'peut, Sam! Ça s'peut qu'a sorte avec le commis voyageur pis qu'a couche avec d'autres hommes, mais tu sauras, Sam Bourque, que le corps d'un étranger, c'est moins dégoûtant que la queue raide de son père!

Sam avait laissé tomber sa cuiller.

– Qu'est-ce que t'as dit? J'ai-tu mal compris, Pauline?

– Non, t'as bien compris, Sam! As-tu besoin d'un dessin en plus d'ça?

– Tu veux dire que le garagiste… Tu prétends que Biron…

– Oui, Sam, son propre père! Pis ça fait presque sept ans qu'ça dure! Jovette s'est toujours fermée pour pas qu'ça s're-tourne contre sa mère, mais ça fait depuis l'âge de quinze ou seize ans, dans l'camp, qu'elle est obligée de s'plier aux attaques de son père! Un écœurant d'la pire espèce!

Sam, éberlué, ne sachant plus que dire, marmonna:

– J'savais pas, Pauline… J'peux pas croire…

– Ben crois-le! Pis crois-le dur à part ça, parce que c'est pour ça qu'elle décrisse en ville! Pis c'est lui qui la forçait à s'rendre à l'hôtel pis à trouver des gars pour ensuite lui arra-cher son argent! Pis le p'tit Gaudrin, si c'est arrivé une fois ou deux avec lui, c'était pour se protéger de son salaud d'père qui serait venu cogner à sa porte. Comprends-tu, maintenant? Il devrait être arrêté pis fouetté en plein village pour avoir fait ça à sa fille, mais elle a jamais dit un mot à personne. Pas même au curé par respect pour sa mère pis ses frères. Pis sa mère savait c'qui s'passait, Sam! Elle a essayé une fois d'en parler à son écœurant d'mari, mais elle a écopé d'une tape en pleine face! C'est ça, Biron, ton ami l'garagiste!

Sam ne savait plus que dire. Il était sous l'effet du choc. Biron, toujours affable, gentil, poli, qui lui faisait sauver des sous sur ses outils et ses clous. Pauline, calmée, le regarda et ajouta:

– C'était son plus profond secret, Sam. Un jour, désespérée, écœurée, elle me l'a confié pis m'a fait jurer d'jamais en parler. Mais là, juste avant le jour du départ, elle m'a dit de t'mettre au courant si tu faisais la plus petite remarque sur elle. Exactement comme tu l'as fait!

– J'savais pas, Pauline… Si j'avais su, j'l'aurais pas mal jugée… Comme j'peux pas m'excuser à elle, c'est à toi que j'm'excuse d'avoir pensé d'la sorte.

Il était sincère, confus, mal à l'aise. Sam Bourque, malgré sa vie quelque peu marginale avec une fille de vingt et un ans, était un homme intègre, honnête. Pour lui, les voleurs, les malfaiteurs, les violeurs, il n'acceptait pas cela. Encore moins les incestueux, ceux qui s'en prenaient à leurs enfants. Même si c'était assez courant et que la loi fermait souvent les yeux sur les cas de la sorte. Ne sachant quoi ajouter, il murmura:

– Ben, avant que j'retourne chez Biron, les poules vont avoir des dents, Pauline. Quitte à payer plus cher chez Gaudrin, moi, un père comme ça, j'suis pas capable…

– Non, Sam, c'est justement c'qu'y faut pas faire! s'écria Pauline. Jovette m'a permis de te l'dire parce qu'elle sait qu'avec toi, ça ira pas plus loin. Faut surtout pas faire ça, Sam! C'est la famille qui va en souffrir! Faut faire comme si j't'avais rien dit! C'est ça que Jovette m'a demandé de te dire.

– J'serai plus capable de le regarder dans les yeux, Pauline!

– Ben... fais d'ton mieux, vas-y moins souvent, mais arrange-toi pas pour qu'y s'doute qu'elle a parlé. Là, Jovette est délivrée, elle s'en va pis elle reviendra plus. Mais y'a sa mère pis ses p'tits frères...

– Sa pauvre mère! Elle qui ne parle jamais... Ça lui fait pas d'peine de voir sa seule fille partir pour la grande ville?

– Sans doute, mais n'empêche que quand Jovette lui a appris, la mère Biron a échappé un soupir de soulagement, pis elle a fait son signe de croix.

Quelques jours plus tard, c'était au tour de la veuve de frapper à la porte du shack. La tuque jusqu'aux oreilles, le manteau de poil sur le dos, ses bottes aux pieds, elle se sentit très mal à l'aise devant Pauline qui lui ouvrit.

– Excuse-moé, j'veux pas déranger, mais faut que j'parle à Sam, c'est important.

Comme elle grelottait dans les marches de la cabane, Pauline l'invita à entrer. Sam, qui était levé depuis peu, avait à peine eu le temps d'enfiler son pantalon et, malgré son désarroi, la veuve avait certes remarqué que le sofa n'était pas défait et que le matelas du lit de Sam creusait d'un côté par le poids... de la belle.

– Prendrais-tu un café? lui demanda poliment Pauline.

– Non, merci, c'est fait. Sam, faut que j'te parle, c'est grave...

– Qu'est-ce qu'il y a, Charlotte? Piquet est pas malade au lit, j'espère?

– Non, mais ça va venir, sa maladie rempire de jour en jour. C'que j'veux t'dire, Sam, c'est que Piquet est plus en mesure de chauffer son char. Il tremble de plus en plus et même ses pieds gigotent, astheure! C'est risqué pour les accidents! Pis y l'sait!

— Oui, y m'en a même parlé y'a pas longtemps... glissa Pauline.

La veuve, l'ignorant, ne regardant que Sam ou presque, poursuivit:

— Ça veut dire qu'on va être mal pris sur la butte, nous autres, tu comprends? Moé, j'conduis pas, toé non plus... Qui c'est qui va aller au village? Comment on va faire, Sam? On n'a pas l'téléphone pis c'est pas Ti-Guy qui va venir chaque matin pour savoir c'qu'on a besoin.

— Ouais... c'est vrai que ça pose un problème...

— Tu pourrais peut-être t'en charger, Sam? lui suggéra Pauline.

— Voyons donc! J'ai jamais chauffé d'ma vie!

La veuve qui semblait pressée de repartir ajouta d'un seul trait:

— Ben, faut trouver une solution, Sam! Parce que si c'est pour être comme ça, pris dans la froidure sur la butte sans moyens d'provisions, ben moé, j'vends l'chalet pis j'vas m'installer au village. Faut quand même pas être réduits à vivre comme les sauvages pis manger des branches d'arbre!

Sur ces mots, la veuve se leva, salua Pauline de la tête et passa la porte.

Restée seule avec Sam, Pauline lui dit d'un ton fougueux:

— Elle a raison, la veuve! On peut quand même pas aller à pied chez Gaudrin, Sam!

— J'le sais! Tu vois pas que j'me gratte la tête?

— T'as pas à t'la gratter, Sam! Prends la relève, prends sa place...

— J't'ai dit qu'j'avais jamais chauffé d'ma vie! Pis à mon âge...

– Ben, à ton âge, si t'es encore bon pour la couchette, Sam Bourque, t'es encore assez bon pour chauffer un char!

– J'connais rien à la mécanique… Pis sa vieille bagnole…

Pauline, furieuse, le toisa du regard pour ajouter dans une quasi-colère:

– Ben, tu t'débrouilleras! Grouille! Ça s'apprend!

Et c'est ainsi qu'après trois ou quatre leçons de conduite de la part de Piquet qui tremblait, Sam Bourque put se rendre au village dans la bagnole pour faire les emplettes. Et le plus souvent avec Pauline à ses côtés qui pouvait, dès lors, s'étirer le bras plus loin sur les tablettes. Sam était nerveux au volant de la voiture. Il avait peur qu'elle étouffe en chemin par les jours de «frette noir». Il roulait prudemment, mais comme peu de gens circulaient sur cette route en hiver, les risques d'accident étaient minces. Et, à force de le voir manœuvrer les pédales et le volant, Pauline finit par apprendre elle aussi à conduire la bagnole. Avec Sam à ses côtés pour lui enseigner ce qu'il avait appris. Puis, seule un certain jour, assez sûre d'elle-même pour l'aller-retour. Et ce, sans permis de conduire pour l'instant. La bagnole ne se rendait jamais plus loin que de la butte à chez Gaudrin. Pauline rapportait le strict nécessaire commandé par la veuve, et de moins en moins de bière pour Piquet qui léchait ses goulots de bouteille. Mais, elle, ne se privait de rien, la grosse main remplie de friandises, creusant de plus en plus dans les économies de Sam, pendant que la veuve et Piquet épargnaient. Mais, si les rôles étaient inversés, c'était encore Piquet qui défrayait le coût de l'essence et qui s'occupait maladroitement de la mécanique du vieux tacot qui tenait par un fil. Et d'un jour à l'autre, c'était maintenant Pauline qui s'était chargée des courses à faire. Sam restait au shack et fendait son bois. Pauline

Pinchaud avait pris le contrôle de la butte et, peu à peu, celui des «affaires». C'était maintenant elle qui, de ses gros doigts, sortait les piastres du tronc d'arbre. Et ce, au grand désespoir de Sam qui voyait son argent fondre… avant la glace des fentes du shack.

Février fit sauter janvier du calendrier. Le mois le plus court… et le plus long sur la butte. L'hiver avait fait ses ravages, mais comme la veuve disait: «On est loin d'en avoir vu la fin! Ça dure jusqu'en avril, par icitte!» Et, face à l'ennui, Pauline mangeait au fur et à mesure tout ce qu'elle achetait. Elle mangeait… outre mesure. Et Sam, découragé de voir filer ses piastres, lui dit un bon matin:

– Pauline! Tu t'bourres trop! Si ça continue, tu passeras plus dans' porte, ou tu vas t'rendre malade!

Ce à quoi la plus que dodue jeune femme répondit:

– Ben, quand j'repartirai, si j'passe plus dans porte, Sam Bourque, t'auras qu'à défoncer un mur du shack! C'est quand même pas en plein hiver que j'vais m'priver! J'ai besoin d'viande pis d'patates, moi!

– Si c'était qu'ça, Pauline! Mais le sucre, les *cup cakes* pis les gâteaux…

– Vas-tu m'reprocher d'manger à ma faim, astheure? T'aimerais mieux que j'sois prête à casser en deux comme la veuve, Sam? C'est pourtant pas c'que tu m'dis dans l'creux du lit!

Sam Bourque resta bouche bée. Il était vrai que plus la fille était en chair… Mais sa prédiction ne s'avéra pas vaine. Pauline tomba malade. Depuis quelques jours, elle ressentait des brûlures d'estomac, elle ne digérait plus, elle rendait à peu près tout ce qu'elle mangeait. Les sucreries surtout. La voyant dans ce piètre état, Sam lui dit d'un ton compatissant:

– C'est ton foie, Pauline… Vient un temps où la vésicule biliaire…

Elle l'interrompit brusquement.

– Tiens! T'as encore lu ça dans l'dictionnaire, toi? J'suppose qu'y'a des pages qui t'apprennent la médecine, là-dedans?

– Non, mais à ta place, j'irais voir le docteur du village, Pauline.

Pauline rentra de ses courses au village avec quelques sacs seulement, l'air un peu maussade. C'était le lundi 7 février 1949, jour frisquet de ce mois qui s'avérait… une éternité. Sam, ayant pelleté la neige entre le chalet de Piquet et le shack, faisait sécher ses mitaines au-dessus du poêle sur une petite corde installée pour les menus articles, la poutre servant aux draps et aux longues «combinaisons» de l'ermite. L'aidant à se débarrasser de son manteau et de ses bottes, il remarqua que sa dulcinée avait le «caquet» bas.

– Qu'est-ce qu'il y a? Ça file pas encore, aujourd'hui?

– Si on veut, mais c'est pas mon foie, Sam. J'ai vu le docteur du village.

– Pis? Qu'est-ce qu'y t'a dit?

– Ben, c'est ben simple, j'suis en famille, Sam! J'attends un p'tit!

L'ermite faillit tomber à la renverse. La regardant les yeux hagards, sans le moindre sourire, Pauline, devinant son trouble, lui demanda:

– T'es pas content? Ça fait pas ton affaire? Fallait faire attention, Sam!

– J'ai pas dit ça, Pauline. C'est la surprise… J'm'attendais pas…

– Moi non plus, figure-toi donc! Mais j'suis normale pis en âge d'avoir une marmaille! Pis, toi, à c'que j'vois, t'es encore capable…

Sam était décontenancé. Jamais il n'avait songé qu'un jour… Et pourtant, «procréation», c'était un mot du dictionnaire. Elle semblait triste, songeuse, quelque peu mal à l'aise. Sam regardait dehors, tournait en rond…

– Imagine c'qu'on va dire au village, Sam! J'entends déjà les mauvaises langues…

– Laisse faire ça, Pauline, c'est pas l'temps. T'es d'combien d'mois?

– Heu… deux, presque trois, j'sais pas, mais ce sera pour le mois d'août, j'pense.

– Juste une question, Pauline, une seule, pis j'veux pas t'insulter, mais faut que j'sache…

– Vas-y, pose-la!

– Ce p'tit-là, c'est-tu d'moi, Pauline? C'est pas de quelqu'un d'autre?

– Sam! De toi, c't'affaire! Qui d'autre? Si tu penses à Marcel, oublie ça, j'ai eu mes règles après son départ.

– Bon, dans c'cas-là, on va s'arranger avec ça, Pauline. Tu vas l'avoir, on va l'élever, pis ça va nous rapprocher encore plus, tu penses pas?

Pauline n'avait pas répondu. Ayant affirmé sur une présomption que l'enfant était de lui, elle n'en était guère certaine. Car, remontant l'horloge du temps, elle avait couché avec Marcel, avec Ti-Guy, et avec Sam dans la phase la plus «dangereuse» pour concevoir un enfant. Et, contrairement à ses dires, Pauline Pinchaud n'avait pas eu de menstruations… depuis. Sans le dire à Sam qui, lui, ne s'en rendit pas compte, et sans s'inquiéter outre mesure, croyant que la nervosité pouvait en être la cause. L'enfant qui s'annonçait pouvait fort bien être celui de l'ermite, de Marcel ou du jeune Gaudrin. Mais lequel? Et c'est pourquoi Pauline avait préféré opter pour Sam. Elle vivait avec lui, elle était à sa charge et elle savait qu'il ne l'abandonnerait pas. De plus, en toute âme et conscience, l'enfant pouvait être de lui. Mais, sans nouvelles de Marcel, Ti-Guy à qui elle n'osait même pas songer, Pauline ne voulait pas perdre sa seule chance. Ce petit dans son ventre se devait d'être celui de Sam. Et lui, rassuré sur Marcel, sans ne rien savoir de ses relations sexuelles avec Ti-Guy, lui avait dit:

– T'en fais pas, Minoune, on va l'aimer, ce p'tit-là!

Chapitre 11

Le mois de mars allait s'avérer froid et sans merci pour les séquestrés de la butte. Pauline avait enfin reçu sa première lettre de Jovette. Une lettre qui s'était fait attendre et qu'elle avait décachetée en se disant: «Loin des yeux, loin du cœur...» C'était Ti-Guy qui la lui avait livrée en même temps que le courrier de la veuve. De bon cœur, pour rendre service, mais aussi pour voir Pauline qu'il n'avait pas entrevue depuis quelques semaines au magasin de sa mère. Parce que depuis qu'elle était enceinte, Pauline avait fréquemment des nausées, ce qui risquait de la compromettre si elle se rendait au village et que certaines clientes décelaient quoi que ce soit. C'était donc Sam, malgré sa peur de la route et du tacot de Piquet, qui s'y était rendu tous les deux jours pour les denrées périssables. Ti-Guy, en lui remettant la lettre de Jovette, n'avait pas remarqué que Pauline était plus pâle que d'habitude et qu'elle pouvait peut-être porter un enfant. Dans sa robe de chenille ample, avec ses rondeurs déjà établies, ce n'était pas demain la veille qu'on allait se rendre compte de son état. Mais Pauline, isolée, recluse, tourmentée, avait été ravie de revoir le jeune homme avec ses grands yeux bleus et sa carrure de «lutteur» en herbe. Et puis, cette désinvolture qui, chez lui, lui plaisait. Seule, accablée par son entourage d'un «certain âge», revoir Ti-Guy, c'était, pour elle, prendre un bain de jeunesse. Elle l'aurait volontiers gardé tout contre elle, elle l'aurait même emprisonné pour qu'il ne quitte pas le shack, mais le jeune Gaudrin, message livré, salua Sam, fit un clin d'œil «crasse» à Pauline et regagna son camion de sa démarche leste et sensuelle, sachant fort bien que, de sa fenêtre où un coin de givre avait été gratté, Pauline le regardait.

Pauline déplia la lettre écrite à la mine de crayon et put lire, puisque Jovette s'était appliquée:

Chère Pauline,

Je suis rendue en ville. J'ai un bon travail et ça paye bien. Il fait frette icitte aussi, mais c'est moins pire qu'en campagne. J'ai des amies, on sort beaucoup, il y a du plaisir en masse dans les clubs. Puis j'ai trouver un logement pas grand mais avec trois pièces pis un salon sur la rue Parthenais. Je profite de ma lettre pour donner mon adresse. J'ai pas de nouvelles de personne même pas de ma mère mais ça fait rien. Je suis libre et délivrée. Tu sais de qui je parle. À Montréal, j'ai pas de chum. C'est fini pour moi les hommes, j'en veut plus un dans ma vie et ça me lève le cœur juste à y pensé. Je ramasse mon argent et j'ai un compte dans une banque. Je manque de rien, je suis bien. J'espère que tu es pas mal prise sur la butte et que ça marche comme tu veux. Avec Sam tu peux pas trouvé mieux. J'ai pas eu de nouvelles de Marcel. Je l'ai même pas chercher. Il dois être encore en prison et si j'entend parler de lui, je te ferai signe.

Donne-moi de tes nouvelles Pauline et puis excuse les fautes. J'ai faite relire ma lettre par une amie mais je pense quelle est pas plus instruite que moi dans la grammère. Je vais t'écrire encore, tu es toujours ma meilleure amie. Et je te laisse mon

*numéro de téléphone si tu peux faire un longue distance de l'hô-
tel. C'est le PLATEAU 5587. Mon amitié à toi et à Sam aussi.*

Ton amie Jovette

C'était bref, plus qu'ordinaire, et Pauline se demandait si
Jovette n'avait pas écrit sa lettre que par politesse. Elle était
certes plus loquace en paroles qu'en écriture, mais quand
même… Pauline ne s'attendait pas à des phrases comme
celles de ses petits romans, mais elle avait espéré, fautes
incluses, quelque émotion, un tantinet de sentiment. Pas une
lettre comme une personne qui change tout simplement
d'adresse. Elle se promettait bien de la semoncer, de lui dire
qu'elle avait été déçue, quitte à prendre le dictionnaire de
Sam pour ne pas faire trop de fautes. Et, sans prétention,
Pauline, avec son peu d'instruction, était certaine qu'elle
s'exprimait plus aisément que Jovette Biron. Voyant qu'elle
semblait songeuse, Sam la questionna:

– Pis, ça s'passe bien pour elle?

– Ouais… elle travaille, elle a un logement, elle met de
l'argent de côté…

– Ben, ça, j'suis pour ça! Un p'tit coussin, ça protège des
ennuis.

– On sait bien! Avec toi, Sam, l'économie, ça fait partie
d'la religion!

– Tiens! Pas de bonne humeur, à matin? Levée du mauvais pied, ou si c'est la lettre qui t'a changé l'caractère? Tu
m'la fais pas lire, hein? La Jovette te parle sans doute de
Marcel MARDE, non?

– Aie! C'était drôle la première fois, Sam Bourque! Là, en
perroquet, ça fait moins rire! Pis elle me parle pas d'lui, elle
l'a même pas cherché. D'après elle, y'est encore en prison…

327

– C'est ça qui t'agace, Pauline? T'aurais voulu qu'elle le retrouve?

– Non, pas vrai! C'est sa lettre plate qui m'agace, pis toi aussi, Sam!

Et, prise de nausées, Pauline courut jusqu'à la cuve. La voyant dans ce piètre état, Sam lui épongea le front d'une débarbouillette et lui dit:

– Excuse-moi, Pauline, j'voulais pas provoquer ça. Des fois, j'oublie, mais… ça dure-tu longtemps, des maux de cœur comme ça?

– J'sais-tu, moi? J'ai jamais eu d'enfants! Fouille dans ton dictionnaire, Sam!

Sur le plan intime, les choses se gâtaient. Depuis qu'elle était enceinte et plus le temps avançait, Pauline avait tendance à repousser l'ermite dans ses avances. Une ou deux fois seulement et… promptement. Mais là, dans son quatrième mois, elle se faisait de plus en plus lointaine… «écrasée» seule sur son sofa.

– Pauline, j'te comprends pas… C'est pas parce que t'attends un p'tit…

– Écoute, Sam, j'suis en famille! Tu devrais au moins avoir du respect pour l'enfant que j'porte! C'est l'tien aussi, tu sais! Tu pourrais t'retenir!

– Ben, voyons donc! Le fait d'attendre un enfant, c'est pas un empêchement, Pauline! Au contraire, ça devrait être…

– Dis rien d'plus, ça m'tente pas! Pis moi, j'trouve que c'est pas normal de faire ça avec un p'tit dans l'ventre! Un bébé, Sam, c'est pas un bol de toilette! Pis… tu risques de l'étouffer avec ton poids!

– Ben, ça, c'est l'boutte du boutte! J'me rappelle de Tobie pis d'sa femme. Au septième mois, grosse comme c'était pas possible, ils faisaient encore l'amour.

— La femme de Tobie pis moi, c'est deux! Pis Tobie, c'est pas toi! Quand une femme est dans sa grossesse, ça s'respecte, Sam! Sinon, c'est du vice!

— Ben, là, j'aurai tout entendu! Tu veux dire que t'aimer, c'est du vice parce que tu portes un p'tit? T'as pas lu grand-chose sur le sujet, toi!

— Toi non plus, Sam Bourque! Une femme enceinte, ça s'pénètre pas! C'est un salissage pour elle comme pour le bébé dans son ventre!

— Écoute, Pauline, on partira pas une chicane pour ça, mais t'oublies que j'ai déjà été marié pis que Clarisse, enceinte…

— Oui, tu peux en parler d'ta Clarisse! J'ai rien contre elle, Dieu ait son âme, mais c'est peut-être pour ça qu'elle l'a perdu, son p'tit! Pis, c'est peut-être de ta faute, Sam! Si tu l'avais laissée tranquille…

— Bon, ça sert à rien, on ira pas plus loin, mais à c'que j'vois, j'en ai pour un bout d'temps avant d'profiter des plaisirs permis, moi!

— Ben, si ça t'chicote trop l'nombril, Sam Bourque, t'as juste à t'rendre chez la veuve! Si ç'a marché pendant dix ans… Pis la vieille souris dirait pas non! Avec ses yeux mesquins toujours fixés au bon endroit…

— Pauline! Ça va faire! Là, tu vas vraiment trop loin! Tu sais plus c'que tu dis, maudit!

Se rendant compte qu'il était en colère, Pauline se mit à pleurer et s'excusa de son comportement en lui disant que c'était provoqué par sa grossesse. Sam la prit dans ses bras, sécha ses larmes de son doigt-fesses, et lui dit tendrement:

— Non, c'est à moi de m'excuser, Pauline. J'vais tenter de t'comprendre…

Et dans ses pleurs entrecoupés de hoquets, elle ajouta:

– Et pis on peut faire ben d'autres choses sans faire ça, Sam…

Dès cet instant, et d'un commun accord, les pulsions fortes de l'un comme les désirs charnels de l'autre n'allaient être que… manuels.

Et Sam qui, au début, n'était pas fou de joie à l'idée d'être père, commençait peu à peu à envisager ce rôle avec sérieux. Il avait eu sa part de craintes, l'effroi de vivre ce dont, de justesse, il avait été épargné jadis. Lui qui, à soixante ans, croyait avoir trouvé le repos du guerrier. Lui qui, sans argent, sauf de petites économies, comptait finir ses jours en grattant ses fonds de tiroir. Lui et son «tronc d'arbre», le terme qu'il utilisait pour ne pas divulguer que son avoir était dans un petit coffre de métal attaché aux ressorts de son matelas. Une cachette discrète que Pauline l'avait forcé à dévoiler le jour où elle avait décidé de s'occuper des emplettes. Elle y avait pigé à profusion, mais là, rendue pas loin du fond, avec l'enfant qui s'annonçait, elle puisait, de sa main dodue et avec précaution, que les billets pour le strict nécessaire. Sam lui avait dit, la mort dans l'âme: «C'est tout c'qui m'reste, Pauline… ou presque.» Et ce «presque», c'était des bons de la Victoire, placés pour encore dix-huit mois avant de pouvoir les encaisser. Quelque deux mille dollars selon lui, peut-être un peu plus avec les intérêts accumulés. Mais c'était là tout son avoir et Pauline, souffrant d'insécurité, lui avait murmuré:

– Qu'est-ce qu'on va faire jusque-là, Sam? On résistera pas…

– J'vais travailler, Pauline, j'vais retourner gagner ma pitance.

– Oui, mais où et comment? Ici? Qu'est-ce que tu pourrais faire?

– T'en fais pas, des grands ménages, de la peinture, du bricolage. On a toujours besoin d'un homme de main au village. Pis, si ça marche pas, j'vais retourner *shiner* des souliers! C'est pas un gros investissement, tu sais!

– Ton ancienne *job*? T'es pas à Montréal, ici… Pis, l'barbier arrive à peine…

– Pas là, Pauline, à l'hôtel! C'est là que s'tiennent les commis voyageurs pis ceux qui ont des cennes à dépenser. Avec un coup dans l'corps, y vont pas s'faire prier pour avoir des souliers bien *shinés* avant d'aller danser.

– T'irais jusque-là? Sais-tu que t'as du cœur au ventre, toi?

– Quoi! T'en doutais, Pauline? Pis, t'en fais pas, le p'tit crèvera pas d'faim! Pis à part ça, y manquera de rien! Fie-toi sur moi!

– Tu penses pas qu'à Montréal, ce serait…

Sam fronça les sourcils et lui répondit d'un ton ferme:

– Ça, jamais, Pauline! Jamais j'retournerai là! C'est ici ma vie, pis c'est ici que sera la vie du p'tit! En pleine nature avec un lac, pas dans les ruelles!

– On peut pas élever un enfant ici, Sam! Un shack, c'est pas une maison… On n'a pas d'place, pas d'électricité, pas d'eau courante… C'est la misère, ici! Le p'tit s'en plaindra pas, c'est sûr, mais moi, j'le prendrai pas!

– Écoute, Pauline, j'vais l'agrandir, le shack… J'vais trouver du bois pas cher, j'vais faire une chambre de plus… Pis, quand j'aurai encaissé mes bonds, on aura l'électricité, l'eau courante pis une chambre de toilette.

– Même avec ça, Sam! Un autre hiver ici, pis j'meurs de froid, cette fois! Pis l'p'tit avec! C'est pas humain de geler comme ça! Ça traverse de bord en bord!

– J'vais calfeutrer, Pauline! Avec d'la grosse ouate rose pis du carton! Pis j'vais couvrir le shack en papier-brique!

Fais-moi confiance, j'vais en faire un chalet, du shack, ça va être confortable. T'auras même la radio… Mais partir, penses-y pas! Moi, c'est ici que j'veux mourir! Après, tu feras c'que tu voudras! Mais comme tu vois, j'suis prêt à tout pour qu'on soit plus à l'aise… Jusqu'à ma dernière cenne, Pauline!

Il avait le regard tendre, rempli d'amour pour elle et l'enfant qui venait. Émue, elle se sentit très mal à l'aise. Mal dans sa peau parce que fautive. Il était prêt à tout et, elle, lui tenant tête, en avait des remords de conscience. Parce qu'elle ne savait pas si cet enfant était vraiment… de lui.

Le soir venu, près du poêle où flambaient les bûches, il la regardait avec une infinie tendresse. Et elle le regardait avec un infini respect. Parce que Sam Bourque, brave Samaritain, consentait à tout faire pour que l'enfant ne manque de rien. Et ce, à l'âge où l'on aspire au doux repos, à l'âge de l'accalmie qu'elle avait, de sa présence, entravée. C'était parce qu'il était bon qu'elle l'aimait. C'était parce qu'il ne vivait que pour elle qu'elle l'aimait. Elle, rejetée de tous depuis sa dure enfance. Et Sam Bourque, au corps solide comme le roc, aux bras d'acier comme les lutteurs, l'avait aimée comme aucun homme ne l'avait aimée. Avec passion. Avec une violence du cœur comme du bas-ventre… inouïe. Avec ce qu'elle voulait d'un homme dans son lit! Et ce, malgré ses rondeurs, ses bourrelets, sa sueur et son sale caractère. Et elle l'aimait, cet homme jadis beau, encore très attirant, malgré ses fausses dents qui trempaient dans la tasse verte.

Le regardant se laver dans la cuve, corps de bronze même en hiver, elle ne put résister à la tentation de palper. Non pas pour le rassurer, non pas pour le décontracter, mais parce que Pauline, bébé au creux du ventre, avait encore des pulsions au creux de ses mains grassouillettes et au bout de ses doigts potelés. Sam, conquis par le geste aussi soudain qu'inattendu, brûlant de fièvre, plongea une main mouillée dans sa robe entrouverte et Pauline, malgré l'eau tiède, sentit la chaleur de son doigt-fesses lui caresser les seins et descendre jusqu'aux reins. L'un contre l'autre, debout dans la cuve, au moment où les murs craquaient sous la froidure, il lui demanda tendrement:

— Et cet enfant, Pauline, tu as choisi un nom pour lui?

— Si c'est un «lui», je te laisse le choix, Sam.

— Et si c'est une fille?

— J'aimerais qu'on l'appelle Orielle.

— Orielle? Où c'est qu't'as pêché ça?

— C'était le nom de la bergère qui est devenue princesse, dans l'un des romans que ta femme a lu avant… d'partir.

Sam, en proie à un frisson d'émoi, sentit une larme glisser de sa paupière close.

Début avril. Était-ce un répit? On aurait pu jurer que le printemps voulait chasser l'hiver. Une belle journée ensoleillée et, dans les fentes glacées qui servaient de calfeutrage, l'air semblait vouloir traverser, aidé d'une fonte soudaine qui, hélas, serait de courte durée. Mais Pauline, désirant profiter de cette trêve de la nature, exprima le désir de se rendre chez Gaudrin pour fureter dans les friandises, maintenant que les nausées étaient chose du passé. Sam n'y vit aucune objection. Pauline avait retrouvé sa bonne mine et il tenait mordicus à ce qu'elle la garde. Pauline emprunta l'auto de Piquet et s'aventura sur la route mal nettoyée, mêlée de glace et de *slush*, pour atteindre sans embûche la rue Principale du village.

Lorsque monsieur Gaudrin, qu'elle connaissait moins bien, vit entrer Pauline, il lui dit d'un air timide:

– Bon… bonjour, Madame.

C'était la première fois qu'on utilisait ce terme envers elle. Puis, se ravisant, il cria de son comptoir de viandes:

– Emma, y'a une cliente pour toi!

Madame Gaudrin arriva en trombe, la regarda et faillit reculer d'un pas. Celle qu'elle avait toujours trouvée «ronde» était énorme. Comme si elle avait pris, en quelques semaines, des «boursouflures» aux joues, aux hanches et aux fesses.

– Mam'zelle Pinchaud! Quelle bonne surprise! Ça sent le printemps, hein? Qu'est-ce que je peux faire pour vous? Quelque chose de spécial?

– Pour commencer, une boîte de *cup cakes,* deux Cherry Blossom, une grosse boîte de bines Heinz, d'la cassonade, pis des œufs à coquille brune. Pis, tant qu'à y être, une bouteille de Kik Cola et un p'tit pot d'confiture aux fraises.

– Dites donc! Avec tout ça, vous manquerez pas d'sucre dans l'sang, vous!

Pauline ne releva pas la remarque. Elle se contenta de sourire.

– Y vous faut-tu d'autres choses, itou?

– Ben, j'sais pas, j'regarde dans vos comptoirs… Vous auriez pas une bonne lotion pour homme?

– J'en ai qui viennent de Paris, d'autres d'Espagne, une des États-Unis… C'est-tu pour un cadeau?

– Pas tout à fait… Quelque chose de pas trop cher, si c'est possible.

– Ben, y'a toujours l'eau de Floride, une lotion populaire. C'est celle-là qu'mon Ti-Guy préfère. On peut la mettre n'importe où, n'importe quand. Ça sent propre pis c'est pas cher…

Pauline se souvenait de sa première rencontre avec Ti-Guy. Il sentait bon, elle lui avait léché le cou…

— Non, j'aimerais quelque chose de différent, une bouteille moins grosse…

— Ben, sentez-moi ça, vous! C'est d'la Tropicana pis ça
vient d'Espagne! Avec ça, vous pouvez pas vous tromper si
vous connaissez pas les goûts de…

Emma Gaudrin n'était pas allée plus loin de peur d'être
«indiscrète». Pauline sentit, c'était agréable, mais elle souriait
et se disait en elle-même: «D'Espagne, mon œil!» Elle venait
de lire à l'endos de la bouteille, en tout petits caractères sur
un collant: *Made in Toronto, Ontario, Canada.* Et la supposée
importation, elle l'avait déjà vue chez Woolworth pour moins
d'un dollar. Sans lui en faire la remarque, par «délicatesse»,
elle répondit:

— Oui, celle-là fera l'affaire. C'est raisonnable comme prix?

— Pour vous? Un spécial, Mam'zelle, une piastre ronde,
pas plus!

Pauline se retint pour ne pas pouffer de rire. Un spécial?
En lui chargeant environ vingt-neuf sous de plus qu'à
Montréal?

— Vous pourriez me l'envelopper dans du papier de fantaisie?

— Bien sûr, Mam'zelle, j'ai du beau papier vert avec des
rayures jaunes.

— Ça ira! Bon, j'emporte tout pis vous mettrez ça sur le
compte. Sauf la lotion, bien entendu. Ça, j'vous la paye de ma
sacoche.

Pauline sortit et croisa Ti-Guy, beau comme un cœur, qui
lui offrit son plus joli sourire.

— T'as besoin d'aide, Pauline? Veux-tu que j'mette ça
dans la valise?

— Non, ça pèse rien. Merci quand même, t'es toujours
aussi fin.

Voyant qu'il la regardait de la tête aux pieds, sûre qu'il avait remarqué qu'elle avait engraissé, elle le darda du regard et lui demanda:

– Qu'est-ce que t'as à m'regarder comme ça? Y'a-tu quelque chose qui cloche?

– Non, Pauline, tout est correct... J'te... j'te trouve ragoûtante!

Elle éclata de rire et lui répondit prestement:

– Même avec le gras que j'ai aux mollets, Ti-Guy Gaudrin?

– Oui, Pauline, et c'est en plein là que j'aimerais mettre ma main!

Elle venait à peine de démarrer que la mère Gaudrin disait à son fils qui venait d'entrer:

– L'as-tu vue, Ti-Guy? Plus grosse que jamais, la Pauline!

– Ça s'peut, mais ça l'empêche pas d'être belle, la mère!

– Moi, j'sais pas, j'peux pas l'jurer, mais j'gagerais ma main qu'elle est enceinte!

– Enceinte? En famille? Ça aussi, ça s'peut! Depuis qu'a couche avec le vieux!

– Ti-Guy! Qu'est-ce que t'as dit, toi? T'es pas sérieux! C'est une farce, hein?

– Ben non, la mère, tout l'monde le sait pis l'curé s'en doute, voyons donc! Renfermée avec lui jour et nuit... Y'est pas fait en plâtre, l'ermite!

– J'veux ben croire... Disons que j'm'en doutais... Mais j'te l'dis qu'elle porte un enfant, la Pauline! J'connais ça, des femmes enceintes, je l'ai été, moi!

– Ben, si t'en es sûre, la mère, ça va faire jaser au village... Mais c'est pas d'nos affaires! Pars pas d'rumeurs, la mère! Toi pis ta langue...

– Jamais d'la vie! Pour qui tu m'prends, Ti-Guy? C'est quand même des clients, elle pis lui!

Ti-Guy venait à peine de repartir que la marchande s'empressa d'appeler Gertrude, la maîtresse de poste.

– Devine qui sort d'icitte, Gertrude? Pis en famille à part ça!

– J'sais pas, Emma… J'donne ma langue au chat.

– Pauline Pinchaud, ma chère! Pis, demande-toi pas qui est le père!

– Quoi? Pauline? T'en es sûre? Et tu penses que c'est Sam?

– L'ermite en personne, Gertrude! Paraît qu'ça fait longtemps qu'y couchent ensemble!

– Ça, j'm'en doutais, mais qui t'l'a confirmé, Emma?

– Ti-Guy! Pis y'avait l'air de savoir de quoi y parlait!

– Ben… pour une nouvelle… L'hiver pis l'frette, ça sert pas juste à chauffer l'bois, à c'que j'vois!

Et sur ces mots, Gertrude raccrocha, appela Hortense pour lui colporter la nouvelle et, de là, jusqu'aux oreilles du curé, sans passer par le confessionnal.

Pauline était revenue au shack et, après avoir rangé sa commande, elle s'approcha de Sam et lui remit la petite boîte enveloppée de jaune et vert.

– C'est quoi? Pourquoi?

– C'est ton p'tit cadeau d'fête, Sam! J'avais pas oublié, tu sais. J'attendais juste qu'y fasse beau pour me rendre au village. T'as eu mes vœux, t'as maintenant le présent. Ouvre-le! J'veux voir si ça t'plaît!

Sam, embarrassé de recevoir, plus habitué à donner, déballa le cadeau et découvrit la bouteille de Tropicana dans une pochette de velours.

– T'es ben fine, Pauline, mais t'avais pas à faire ça…

Puis, empruntant un air sérieux, il ajouta:

– Tu trouvais pas que j'sentais bon juste avec mon savon?

– Ben sûr, Sam! Mais avec ça, tu vas sentir meilleur! Pis, ça invite, ça attire, tu comprends?

– Ben, si ça fait ça, j'en mets tout d'suite! s'exclama-t-il en riant.

Quelques jours plus tôt, le 30 mars plus précisément, Samuel Bourque avait fêté ses soixante et un ans. En toute modestie, avec les vœux de Pauline, un *cup cake* avec une bougie, une bière pour lui, un verre de *cream soda* pour elle. Et tous deux dans la cuve pour se «dire» qu'ils s'aimaient. Piquet, discret, était venu lui remettre une carte de souhaits faite à la main par la veuve, avec leurs vœux pour une longue vie. Mais, avec cet an de plus, une fois de plus, quarante années le séparaient de celle qu'il aimait.

La nouvelle fit le tour du village comme une circulaire qu'on laisse aux portes pour une tombola. Les ragots allaient bon train du magasin général jusqu'au bureau de poste où deux langues sales, bien en place derrière leur comptoir, ajoutaient leur grain de sel dans cette «soupe» déjà indigeste. On traitait Sam de vieux fou, de vieux cochon, qui avait profité d'une innocente servante, pendant que, du revers de la médaille, on s'en prenait à elle qui avait séduit l'ermite pour s'assurer de quoi se mettre sous la dent jusqu'à la fin des temps. «Elle qui, pourtant, ne semblait pas crever de faim de par ses rondeurs», alla jusqu'à dire une paroissienne, scandalisée du fait qu'un enfant ait pu être conçu dans le péché et dans une insalubre… étable! Une âme dévote qui avait oublié, dans sa «piété» corrompue, que le fils de Dieu fait homme était un jour né dans un nid de paille. Le curé, ennuyé par «la nouvelle» qui bouleversait ses fidèles, avait fait dire à Piquet, par l'entremise de son enfant de chœur, qu'il désirait voir Sam pour s'entretenir du sujet. La veuve, ayant eu vent du «scandale» par les échos venus du village, s'était écriée:

– La grosse maudite! Elle savait c'qu'elle faisait! Elle l'a fait pivoter comme une toupie, le vieil abruti! C'était à prévoir, Piquet! Avec ses cris d'mort la nuit, pas surprenant qu'a s'retrouve avec un p'tit à la hauteur de ses grosses fesses! Pis, l'pire, c'est qu'on va l'avoir icitte pour un bout d'temps, la truie!

L'ermite enfila une veste de laine, un long manteau, ses bottes et sa casquette, et se rendit au presbytère, la rage au cœur, prêt à se battre contre tout le village, l'homme à la soutane inclus, pour préserver son bonheur, sa «Minoune» et l'enfant qu'elle attendait de lui. Hortense, la tête haute, l'œil sournois, le fit passer au salon sans lui adresser la parole. Sam fulminait. Il se demandait de quel droit un petit curé se permettait de le convoquer, lui, un sexagénaire qui avait roulé sa bosse alors que le «représentant de Dieu» faisait encore sa crotte dans ses culottes. Alors qu'il attendait et qu'il vociférait, il vit l'enfant de chœur emprunter le vestibule. Le jeunet, cheveux en broussaille, les joues rouges, baissa la tête lorsque son regard croisa celui de Sam. Son surplis sous le bras, l'air ahuri, il s'enfargea dans un coin du tapis et faillit perdre l'équilibre. Muet, les yeux hagards, il s'efforça de sourire de sa bévue et sortit en trombe sans prendre sa soutane que la servante avait repassée pour lui. De la fenêtre, Sam le vit accélérer le pas tout en regardant plusieurs fois derrière lui. «Quel drôle de p'tit gars. On dirait un p'tit chien sans défense... Pis c'est vrai qu'y'a pas l'air tout à lui, comme disait Pauline», marmonna Sam entre ses dents, tout en fronçant légèrement les sourcils. D'un bond, agité, voire nerveux, le curé fit irruption dans le salon tout en ajustant son col romain. Un bouton de sa soutane était encore déboutonné. Apercevant Sam, il fit un effort pour retrouver son calme en lui disant dans un souffle entrecoupé:

— Je ne t'attendais pas aujourd'hui... Ce n'était pas urgent...

— Ben, moi, j'préfère en finir au plus vite! lui répondit l'ermite. J'ai du bois à fendre pis j'ai d'l'ouvrage en masse à faire dans l'shack.

Reprenant une attitude normale, affichant un air grave, le curé le pria de se rasseoir puis, se promenant de long en large, la main sur le menton, il demanda à Sam.

— Cette convocation ne te surprend pas, j'espère? Tu sais pourquoi...

Sam l'interrompit dans son préambule qui annonçait un sermon.

— Oui, j'sais c'que vous m'voulez, Monsieur l'curé, mais j'suis pas certain d'avoir envie d'répondre à vos questions!

— Du calme, mon ami, je n'ai encore rien dit. Je t'ai convoqué pour une conversation, Sam, pas pour une altercation.

— Ben, arrangez-vous pas pour que ce soit trop long, j'ai des occupations...

— Donc, si je comprends bien, si la rumeur est fondée...

— Y'a pas d'rumeur, Monsieur l'curé, Pauline attend un bébé, j'suis l'père, pis j'vais prendre mes responsabilités! Ça pourrait-tu s'arrêter là?

— Pas quand on vit dans le péché, Sam, pas quand on a abusé de ma confiance...

— Quel péché? Quelle confiance? Vous l'avez casée dans mon shack, vous vous en êtes lavé les mains, pis vous vous êtes jamais informé d'elle depuis qu'elle est majeure. C'était un poids d'moins pour vous! Pis, comme j'peux voir, c'est pas parce qu'y manquait d'place au presbytère pour l'héberger, vous avez deux chambres de libres pour recevoir l'évêque et les haut placés du clergé! Non, vous l'avez logée là où vous avez pu, pis ça s'adonne que c'est chez moi qu'elle a échoué! Ça vous sauvait d'l'argent et pis, ça vous sauvait d'une charité! J'l'ai prise, j'l'ai gardée, pis on s'est accoutumés l'un à l'autre. À force de se connaître, on a fini par s'aimer, pis du sofa jusqu'à mon lit, y'avait juste un pas à faire! On l'a franchi, on n'est pas faits en bois, et de plein consentement à part ça! Pauline m'aime, je l'aime, pis on va avoir un bébé! C'est pas normal, des choses comme ça?

– Je te l'accorde! Oui, c'est normal, c'est même respectable de voir une femme attendre un bel enfant! Là n'est pas la question, Sam!

– C'est quoi, d'abord? Vous parliez de péché pis ça, moi, j'le prends pas!

– Il existe un sacrement pour unir un couple qui s'aime. Vous avez beau ne pas fréquenter mon église, vous avez quand même été baptisés tous les deux, non?

– J'vous vois venir avec vos questions, vous! Ben, vous saurez, Monsieur l'curé, qu'on peut quand même être de bons parents en étant accotés!

– Je n'en doute pas, Sam, mais ça simplifierait tellement les choses… Et puis, il n'y a aucun empêchement de part et d'autre, à ce que je sache…

Sam, soucieux, ennuyé par ce discours auquel il ne s'attendait pas, répondit:

– On verra ça dans l'temps comme dans l'temps, Monsieur l'curé! Là, on a ben d'autres choses à penser, Pauline pis moi. Un p'tit, ça demande des préparatifs… Pis, si vous voulez vous rendre utile, faites donc taire les langues de vipère du haut d'la chaire! Ce serait ben mieux que d'essayer de jouer les Ponce Pilate encore une fois, en essayant de nous marier au plus sacrant pour pas qu'on vive dans «l'péché», comme vous dites! Pis, y'a un paquet d'monde qui devrait faire la queue à vot' confessionnal pour s'accuser de médisance! En commençant par la Gaudrin pis votre servante, Hortense!

– Sam, je ne te permets pas…

– Ben, j'me l'permets, moi! Pis j'ai plus rien à vous dire, Monsieur l'curé! On vit sur la butte, pas au village, nous autres! Pis pour les dévotions, même si j'suis pas croyant, Pauline a mis un crucifix juste en haut du lit! Ça vaut mieux que la messe pis les vêpres, ça! Astheure, y reste plus rien qu'une chose à faire. Occupez-vous des calomnies pis nous autres, on va s'occuper du p'tit!

Et sur ces mots, laissant le curé pantois, Sam claqua la porte du presbytère avant même que le curé lui signifie son congé.

De retour au shack, Pauline, anxieuse, nerveuse, s'empressa de lui demander ce qui s'était passé.

– J'l'ai remis à sa place, Pauline! Y viendra plus nous embêter, pis j'plains l'premier qui va t'pointer du doigt! Ça va filer doux, tu peux m'croire! Tu peux marcher la tête haute pis moi aussi! On a rien sur la conscience, nous autres! Pis ça, j'peux pas en dire autant du curé pis d'ses punaises de sacristie!

Il allait de soi que le curé, sans le prêcher en chaire, avait certes rappelé quelques paroissiennes à l'ordre concernant Pauline Pinchaud. L'accueil au village n'était plus le même depuis quelque temps. Un accueil hypocrite, peu sincère peut-être, mais les visages longs s'efforçaient d'afficher un sourire et de la traiter avec un semblant de respect. Alors qu'elle s'était rendue au bureau de poste pour acheter des timbres de quatre sous en vue de sa correspondance avec Jovette, Gertrude, la maîtresse de poste, s'était aimablement forcée pour lui dire:

– J'espère que l'été qui suivra ne sera pas trop chaud. C'est pas facile de porter un enfant dans les derniers milles avec une chaleur accablante.

Pauline avait souri, mais elle n'avait rien répondu. Il était évident que la Gertrude voulait, par ces mots, lui signifier qu'elle était au courant de sa grossesse et que ça ne la dérangeait pas... trop. Mais Pauline, pas sotte, avait deviné au ton narquois que la complice de la Gaudrin aurait préféré lui taper sur les doigts plutôt que de lui offrir, maladroitement, ses compliments.

Plus sûre d'elle, fière de montrer son ventre qu'on discernait pourtant à peine sous ses rondeurs «naturelles», Pauline se rendit au magasin général dans le but de fureter dans les vêtements de maternité. Emma Gaudrin, sans la féliciter de son état, se montra tout de même avenante. Une cliente, c'était une cliente! Hélas, elle n'avait que deux ensembles dont elle aurait certes aimé se départir, mais ils étaient trop étroits pour Pauline, enceinte ou pas. Ce n'était pas le ventre qui était en cause, ni les hanches, mais les épaules robustes de la jeune femme qui faisaient obstacle. Pauline semblait découragée et madame Gaudrin, prise de pitié, lui murmura:

– Écoutez, j'ai trois ensembles qu'une dame du village m'a donnés pour mes bonnes œuvres. Une dame assez forte de stature, vous comprenez? C'est pas du neuf, mais c'est propre, bien repassé et je pense que ça vous irait.

– Tout d'même, Madame Gaudrin! J'suis pas venue demander la charité!

– Je l'sais, Mam'zelle Pauline, et vous n'aurez pas à être gênée si la marchandise vous convient. Pour que vous soyez à l'aise, je vais vous les vendre. Pas cher, juste pour le principe.

Pauline essaya les trois *tops* qui étaient de bonne qualité et d'une certaine élégance. Surtout le vert avec des roses blanches dont le tissu était soyeux. Et les jupes «à ventre ouvert» lui allaient comme si elles avaient été confectionnées sur mesure. Fière de ces trouvailles qui lui permettraient de se rendre jusqu'à la maternité, elle dit à la marchande, timidement:

– C'est en plein c'que j'cherchais! Mais j'veux les payer, j'veux pas de don, Madame Gaudrin. Vous m'les laissez pour combien, ces ensembles-là?

– Pour vous? Juste pour dire que j'vous les donne pas, deux piastres pour les trois, Mam'zelle Pauline.

Sans le laisser paraître, Pauline était folle de joie. Et elle pensait à Sam qui serait bien content de s'en tirer à si bon compte. Elle allait repartir quand la marchande, pour lui être agréable, lui demanda:

– Vous voulez le journal? Moi, je l'ai terminé. Il date de deux jours…

– Ben, si c'est pour vous en défaire, j'veux bien. Ça va m'changer d'mes p'tits romans que j'ai presque terminés.

– Vraiment? Ça tombe bien, j'en ai justement trois que j'ai terminés pis j'sais pas quoi en faire. Vous les voulez?

– Ben, j'sais pas… Vous pourriez me les vendre…

– Sûrement pas! Ils sont usagés. Voyez, ils sont froissés! Pis ça, c'est pas d'la charité, c'est juste pour m'en débarrasser. Prenez-les, c'est d'bon cœur! Pis si vous les aimez pas, vous vous en servirez pour allumer le poêle à bois.

De retour dans la bagnole, avant de repartir, Pauline avait jeté un coup d'œil sur les romans de la mère Gaudrin. Le premier, du genre de ceux de la défunte Clarisse, semblait intéressant. Mais les deux autres, *Autour des dames du Bois de Boulogne* de Paul Guth et *Les Cosaques* de Tolstoï, ne lui disaient rien qui vaille. Et même si «la» Gaudrin lui avait dit que ces deux-là étaient de grandes œuvres, Pauline, ne connaissant pas ces auteurs et préférant les romans à l'eau de rose écrits par des femmes, se disait qu'en effet, ils serviraient à allumer les bûches. À moins qu'ils intéressent Sam… Mais non! L'ermite ne se gavait que des courts résumés de l'histoire, dans la deuxième partie de son vieux dictionnaire.

Sam, tel que prévu, avait été enchanté des «économies» réalisées par Pauline dans l'acquisition de ses vêtements de maternité. Trois ensembles pour deux piastres? Quel soulagement pour son «tronc d'arbre»! Puis, apercevant les romans et apprenant qu'elle les avait obtenus «gratis», sa joie redoubla et pour n'en rien laisser paraître, il dit à sa jeune maîtresse:

— Pas mal gâtée, hein, ma Pauline? Pis, à c'que j'vois, les langues sont sorties du vinaigre pour se remettre dans l'eau! On t'reçoit mieux au village, hein?

— Oui, pis ç'a besoin d'continuer! Porter un p'tit, c'est pas un crime, Sam!

— J'ai pas ménagé le curé pis j'ai bien fait! Le résultat s'est pas trop fait attendre!

Pauline l'interrompit pour lui dire:

— La Gaudrin m'a donné l'journal… Tu veux le lire?

— Non, ça m'intéresse pas! Moi, le gouvernement pis les nouvelles lois, ça m'pompe, ça m'fait sacrer… Dans l'dictionnaire, j'réagis pas comme ça!

– Ben, Sam, ça s'comprend! Tout l'monde est mort pis enterré!

En fin d'après-midi, Pauline avait parcouru le journal. Elle regardait les photos sur la mode, elle lisait ce qui se disait sur les artistes, sur ce qu'il y avait de plus simple. Rien pour se creuser les méninges, rien qu'elle ne comprenait pas. Sam, qui avait le nez dans son dictionnaire, leva les yeux vers elle.

– Parlant de romans, Pauline, y'en a un qui s'appelle *La Princesse de Clèves* et qui a été écrit par Madame de La Fayette en 1678.

– Pis après?

– Ben, comme t'aimes les histoires de princesses...

– C'est vrai qu'j'aime ça, mais c'est sûrement pas chez Gaudrin que j'vais trouver un roman qui a été écrit il y a... il y a presque trois cents ans!

– Pour sûr que non, mais ça peut s'vendre encore à Montréal. La veuve fait venir des livres par la malle... A pourrait peut-être s'informer?

– Non, laisse faire, pas besoin d'elle! Pis j'aime mieux les romans d'amour de mon temps. Moi, le passé... Pis toi, ton dictionnaire!

– J'disais ça pour te faire plaisir, Pauline...

– J'en doute pas, mais tu devrais revenir dans l'monde des vivants de temps en temps! T'es même pas au courant que Olivia De Havilland a été choisie comme la meilleure actrice de l'année, pis que Lise Roy, la chanteuse, va être élue Miss Radio pour 1949. Ça, c'est c'qui s'passe aujourd'hui!

– J'm'en sacre, Pauline! Ça va pas finir dans l'dictionnaire, ces niaiseries-là!

– Pis, savais-tu, Sam, qu'on faisait des sacoches pis des souliers en peau de crocodile? C'est la nouvelle mode! On s'garroche pour en avoir!

– Qu'est-ce que tu penses que ça va changer dans ma vie, ça?

– Rien, je l'sais! Mais à lire ce qui s'passe de nos jours, ça t'remettrait à l'heure du cadran, Sam Bourque! Ça t'sortirait la tête du shack, des fois! Pis, tu fais juste semblant de t'intéresser à rien! Parce qu'une cenne de plus sur le pain ou le lait, ça, tu suis ça en maudit!

– Ça, c'est pas pareil, j'l'ai en pleine face, pis y faut qu'j'la paye, la cenne noire!

– Bon, ça va, on ira pas plus loin, j'ai pas l'goût d'm'astiner aujourd'hui.

– Moi non plus, Pauline, pis pendant qu'j'y pense, ça t'dirait de venir au clos d'bois cette semaine?

– Pour quoi faire?

– Ben, choisir les planches pour agrandir le shack, pis d'la peinture pour rafraîchir un peu…

Pauline réfléchit un moment et, le regardant, lui dit:

– J'sais pas si c'est une bonne idée d'faire ça si vite, Sam…

– J'commencerai pas demain, mais si j'ai l'*stock*, après la fonte des neiges…

– Non, c'que j'veux dire, c'est qu'j'agrandirais pas l'shack cette année…

– Pourquoi? C'est toi qui dis qu'on est tassés comme des rats dans un coin…

– J'sais, mais j'ai pensé plus sérieusement après, pis… j'pense qu'on devrait attendre que le p'tit arrive au monde… Là, on met la charrue avant les beus…

– Attendre? J'peux pas rafistoler un shack en automne, j'aurai pas l'temps d'finir avant l'hiver, c'est toute une *job*, ça!

– C'que j'veux dire, c'est qu'on devrait attendre à l'année prochaine… J'sais qu'on va être tassés pis qu'on va geler encore, mais c'est pas un hiver de plus qui va nous tuer. Et pis, le p'tit, j'le réchaufferai sur mon ventre ou près du poêle. T'as pas d'argent, Sam, pas assez pour tout c'qu'on veut faire. J'pense qu'y serait mieux d'attendre que t'encaisses tes bons d'la Victoire. Là, au moins, on aura les moyens d'le faire…

Sam était fort surpris que Pauline devienne à ce point raisonnable. Elle qui vociférait contre la mansarde, contre la chiotte, contre tout… Et voilà qu'elle se disait prête à subir un autre dur hiver avec un bébé en plus? Dans le même shack à peine à l'abri du vent? Il ne comprenait plus.

– T'es sûre de c'que t'avances, Pauline? Un autre hiver comme celui qui s'achève et qui t'a fait gémir? T'as pas arrêté d'chiâler…

– Je l'sais, mais c'était mon état qui me mettait les nerfs en boule. Là, ça va mieux, j'le prends mieux, pis j'voudrais pas qu'tu sois obligé de r'tourner travailler comme un bœuf pour payer cette dette-là! Un an de plus, c'est pas la fin du monde, Sam… On s'arrangera comme on pourra. L'important, c'est qu'le p'tit manque de rien. On fera l'reste à petit feu, après.

– Ben, là, tu m'surprends en grand, Pauline! T'acceptes le shack comme il est pour pas que j'me morfonde à *shiner* des souliers? J'te savais généreuse, courageuse, mais là, ça m'dépasse! J'pensais pas qu'mon sort te chicotait à c'point-là!

– Ben, j'vois clair, Sam. T'en as déjà assez fait comme c'est là…

Sam, ahuri mais ravi, la prit dans ses bras et lui dit en lui caressant les reins:

– Si tu savais comme j't'aime, Minoune! Des femmes comme toi…

– Dis rien d'plus, Sam… Tu vas finir par me gêner avec tes compliments…

Pauline s'éloigna pour faire bouillir de l'eau pour les patates et Sam, la regardant et l'aimant davantage face à l'étrange volte-face, était fort aise de pouvoir respirer un autre été, un autre hiver, sans se rendre, en se mordant la main… jusqu'à sa dernière cenne!

Le mardi 19 avril 1949, par un matin qui avait emprunté tous les aspects du printemps, des coups secs, répétés, se firent entendre dans la porte du shack. Il était à peine sept heures et Sam tout comme Pauline dormaient comme des loirs, lui dans son lit, elle sur le sofa.

– Sam, Pauline, ouvrez vite, c'est urgent! criait la voix perçante de la veuve.

L'ermite sauta en bas de son lit et, sans même enfiler son pantalon, ouvrit à la veuve qui entra en tremblant et en pleurant, pendant que Pauline, alertée par les cris, assise sur le sofa, endossait sa robe de chambre.

– Qu'est-ce qu'il y a, la veuve? Es-tu…

– Sam, c'est Piquet! J'pense qu'y'est mort! Viens vite, c'est pas normal, je l'ai poussé pis y grouille plus! Pis, l'pire, c'est qu'y a un œil fermé pis l'autre ouvert! Viens vite, Sam! Moé, j'rentre plus là sans toé!

Sam s'habilla à toute vitesse et précéda la veuve qui le suivait, les pieds dans ses pantoufles, une jaquette de flanelle sur le dos. Rien d'autre! Elle était sortie si vite qu'elle serait même venue pieds nus, s'il l'avait fallu. Sa frayeur avait été extrême! Le visage de Piquet l'avait saisie! La bouche ouverte, le vieux avait de la bave collée sur le menton. Sam entra et secoua son vieil ami en lui disant:

– Piquet! Réveille-toi! Tu…

Puis il arrêta sec.

Le corps de Piquet, par les mouvements brusques de Sam, avait roulé sur le côté, ce qui avait fait crier d'horreur la veuve, paralysée sur place. Sam tâta le pouls de son vieux copain, mais il n'eut pas à aller plus loin. Piquet était froid comme le marbre, les lèvres bleues, et, utilisant un morceau de papier de toilette qu'il mit devant sa bouche, Sam se rendit compte que pas un souffle ne l'avait fait bouger.

– Y'est mort, hein? Piquet est mort, hein, Sam? cria la veuve.

Sam baissa la tête, acquiesça, et la veuve faillit s'effondrer par terre. Il revêtit le corps de son ami d'un drap pour que l'image de l'hideuse carcasse, un œil encore ouvert, ne s'imprègne pas dans la tête de Charlotte.

– Comment c'est arrivé, la veuve? As-tu eu vent de quelque chose?

D'une voix tremblante, elle répondit tout en se tenant le cœur d'une main:

– J'sais pas, j'suis pas sûre, mais cette nuit, j'me suis réveillée en sursaut parce qu'y m'semblait que Piquet se plaignait. J'ai prêté l'oreille pis j'ai entendu comme un gros rot! Pis ensuite, un râle! Un long râle! Moé, j'pensais qu'y rêvait, mais y rendait sans doute son dernier souffle. J'ai pas prêté attention, j'me suis rendormie, mais en m'levant pis en l'regardant, j'ai failli perdre connaissance. J'ai eu si peur, Sam! De son œil fermé pis d'son œil ouvert! As-tu déjà vu quelqu'un dormir comme ça, toé? J'me suis approchée, je l'ai appelé, j'ai crié encore plus fort, mais j'ai vu qu'y s'réveillait pas. C'est là qu'j'ai couru jusqu'au shack!

– T'étais pas couchée avec lui, Charlotte?

– Es-tu fou, Sam? Depuis qu'y gigotait tout l'temps, j'prenais l'divan. Chacun son tour à prendre le lit, mais ensemble, ça s'faisait plus, ses tics nerveux, à cause de sa maladie, lui faisaient m'sacrer des coups d'pied dans l'dos! C'était pas d'sa faute, mais là, c'était rendu aux jambes, pis j'dormais plus, moé!

– Écoute, Charlotte, j'pense qu'y a plus rien à faire, mais faut quand même que j'aille au village chercher le docteur. C'est lui qui doit s'prononcer sur sa mort, pas moi. Pauvre Piquet… Ça s'peut pas, partir comme ça sans s'y attendre, sans même un mot à personne…

– Arrête, Sam! J'suis déjà assez à l'envers comme ça! Va chercher l'docteur, mais j'reste pas toute seule icitte, moé! Piquet ou pas, j'ai peur des morts!

– Retourne au shack, la veuve, reste avec Pauline. Moi, j'saute dans la bagnole pis j'reviens le plus vite possible. Pis, sois prudente avec Pauline, cause-lui pas un choc avec la nouvelle. Dans son état, faut y'aller mollo avec elle.

Sam sauta dans la bagnole et démarra en trombe sans craindre la route cette fois. La veuve, qui avait eu le temps de sauter dans ses «rainettes» et d'enfiler un manteau, marcha à petits pas accélérés jusqu'à la porte du shack.

Pauline qui, de sa fenêtre, se doutait bien que quelque chose de grave s'était passé, avait fait chauffer de l'eau pour remplir la théière. La veuve, secouée par les sanglots, oubliant momentanément que la Pauline était son ennemie jurée, accepta la tasse de thé que cette dernière lui offrit.

– C'est bien ça? risqua Pauline. Piquet est…

– Oui, y'est mort! En pleine nuit, j'sais pas quand! Pis dire que j'ai dormi jusqu'à matin avec un mort dans mon chalet! Moé qui a peur des cadavres! Si j'l'avais découvert à noirceur, j'pense que j'serais morte en même temps qu'lui, Pauline! Moé, la nuit, c'est mon cauchemar! J'ai même peur des plaintes du hibou pis des grattements des bêtes puantes dans ma porte!

— Calme-toi, c'est fini, Charlotte. Bois ton thé, prends le sofa pis détends-toi. Laisse Sam s'arranger avec le reste.

— T'aurais pas une p'tite pilule, Pauline? Un calmant…

— Non, tout c'que j'ai, c'est des Madelon pour le mal de tête. Ferme les yeux, la veuve, prends sur toi, le docteur en aura sûrement avec lui.

— Regarde! J'tremble comme une feuille! On dirait qu'j'ai attrapé sa maladie!

— C'est juste de la nervosité… Calme-toi, t'es en sécurité ici.

Pour une fois, face à l'épreuve, Pauline avait de la sympathie pour elle. Et pour une fois, dans son affolement, la veuve se laissa «dorloter» par… «la grosse».

Le docteur arriva et ne put que constater le décès de Piquet. Le septuagénaire, selon lui, était mort subitement d'un arrêt cardiaque. Interrogeant la veuve, le docteur apprit que, la veille, Piquet avait mangé des fèves au lard, du foie gras, de la saucisse de porc, le tout bien arrosé de six bouteilles de bière. Ce qui lui avait fait dire à la veuve:

— Ce n'est pas la maladie de Parkinson qui l'a emporté, Madame, mais les abus de nourriture grasse et sa bière en quantité. À la longue, sa maladie aurait eu raison de lui, mais le cœur s'est arrêté parce que le foie a éclaté. Rien n'aurait pu le sauver. Je suis désolé pour vous, Madame, mais il ne reste plus qu'à l'enterrer.

— En tout cas, y'est mort le ventre plein, docteur! Pis y'avait pas la gorge sèche, croyez-moé!

Puis elle s'effondra, en larmes. Malgré les querelles, les différends et les reproches, la veuve l'aimait bien, son Piquet.

On ne se sépare pas d'un homme avec lequel on vit depuis trente ans sans en éprouver un vif regret. Sam, aussi triste qu'elle, lui murmura en lui massant les épaules:

– Le camion va venir le chercher, Charlotte. On va l'exposer au presbytère comme on le fait pour tous les autres, pis après, on va l'enterrer.

La veuve, en larmes, marmonna de peine et de misère:

– J'ai tout prévu, sa place est prête, Sam.

Comme le voulait la coutume, Piquet fut exposé au presbytère dans un salon que le curé mettait à la disposition des paroissiens dans une telle circonstance. Mais pour une seule journée dans le cas de Piquet, puisque le septuagénaire n'avait pas de parenté ni de près ni de loin. Les badauds du village vinrent offrir leurs condoléances à la veuve. La paroisse entière défila devant le cercueil d'Hector Piquette dit Piquet, car tous l'aimaient. L'hôtelier déposa une couronne de fleurs, les Gaudrin, une gerbe de tulipes dans un pot en papier mâché et quelques bonnes âmes lui offrirent des roses de satin et des fleurs artificielles. La femme du conseiller du maire se départit d'une violette africaine en fleurs qu'elle avait cultivée, pour la déposer à côté du prie-Dieu où les gens s'agenouillaient. Et madame Gaudrin vendit en peu de temps sa provision de cartes de sympathie qu'elle avait en magasin. Le soir venu, Sam s'y rendit avec Pauline et, à défaut de fleurs, remit une piastre au curé pour lui faire chanter une messe. Sam était triste devant le cercueil où son vieux copain, pas même embaumé, reposait du sommeil du juste. Avec le départ de Piquet, c'était dix ans de sa vie qui s'en allaient. Les larmes aux yeux, il avait murmuré à Pauline:

– Tu sais, ce sera jamais plus pareil, sans Piquet sur la butte.

Pauline, assise sur une chaise rembourrée, regardait de loin le vieux dans son cercueil. Sans être aussi chagrinée que Sam, elle était songeuse devant cette mort subite. Non pas qu'elle aimait Piquet au point de le regretter, mais elle ne le détestait pas au point d'en être soulagée. Piquet lui avait rendu tant de services. Alors que le salon était bondé de personnes, Pauline vit Ti-Guy arriver sur les lieux avec les yeux rougis. Piquet avait été, pour le jeune homme, un vieux *chum*. Combien de fois avaient-ils causé tous les deux dans les marches ou le *back store* du magasin! Et Ti-Guy se souvenait que, tout jeune, à peine habile sur ses deux jambes, Piquet avait été celui qui lui avait donné beaucoup de cennes pour ses bonbons de la semaine. À défaut de ne pas avoir d'enfant, Piquet s'était pris d'affection pour le bambin, fils unique de Joseph et Emma Gaudrin.

Pauline regardait Ti-Guy qui, lui, ne la regardait pas. Agenouillé près de la dépouille, vêtu d'un complet noir, d'une chemise blanche, d'une cravate noire, il ajustait d'une main nerveuse ses boutons de manchettes. Elle le dévisageait, espérant qu'il la regarde, mais elle le vit tourner les yeux en direction d'une femme d'un certain âge. Une femme richement vêtue, élégante, les cheveux teints, le visage savamment maquillé, avec un sac à main et des souliers en peau... de crocodile! Une femme à laquelle il souriait tristement, mais tendrement. Et Pauline reconnut la femme du conseiller du maire qu'elle avait vue une fois ou deux de loin. D'autant plus que, ce soir-là, elle était au bras d'un petit «pourceau» à lunettes que tout le monde connaissait bien. Faisant mine de partager la sympathie de son mari, son regard était moins souvent sur «le mort» que sur Ti-Guy. Ce qui avait secoué Pauline... de jalousie. Et, dans un coin plus sombre, assistée de «la» Gaudrin et de Gertrude, la veuve, vêtue d'une robe noire achetée le jour même, regardait son vieil amant tout en trouvant la force de maugréer:

– Si y'avait pas mangé comme un porc, y serait pas mort! J'avais beau…

Le lendemain, jour du service funèbre, Pauline avait revêtu l'un des ensembles «achetés» chez «la» Gaudrin. Le plus discret pour l'occasion, le bleu marine. Fardée, frisée, maquillée, sentant le Fresh Wind à plein nez, elle ne voulait pas s'en laisser imposer par sa rivale, «la poudrée» à Ti-Guy. La veuve, le cœur parfois à la bonne place, lui avait prêté un petit chapeau blanc qui lui tenait à peine sur la crinière. La tête de Charlotte était si menue, celle de Pauline si grosse, que la veuve, habile de ses mains, fendit le chapeau à l'arrière et camoufla le «dégât» d'une fleur de chiffon bleu, pour que Pauline puisse entrer à l'église coiffée, comme le rite l'imposait. La messe fut longue, trop longue; monsieur le curé aimait s'écouter parler. Mais lorsqu'il fit l'éloge de «monsieur» Hector Piquette, Sam Bourque avait les larmes aux yeux. Ti-Guy, encadré de ses parents, aperçut Pauline et lui fit un léger sourire. Mais son regard était tout autre pour Madeleine, la femme du conseiller du maire, vêtue comme une reine, la tête haute entre le premier magistrat et son épouse, le docteur et sa femme, et son rondelet petit mari. Et Pauline, avec son ventre rond et son petit chapeau décousu, enviait sa grâce, son rang, et le bracelet en or qu'elle portait sur un gant.

Puis, ce fut l'acte final, celui de l'enterrement. Dans le grand cimetière où peu de pierres tombales étaient érigées, distancées les une des autres, on porta en terre Piquet, l'amant de Charlotte de tant d'années, par-dessus le coffre de son mari de peu d'années. La veuve, sans le sou, avait enterré les deux hommes de sa vie… dans le même trou!

Quelques jours s'écoulèrent et la veuve, se remettant difficilement du départ de Piquet, souffrait de vive solitude. Seule dans son chalet, aux prises avec tout malgré le coup de main promis par Sam, elle avait peur la nuit, sur la butte. L'ombre de son vieil amant la suivait partout et elle avait été incapable de recoucher dans ce lit où Piquet avait rendu l'âme. Un après-midi, désemparée, sans même son chat pour lui tenir compagnie, elle s'était rendue chez Sam afin de s'entretenir… avec lui. Non pas que la guerre avait repris entre Pauline et elle, mais Charlotte ne s'était pas prise d'affection pour autant pour celle qu'elle considérait encore comme une intruse. Et la veuve n'avait pas oublié les querelles, les vilains mots et les injures de la «grosse fille» envers elle, oubliant toutefois qu'elle lui avait rendu, œil pour œil, dent pour dent, ses coups de griffes par la salive de sa mauvaise langue. Sam était occupé à obstruer quelques fentes du plafond, alors que Pauline, «écrasée» sur le sofa, lisait le prologue du roman le plus simplet que «la» Gaudrin lui avait donné.

– Quel bon vent t'amène, la veuve? lui demanda Sam en la voyant entrer.

– Y m'amène pas, Sam, y m'pousse à t'parler.

– Ben, assis-toi, lui suggéra Pauline en lui désignant une chaise. J'peux-tu t'offrir un verre de liqueur?

– Non, j'bois juste du *ginger ale* pis t'en as pas! C'est pas un reproche, Pauline, mais y'a rien qu'ça qui m'fait digérer.

– Y'a-tu quelque chose qui va pas au chalet? demanda Sam.

– Oui, le fait d'être pris' là toute seule! J'dors pas d'la nuit, j'sais rien faire à part à manger, pis c'est trop pour une femme seule. J'pense que j'vais vendre, Sam, pis regagner le village. Paraît qu'y a des touristes qui sont intéressés par mon chalet à cause du lac. Un couple de l'Ontario avec deux filles de quinze et dix-sept ans. Lui, y'est amateur de pêche pis d'chasse… Ils parlent juste l'anglais, mais y comprennent un peu l'français.

– Tu vas pas faire ça, la veuve? Tu vas pas nous sacrer des étrangers sur la butte? C'est à nous autres, c'coin-là, pas aux étrangers venus d'ailleurs…

– J'voudrais ben rester icitte, moé, mais sans Piquet, c'est plus pareil. Là, avec l'été qui s'en vient, ça peut aller, mais on a des hivers, tu l'sais, Sam, pis j'me vois pas privée de tout en espérant qu'on va m'aider.

– Pourquoi tu rentres pas l'électricité pis l'téléphone?

– Les lignes de téléphone s'rendent pas jusqu'icitte, Sam, tu l'sais! Pis l'électricité, ça coûte cher! J'ai pas d'argent, moé! En partant, Piquet m'a laissé juste son souvenir, pas une maudite cenne, y'en avait pas. Pis là, sans sa pension, j're-joindrai pas les deux bouts, moé!

– Voyons, la veuve, j'les rejoignais bien, moi? Pis sans pension à part ça!

– T'avais d'l'argent d'côté, toé! C'est pas mon cas, Samuel Bourque!

– Aie! T'as au moins quelques cennes pour durer des années! Viens pas m'dire que t'es sans l'sou, la veuve! Pis, avec quelques précautions…

– J'arriverais pour un bout d'temps, t'as raison, mais pas pour longtemps. Pis qui c'est qui t'dit que j'aurai une autre offre aussi bonne pour mon chalet quand j'serai cassée? On va l'avoir pour une pinotte quand j'aurai plus rien! Les vautours, ça sent ça d'loin, les gens dans' pauvreté!

– Prends pas panique, la veuve, pis écoute-moi…

– Non, Sam, toé pis Pauline, vous allez m'écouter avant. J'ai des choses à tirer au clair…

– Bon, ça va, j'm'ouvre une bière, pis on t'écoute, Charlotte.

Sam se déboucha une bière, la veuve toussota pour se «clairer» la gorge et Pauline, ayant déposé son roman, suivit la trame sans rien dire.

– Moé, c'que j'veux savoir, c'est si vous avez l'intention d'rester icitte longtemps. Avec le p'tit qui s'en vient, si vous décollez d'la butte, j'suis faite à l'os, Sam! Faut qu'j'sois rassurée! Y'a rien qu'vous deux pour répondre à ça!

– Ben, si c'est rien qu'ça, t'as pas à t'en faire, la veuve. Pauline pis moi, on grouille pas d'ici. Même avec le p'tit! C'est déjà discuté!

Sceptique, la veuve regarda Pauline pour être encore plus rassurée. Cette dernière, se sentant enfin impliquée, déclara à sa voisine:

– C'est vrai, Charlotte, on a pas l'intention d'bouger d'ici.

– Même avec un p'tit, Pauline? C'est pourtant à l'étroit… pis un enfant…

– On a parlé d'tout ça, Sam pis moi. Y voulait même agrandir le shack cet été, mais j'l'ai convaincu d'attendre à l'année prochaine. On va être plus en mesure d'évaluer c'que ça va nous coûter, pis faut quand même attendre qu'y soit au monde, c't'enfant-là!

– Ça veut dire que vous allez passer un autre hiver dans l'shack comme y'est là, Pauline? Avec le froid pis un bébé…

– Oui, pis on en mourra pas, la veuve! Pis l'p'tit non plus! C'est pas un hiver de plus qui va nous mettre à terre. Astheure que j'en ai vu un, j'suis capable d'en prendre un autre! Après, Sam va agrandir, calfeutrer, poser du papier-brique, pis à la longue, on va rentrer l'électricité. Pis, comme c'est moi qui te l'dis, j'imagine que ça t'rassure? On va survivre un an pis après on va vivre. Pis sans bouger d'ici, parce que c'est une belle place pour élever un enfant.

La veuve était bouche bée. Elle avait peine à se remettre de ce changement de cap, de ce raisonnement inattendu de la part de Pauline. Et pour la convaincre davantage, pour la garder dans son chalet, Sam ajouta:

– Pis un enfant, la veuve, ça va mettre de la vie sur la butte!

Plus que ravie, souriant pour la première fois à Pauline de ses petites dents cariées, elle s'exclama:

– Dans c'cas-là, j'reste icitte moé aussi! J'vais m'habituer à être seule, à plus avoir peur la nuit, pis, si j'suis mal pris' avec quelque chose...

– Sam va être là pour t'aider, Charlotte... répondit calmement Pauline.

– Oui, pis gêne-toi pas pour demander, ça va pas m'achaler, la veuve. Pis comme on a encore la bagnole pis qu'on est deux pour la chauffer...

La veuve, plus excitée qu'une gamine, s'écria:

– Ben, là, ça marche! Pis c'est moé qui paye encore le gaz pour le tacot! Pis les réparations aussi! J'peux pas l'croire, Sam! J'pensais pas qu'ça pourrait continuer comme avant!

Pour clore le sujet, pour qu'elle regagne vite son chalet, calculant ses mots, mesurant ses paroles, Pauline lui dit sur un ton plus que doucereux:

– Pis si tu t'ennuies, la veuve, tu pourras venir faire ton tour n'importe quand. Avec un p'tit, enfermée ici, j'vais avoir besoin d'compagnie, moi...

Charlotte dite la veuve, n'en croyant pas ses oreilles, faillit tomber à la renverse.

– Sam, j'aimerais ça téléphoner à Montréal. Moi, écrire, c'est pas mon fort et ça va être rempli d'fautes.

– Un longue distance, ça coûte cher, Pauline, et pis d'où c'est qu'tu peux l'appeler? Pas d'l'hôtel, tout l'monde va entendre…

– Non, j'm'arrangerais avec Ti-Guy. Y'a des soirs où ses parents vont jouer aux cartes chez une cousine à Terrebonne ou dans c'coin-là.

– T'es pas pour charger ça chez Gaudrin, Pauline? Ça s'fait pas…

– Non, c'que j'ferais, c'est que j'appellerais *collect* pis quand Jovette va recevoir le compte, elle pourrait me l'dire pis j'en payerais la moitié. Si t'acceptes, bien sûr, parce que j'ai pas d'argent, moi.

– Ça m'dérange pas, Pauline. Si ça peut t'faire plaisir, appelle-la, ton amie. C'est pas moi qui vas t'refuser ça après le sacrifice que tu fais en acceptant l'shack comme il est jusqu'à l'année prochaine. Arrange-toi juste pour pas y parler pendant des heures, parce que d'ici à Montréal, c'est pas donné, tu sais.

– T'en fais pas, j'vais être raisonnable, Sam. Tu trouves pas que j'le suis depuis un bout d'temps?

Il lui sourit, l'encercla de ses bras puissants, passa sa main sur son ventre rond et lui répondit:

– Ben oui tu l'es, Minoune! J'te reconnais plus, t'es plus la même pis j't'aime encore plus! Appelle-la, Jovette, pis salue-la d'ma part.

Pauline se rendit au village, acheta quelques victuailles chez Gaudrin, puis, apercevant Ti-Guy qui déchargeait le camion, elle lui fit signe d'attendre et de se rendre tout près de la bagnole. Elle sortit avec ses quelques emplettes sous le bras après avoir salué madame Gaudrin et, se dirigeant vers sa voiture, elle demanda à Ti-Guy s'il pouvait lui ouvrir le coffre et y placer ses sacs. Le coffre ouvert, elle lui demanda rapidement de peur d'être vue par sa mère:

– Quel soir tes parents sortent, Ti-Guy? Faut qu'j'appelle à Montréal et y'a juste toi qui peux m'aider. J'voudrais appeler de chez toi pour pas que le village écoute. De l'hôtel, les clients vont entendre…

– J'veux bien, Pauline, mais un longue distance sur le compte de ma mère…

– Non, non, j'vais appeler *collect*, elle s'apercevra de rien. Un téléphone de dix ou quinze minutes, pas plus… Rends-moi ce service, veux-tu?

– Bien sûr, Pauline, pis ça tombe bien parce que c'est à soir que le père et la mère s'en vont jouer aux cartes à Bois-des-Filion. T'auras tout l'temps voulu. Quand y vont là, y reviennent jamais avant minuit.

– Ah, Ti-Guy, t'es fin! Si j'arrivais vers huit heures, ça irait?

– Oui, à c't'heure-là, y sont partis, y sont déjà loin. J't'attends, mais là, y faut que j'rentre sinon la mère va s'demander c'qu'on avait à placoter cachés derrière la valise ouverte du char.

Ti-Guy s'éloigna et Pauline s'empressa de démarrer. Par le rétroviseur, elle venait de reconnaître le curé qui se dirigeait à pied chez Gaudrin, avec la vieille Hortense derrière lui.

À huit heures pile, sans être maquillée ni fardée, Pauline sonnait à la porte du logement du marchand, située juste à côté de celle du magasin. Les rideaux étaient fermés, les toiles baissées, et seule une petite lampe semblait être allumée. Ti-Guy vint lui ouvrir et la fit entrer avant qu'on puisse l'apercevoir au village. Et Pauline avait garé la voiture dans l'entrée des marchandises, à l'abri des regards indiscrets. Ti-Guy venait de prendre un bain, ça sentait bon dans la maison. Il portait un pantalon dans lequel il venait de sauter et il avait encore sa robe de chambre sur le dos. Pieds nus, les cheveux encore mouillés, il lui dit:

– J'ai pas vu l'temps passer. Excuse-moi, j'sors du bain, j'ai juste eu l'temps…

Pauline éclata d'un rire franc et lui répondit:

– T'as pas besoin de m'le dire, tu sens l'eau de Floride à plein nez, pis j'sens même la Danderine que t'as dans les cheveux!

– C'est mieux que d'sentir le fumier…

– Aie! C'est pas pour te niaiser que j'ai dit ça! Tu sens bon en maudit!

Rassuré, le jeune homme lui sourit et la conduisit au salon ou se trouvait le téléphone de la maison. Elle s'installa, le regarda et le garçon lui demanda:

– T'aimes-tu mieux que j'sorte? Si c'est personnel…

– Non, non, tu peux rester, j'appelle Jovette, j'pourrai même la saluer d'ta part en passant.

Le jeune homme prit place sur le divan et s'alluma une cigarette pendant que Pauline, aux prises avec l'opératrice, expliquait qu'elle désirait appeler *collect*. Au bout de quelques minutes, Pauline reconnut la voix de Jovette qui acceptait les «charges renversées» de Pauline Pinchaud de Saint-Calixte.

– Vous pouvez parler, Madame, les frais sont acceptés, de lui dire l'opératrice.

– Allô, Jovette? C'est Pauline!

– Pauline! Si tu savais comme j'suis contente! T'es chanceuse de m'prendre ici ce soir. Un peu plus et j'allais aux vues avec mon amie Carmen.

– Chanceuse! J'te fais pas manquer ça, j'espère?

– Non, non, Carmen a mal à la tête, on va s'reprendre demain. Comment ça va, toi?

– Écoute, avant d'parler, j'voudrais t'dire que j'vais t'rembourser la moitié de l'appel. Là, j'appelle de chez Ti-Guy pis j'pouvais pas mettre ça sur le compte de sa mère.

– Ben, t'as bien fait! Pis tu m'devras rien! J'gagne bien ma vie, Pauline, pis c'est pas un longue distance qui va me ruiner. J'ai tellement peu d'nouvelles...

– Ti-Guy est à côté d'moi, Jovette, pis y veut que j'te salue d'sa part!

– Ben, moi aussi! Y'est-tu encore aussi beau, le p'tit verrat?

– Pas mal! Encore plus! Pis y sent bon, y sort du bain...

Ti-Guy vit Pauline éclater de rire et, susceptible, cria pour que Jovette entende:

– Aie! Si vous vous payez ma tête, j'coupe la ligne! Pis toi, Jovette, c'est pas parce que t'es en ville que tu vas en trouver des plus beaux qu'moi!

– Pauline! Y'est-tu sérieux? Y'est-tu vraiment choqué?

– Ben non, Jovette, y nous tire la pipe! C'est un ange, ce p'tit gars-là!

– P'tit gars? cria Ti-Guy en apostrophant Pauline.

– J'voulais dire cet homme-là, Jovette! Y'est à prendre avec des pincettes, à soir! Pis toi, comment ça va? Toujours heureuse à Montréal?

– Oui, Pauline, c'est le bonheur total! La paix, la *job*, la paye!

– Pis les sorties aussi, non?

– Assez souvent, oui. Aux vues surtout. Carmen pis moi, on a vu *Champion* avec le nouveau venu Kirk Douglas. Pas tellement beau, mais bon acteur, celui-là.

– As-tu un *chum*, Jovette? Tu disais qu'tu voulais plus rien savoir des hommes…

– Pis c'est encore pareil! Non, j'ai pas d'*chum* pis j'en veux pas! J'ai des amies d'filles, pis Carmen, c'est la plus fidèle. On est toujours ensemble, on travaille à la même place, pis elle habite juste en face, de l'autre côté d'la rue. On va dans les clubs de temps en temps, on danse, on s'fait payer la traite par les gars, pis après, on leur donne un faux numéro de téléphone! Carmen est pas plus intéressée qu'moi. Elle a été échaudée…

– Écoute, Jovette, j'peux pas parler des heures, mais j'ai une nouvelle importante à t'apprendre.

– Ah oui? Laquelle?

– J'suis en famille! J'attends un p'tit, c'est pour septembre!

Pauline n'entendait plus rien au bout du fil. Le silence, un souffle…

– Es-tu encore là, Jovette?

– Oui, mais tu m'as coupé l'sifflet avec ta nouvelle, toi! T'attends un p'tit? De qui, Pauline?

– Ben, de Sam, c't'affaire! Pis il l'a bien pris! J'pense même qu'il est content! Là, tout l'village le sait, mais j'ai eu du trouble avec le curé en partant. Sam l'a remis à sa place pis là, y'a plus personne que ça dérange.

– T'es… t'es-tu contente, au moins?

– Oui… pas au commencement, mais là, j'm'y fais, y'a plus d'problème.

– Ça veut dire que Sam pis toi, vous allez être ensemble pour longtemps…

– Ben, comme c'est parti là, oui, j'espère que ça va être ça, mais…

– Écoute Pauline, t'es sûre que c'est lui, le père de ton enfant? Sam est pas l'seul à avoir… Tu sais c'que j'veux dire… T'es-tu ben sûre, Pauline?

– Ben, j'pense bien, j'sais pas au juste, mais d'après moi…

– C'est sérieux, c'que t'as fait là, Pauline, pis tu prends ça à la légère. Pis, si c'était Marcel ou celui qui est juste à côté d'toi?

– On peut-tu parler d'ça une autre fois, Jovette?

– Ouais… j'vois c'que tu veux dire. Tu peux pas trop parler…

– C'est en plein ça! En passant, savais-tu que Piquet était mort?

– Oui, j'l'ai appris par ma mère. J'lui parle en cachette de temps en temps quand l'père est au garage. Pauvre Piquet… Comment la veuve prend ça?

– Elle s'en remet tranquillement. Ça va s'tasser avec le temps…

– J'sais pas dans quoi tu t'embarques, Pauline, mais ça m'dit rien d'bon, c'qui t'arrive là. Tu vas pas élever un p'tit dans l'shack?

– Ben, pour un bout d'temps, mais on en reparlera… Dis donc, t'as eu des nouvelles de l'autre?

– Tu parles de Marcel? J'osais pas t'le dire avant que tu l'demandes, mais y'est sorti d'prison finalement. On a raccourci son temps.

– Y parle-tu d'moi? Qu'est-ce qui fait d'bon?

– Ben… y travaille. Y'est *doorman* dans un club de la rue Papineau.

– Pis moi? J'existe plus? T'as pas répondu à ma question, Jovette.

– J'voudrais ben, Pauline, mais Ti-Guy est à côté d'toi.

– C'est pas grave que Ti-Guy soit là, y'est au courant d'tout, j'ai rien à lui cacher. Marcel Marande t'a-tu parlé d'moi, Jovette Biron?

– Si on veut, mais t'aimeras pas c'que tu vas entendre, Pauline.

– Ben, parle, pis j'te dirai après si ça m'dérange ou pas!

– Marcel veut plus t'revoir, Pauline. Il t'a assez menti comme c'est là...

– Qu'est-ce que tu veux dire?

– Ben, y'est pas libre comme y l'disait. Dans un sens, oui, mais y'a déjà été marié pis là, y'a eu sa séparation. Mais c'est pas tout, Pauline.

D'une voix tremblante, Pauline demanda:

– Quoi d'autre? Y'a une blonde? C'est ça, hein?

– Si c'était rien qu'ça, Pauline, mais y'a aussi deux enfants...

Pauline resta bouche bée, les yeux rivés sur Ti-Guy qui se demandait... Parvenant à peine à articuler, Pauline cria, folle de rage:

– Ben là, ça va lui en faire trois! Parce que le p'tit que j'attends, c'est d'lui, Jovette! Pis tu peux lui dire! Y va pas s'en tirer comme ça!

– Aie! Faudrait t'brancher! Tu viens de m'dire que c'était d'Sam!

– Ça s'pourrait, mais je l'sais plus! J'ai dit à Sam que j'avais eu mes règles après avoir couché avec Marcel, mais c'est pas vrai, j'les ai jamais eues! Pis y'a pas fini avec moi, lui!

– Pis Sam, dans tout ça? Te rends-tu compte de c'que tu dis, Pauline?

– Oui... non, j'sais plus... Pis là, j'ai plus rien à dire, mais tu diras à Marcel qu'on niaise pas avec Pauline Pinchaud comme il l'a fait! Y m'connaît pas encore, lui! Si y pense que j'vais pourrir dans un shack avec son p'tit pendant qu'y fait la grosse vie, y'a menti!

– Pauline, tu sais plus c'que tu dis… Faudrait t'calmer, se rappeler…

Les larmes aux yeux, la rage au cœur, Pauline avait raccroché.

Ti-Guy, mal à l'aise, peu habitué dans les histoires de cœur, ne savait plus quoi dire. Il offrit un mouchoir à Pauline, un verre de liqueur et, lorsqu'elle fut calmée, il lui demanda:

– C'est vrai c'que tu viens de dire, Pauline? C'est Marcel, le père?

– Oui, c'est lui! Mais tu gardes ça entre nous, compris? Si y pense qu'y va s'pavaner avec des filles en ville pendant que j'l'attends comme une dinde, y s'trompe, l'écœurant! Y m'a fait accroire n'importe quoi, y m'a eue après m'avoir menti, y m'a fait un p'tit, pis là, c'est fini? Ah ben! Y m'connaît pas, lui! Pis y'a deux autres enfants, Ti-Guy! C'est-tu pas dégoûtant de rire d'une fille comme ça? Ah non! Y'a pas fini, lui!

– Pis, Sam dans tout ça, Pauline?

– Lui? C'était… c'était en attendant! Penses-tu que j'vais crever ici, Ti-Guy? Dans une cabane avec un p'tit sur les bras? Penses-tu qu'à mon âge, j'vais finir mes jours avec un vieux? Un ermite pis un avare à part ça?

– Pauline, c'est pas correct c'que tu dis là. Sam est un bon gars…

– Ça, j'en doute pas, mais j'commence ma vie, moi, j'la finis pas!

Ti-Guy, embarrassé, mal en point devant ses yeux remplis de haine, lui demanda timidement:

– T'es… t'es certaine que c'est pas d'moi, au moins?

– Le p'tit? T'as rien à craindre, Ti-Guy. J'ai eu mes règles après toi. C'est Marcel, le père, pis y va pas s'en tirer comme ça, lui!

Rassuré, la sentant nerveuse, agitée, Ti-Guy la serra contre lui. Il savait que c'était dans de tels moments que Pauline était vulnérable. Déçue, contrariée, elle oubliait le bien qui avait germé en elle pour le remplacer par tout le mal qu'elle pouvait faire pour se venger... ou se détendre. Et, comme chaque fois qu'elle sentait qu'elle n'avait plus rien à perdre, à défaut de ne pouvoir relever dignement la tête, elle la perdait en devenant... indécente. Perdue dans ses pensées, Ti-Guy à ses côtés, les yeux hagards sur le téléphone, elle ne se rendit même pas compte qu'il lui massait les bras tout en poussant d'un doigt un bouton qui fit tourner un disque de Sinatra. Une mise en scène préparée depuis l'heure du souper par le jeune homme... dans sa tête d'enfant. Et comme Pauline était sérieusement contrariée, quasi déprimée... Debout contre lui, la tête sur sa poitrine, maussade, aigrie, loin de Sam et de tout ce qu'elle lui avait promis, elle se sentit envahie par l'eau de Floride du garçon. Robe de chambre ouverte, le torse nu, Ti-Guy était prêt à être le déversoir des tristes déboires de Pauline. Il lui caressait la nuque et, sans qu'elle s'en aperçoive, il la berçait de ses hanches dans un *slow* qui lui donnait le vague à l'âme. Puis, pris de pulsions, Ti-Guy s'empara de la main de Pauline et la pressa contre sa poitrine. Au contact de sa peau jeune et fraîche, Pauline laissa balader ses doigts sur les quelques poils du torse quasi imberbe du jeune homme. Lui, pris d'une chaleur soudaine, glissa sa main dans l'encolure de sa gorge et lui palpa les seins. Puis, la renversant tout doucement sur le divan, elle se défit de son emprise et lui dit:

– Non, Ti-Guy, j'peux pas... j'veux pas...

– Y'a pourtant pas de danger, Pauline. Dans ton état...

– Justement! J'fais pas l'amour avec un bébé dans le ventre, moi!

Voyant qu'elle retrouvait son aplomb et pour ne pas perdre sa proie, il lui dit sur un ton envoûtant:

– D'accord, j'ai compris, j'insiste pas, on ira pas jusquelà…

Mais sur ce divan, habile comme un rat, Ti-Guy Gaudrin prit la main de Pauline et la glissa plus bas que son nombril, ceinture détachée, premier bouton libre, braguette quelque peu ouverte… Pauline, enivrée par son eau de toilette, enragée contre Marcel, dépitée de Sam sans trop savoir pourquoi, descendit d'elle-même sa main…

– Tiens donc! Pas même de sous-vêtement, Ti-Guy Gaudrin?

Le jeune homme souriait. Il était beau, il était fin, il était sa plus belle consolation du moment. Et avec Sinatra en sourdine pour la rendre ivre dans son ivresse, Pauline se laissa aller à de très doux touchers pour s'enliser peu à peu dans… des grossièretés. Et ce, sans que l'enfant qu'elle portait ne soit en rien rudoyé. De langoureux baisers, des étreintes éperdues, Pauline Pinchaud n'avait «vraiment» plus rien à perdre et Ti-Guy, tout à gagner. Et une fois de plus, Guy Gaudrin, fils d'Emma et de Joseph, enfant gâté, «joli tampon des pleurs de femmes désespérées», venait, dans sa candeur, d'être violemment… soulagé!

Il fallait qu'elle parte, il faisait nuit dehors et Sinatra avait terminé sa complainte. Après avoir refermé la porte sur elle, Ti-Guy, opportuniste mais pas bête, souriait d'aise en regagnant la salle de bain. Pauline l'avait assuré qu'il ne pouvait être le père de son enfant, qu'elle avait eu ses menstruations après la nuit passée dans son lit. Comment avait-elle pu… elle qui s'était donnée à lui si peu de temps après Marcel? Fertile pour un, infertile pour l'autre, à quelques heures près? Ti-Guy souriait. Pauline avait «décidé» que Marcel serait le père de l'enfant qu'elle portait et non lui, avec ses dix-huit ans, son père, sa mère, le curé et le village. Et un tel aveu l'arrangeait! Mais Sam, dans cette histoire? Sam n'était-il qu'un alibi? Était-il le seul à pouvoir assumer une telle responsabilité? Parce que, tout compte fait, fort en mathématiques et se fiant aux dires de Jovette, Pauline Pinchaud, en moins d'une semaine, avait fait un enfant avec Sam, Marcel... ou lui. Mais mieux valait les autres, puisqu'il pourrait poursuivre aisément son idylle avec la femme du conseiller du maire... stérile.

Pauline regagna le shack, essuya une larme avant d'entrer et, mine de rien, offrit un aimable sourire à Sam qui le lui rendit:

– Jovette va bien? Tout va pour le mieux en ville?

– Oui... comme sur des roulettes. Elle travaille, elle s'amuse et, en passant, elle était très contente d'apprendre l'heureuse nouvelle...

– Ah oui? J'en étais certain! Ça te dirait qu'on la prenne pour marraine?

– Heu... j'y avais pas pensé. Bonne idée, Sam. Ça devrait l'enchanter...

Il voulut la prendre dans ses bras, mais elle se dégagea:

– Tu sens le parfum, Pauline... As-tu fait un achat?

– Non... c'était les fleurs chez la Gaudrin. Son salon en est plein, ça m'a même fait éternuer. On dirait un salon mortuaire...

Fatiguée, épuisée, morose, déçue de la vie, Pauline se coucha et Sam en fit autant. L'ermite semblait heureux, il «ronflait» de bonheur. Et Pauline, insomniaque cette nuit-là, meurtrie jusqu'au fond de l'âme, trahie par celui qui lui avait menti, jurait de se venger de Marcel MARDE!

Chapitre 12

Le mois de mai avait depuis peu annoncé ses couleurs et, derrière le chalet de la veuve, le lilas était déjà en fleurs. Charlotte attendit quelques jours pour rentrer définitivement dans les bonnes grâces de Pauline et lui offrit un joli bouquet qu'elle avait elle-même agencé dans un vase. Pauline s'en montra ravie, n'était-ce que pour l'arôme que ces lilas dégageaient dans le shack, mais sans, toutefois, souhaiter que la veuve s'intègre dans «son ménage». Car, ayant fait contre mauvaise fortune bon cœur, la «compagne» de Sam avait vite repris le collier de son courage et n'attendait que le moment propice pour s'offrir la vengeance qu'elle refoulait dans le tiroir de ses vilaines pensées. Oh, que non! Marcel Marande n'allait pas s'en tirer les «quatre pieds blancs», père ou non de son enfant. Elle n'avait pas rappelé Jovette, elle ne lui avait même pas écrit et cette dernière n'avait pas tenté, de son côté, de revenir à la charge avec celle qui lui avait paru déchaînée. Son amie, Carmen, avait pris la relève dans le sentier de l'amitié. Pauline, seule ou presque, avec un sourire de Ti-Guy de temps à autre, ruminait dans sa cabane. Et ce, même si Sam, plus attentif que jamais, entrevoyait un bonheur sans fin que la future mère partageait d'un sourire, tout en le repoussant de la main.

Pauline Pinchaud, enfant malheureuse d'une mère démente, ne recherchait pourtant qu'une certaine joie de vivre. Livrée dès son jeune âge en pâture à des hommes qui avaient abusé des premiers signes de sa puberté, elle n'avait connu depuis que des liaisons marginales, immorales, perverses, avec des «patrons» qui avaient, pour la plupart, trois fois son âge. De là son attirance pour les hommes de l'âge de son père qu'elle n'avait jamais connu. De là son désir charnel envers Sam, car, la tête sur sa poitrine, les jambes entre ses jambes, se sachant aimée et protégée à la fois, elle se sentait munie d'un bouclier à toute épreuve. Cœur d'enfant dans le corps d'une grosse dame, Pauline ne pouvait, avec son aspect physique, attirer les jeunes gens de son âge, à moins d'assouvir leurs bas instincts, comme tel était le cas avec Ti-Guy Gaudrin. Aucun gars de son âge n'avait jamais levé les yeux «sérieusement» sur elle. Et Pauline, de son côté, n'avait aucune attirance pour les jeunes de son âge, qui n'avaient pas la maturité requise pour sa dépendance. Car Pauline voulait dépendre et non pas qu'on se fie sur elle. Elle voulait asservir, être des deux la plus faible et laisser le courage à l'autre, en cas d'intempéries. Ce qu'elle avait d'ailleurs toujours fait depuis qu'elle était devenue «femme». Avec des *truckers*, des débardeurs et combien d'autres de l'âge de Sam ou de Marcel. De l'âge de ce dernier surtout, avec lesquels le portrait se voulait moins cocasse, puisque d'apparence, Pauline accusait dix ans de plus que son âge. Donc, le couple idéal! Le couple… normal! Et c'était pourquoi Marcel Marande avait beaucoup marqué sa vie, si brève avait-elle été avec lui. Marcel Marande, avec ses trente-six ans, se devait d'être le père de son enfant. Il se devait de l'être parce qu'elle le voulait. Parce qu'elle avait décidé, envers et contre tout, qu'il était l'homme à faire, avec elle, un beau «portrait». Et ce, dans tous les sens du mot! Marcel Marande «serait» le père de son enfant. Sam, malgré la forme d'amour qu'elle éprouvait pour lui, avait, hélas, trop d'hivers derrière lui et le jeune Gaudrin, trop peu de printemps. Sam, c'était la passion charnelle, Ti-Guy, la bagatelle, mais Marcel était l'homme de sa vie, selon elle. Et ce, depuis le jour où, condamnée à être servante, elle avait rêvé de contrer son destin. Tout comme la bergère qui devenait princesse dans le roman de Clarisse. Tout comme «Orielle», issue d'un conte charmant, dont elle avait choisi le doux prénom pour son enfant. Tout comme Madame de Maintenon, fille du peuple, qui se hissa jusqu'à devenir l'épouse du roi, aurait pu lui dire Sam, s'il avait posé les yeux sur cette page du dictionnaire.

— Regarde c'que j'ai trouvé au village, Pauline!

Et Sam exhiba fièrement un panier d'osier blanc avec un petit matelas coussiné et un oreiller de poupée.

— On va faire quoi avec ça? lui demanda-t-elle.

— Ben, ce sera pour les premiers mois de notre enfant, Pauline! Regarde comme il est beau, comme il est propre!

— T'as trouvé ça où, Sam?

— J'ai dit ça comme ça, mais c'est madame Gaudrin qui me l'a donné. Ça vient d'la dame qui t'a vendu ses robes.

— J't'ai déjà dit que j'voulais pas d'leur charité, Sam!

— T'en fais pas, j'ai fait comme toi, j'ai insisté pour le payer, mentit l'ermite qui n'avait pas plongé le pouce dans sa poche.

— Bon, j'aime mieux ça! On achète ou on laisse! On est pas des mendiants!

— J'l'ai montré à la veuve en passant et elle l'a trouvé si beau qu'elle m'a dit qu'elle tricoterait une couverte. Quelque chose de chaud…

– Bon, la voilà qui s'mêle encore de ça, elle!

– Voyons, Pauline, c'est d'bon cœur… Charlotte sait pas quoi faire de sa laine pis, depuis quelque temps, elle fait tout pour te plaire. Qu'est-ce que t'as, toi? T'as pas l'air dans ton assiette, aujourd'hui…

– Heu… rien, presque rien, j'ai des crampes dans l'ventre, ça s'déroule pas toujours bien, une grossesse… On a des hauts pis des bas, tu sauras!

– Ben, repose-toi, bois d'l'eau fraîche, étends-toi sur le sofa, j'm'arrange avec le souper à soir. J'vais faire d'la soupe au poulet, j'vais bouillir un jambon…

– Correct, mais j'espère que t'as pas oublié les mokas que j't'ai demandé d'acheter en passant.

Quelques jours plus tard, à l'aube, alors qu'elle sommeillait encore, Pauline fut réveillée par les bruits de la scie et du marteau sur des clous. Sam, à l'extérieur, semblait affairé avec des planches et son coffre à outils.

– Veux-tu ben m'dire c'que tu fabriques si tôt, Sam Bourque?

– Une bassinette de bois pour le p'tit qui s'en vient. J'ai trouvé des planches…

– Sam, maudit! Pas tout d'suite! On a déjà l'panier pis on a l'temps d'penser au reste! C'est pas pour demain, l'accouchement! Tu pourrais pas m'laisser dormir de temps en temps? J'passe des nuits blanches, j'ai des…

Sam ne l'écoutait plus. Déçu, ayant cru lui faire plaisir, il rangea son bois, ses outils et rentra faire bouillir de l'eau pour le thé et le café.

Penaude, mal à l'aise de l'avoir ainsi invectivé, Pauline lui dit au cours de la journée:

— Excuse-moi, Sam, j'm'emporte pis tu l'mérites pas. Mais ça file pas, paraît qu'c'est comme ça dans l'sixième mois. Ça va s'placer...

— J't'en veux pas, Pauline, j'comprends, c'est moi qui fais aller l'moulin plus vite que l'vent. J'vais m'contrôler, j'te l'promets! C'est pas d'ma faute, mais plus ça s'en vient, plus ça m'réjouit d'avoir un enfant!

Pauline ne répondit pas. Évasive, elle avait la tête ailleurs. Sam, voyant qu'elle avait son roman entre les mains, les yeux au plafond, profita de son silence...

— J'ai quelque chose de sérieux à t'demander, Pauline.

Elle revint sur terre, posa les yeux sur lui et demanda en soupirant:

— Quoi, Sam?

— Ça t'dirait-tu de t'marier avec moi, Pauline?

Elle faillit échapper son livre. Elle croyait avoir mal entendu.

— De... J'ai bien compris, Sam?

— Oui, Pauline, qu'on s'marie toi pis moi, qu'on devienne mari et femme! J'y pense depuis un bon bout d'temps et c'est pas pour faire taire la paroisse que j'te l'demande. On s'aime, on attend un enfant, on a aucun empêchement...

— Sam, c'est sérieux c'que tu m'demandes là... J'ai jamais pensé...

— Tu trouves pas qu'c'est l'temps qu'on y pense? Le p'tit s'en vient, Pauline. Pis j'aimerais ça qu'y vienne au monde avec de vrais parents. Un père et une mère du même nom, un couple uni devant Dieu... C'est pas que j'sois plus catholique que l'pape, j'ai pas la foi, mais j'ai des convictions, des valeurs, pis j'aimerais mieux que l'p'tit arrive avec des parents mariés, pas accotés.

Prise au piège, elle ne savait que répondre. Voyant qu'elle hésitait, il ajouta:

– À moins que ça t'dise rien d'être ma femme, Pauline. À moins qu'tu m'aimes pas assez pour ça…

– J'ai pas dit ça, Sam. C'est la surprise…

– Ben, astheure que la demande est faite, qu'est-ce que tu réponds?

– J'ai pas d'objections, moi… J'ai pas… Oui, j'veux bien, Sam, j'peux pas dire non à une demande pareille. J'veux bien…

– Je sais qu'tu penses à l'âge, Pauline, à notre différence d'âge. Pis t'as raison d't'inquiéter! C'est sûr que tu vas m'enterrer…

– Parle pas comme ça, pour l'amour du bon Dieu! Moi, la mort…

– Faut être réalistes, Pauline, j'rajeunis pas pis je l'sais, mais au moins, le p'tit sera un légitime… Pis toi, si j'pars, Pauline, tu seras une veuve honorable, pas une fille-mère qu'on va pointer du doigt.

– Oui, j'comprends, Sam, mais toi, m'aimes-tu assez pour ça? J'suis pas facile à vivre, j'ai des caprices, j'suis pas ta Clarisse, moi.

– Écoute, Pauline, j'vais être franc avec toi. Clarisse, je l'ai aimée, mais jamais autant qu'toi. J't'adore, toi! J'm'imagine pas vivre sans toi! J'sais pas si c'est avec l'âge, mais j'ai des sentiments que j'avais pas dans l'temps. Je l'aimais comme un fou, Clarisse, mais j'avais juste vingt ans. Là, à mon âge, je sens des choses dans l'cœur que j'avais pas avant. Pis, imagine-toi pas que j'veux t'marier juste pour l'enfant, j't'aime de toute mon âme, Pauline, comme j'ai jamais aimé avant.

Mal à l'aise, stupéfaite devant un tel élan et voulant paraître sincère, elle lui demanda nerveusement:

– Et tu comptes faire ça quand, Sam?

– Quand tu voudras! Demain comme dans un mois! À toi de décider, Pauline!

– Ben, j'aimerais mieux attendre un peu… Y'a rien qui presse… Faut quand même que j'me prépare… En juillet, peut-être?

– Comme tu voudras, Pauline. En juillet, moi, ça fait mon affaire.

– Une chose, Sam. Cours pas chez l'curé demain, va pas faire publier les bans tout d'suite. Pis, parlons-en pas à personne, pas même à la veuve. Ça s'peut qu'on s'marie ailleurs qu'ici… Laisse-moi penser à tout ça…

– J'te laisse ça entre les mains. J'dis rien pis j'attends. Parce que j'suis sûr qu'avec toi, Pauline, ça va s'faire de la bonne manière.

Il se leva, s'approcha d'elle, l'embrassa dans le cou, encercla la taille ronde de sa «future» et murmura au bébé dans son ventre:

– Pis toi, le p'tit, t'auras pas honte de t'montrer la face devant l'monde.

Sam servait le jambon et Pauline déposait les mokas dans une assiette. Elle le regardait, elle avait le cœur gros, elle se retenait pour ne pas éclater en sanglots. Sam, si bon, si aimant, si courageux devant l'avenir. Sam qui l'adorait, elle qui l'avait démoli à Ti-Guy. Elle qui l'avait méprisé, à peine avait-il eu le dos tourné. Elle qui s'en servait en attendant que l'autre… Comme s'il eût été un objet, un appui-livres, une chose… Pauline, devant cette preuve d'amour, avait des remords jusqu'au bout des pieds. Sam ne méritait pas d'être la bête noire de cette sordide histoire, mais dans sa tête, Marcel Marande était encore présent. Elle s'en voulait, elle aurait souhaité oublier «l'autre», mais ses entrailles se tordaient devant «sa» dernière chance.

Les jours du mois de mai s'écoulaient avec rapidité et, chaque soir, c'était avec anxiété que Pauline rayait d'une mine de crayon la date périmée. Un matin, resplendissante, elle s'était levée tôt, avait préparé le déjeuner et, seule avec Sam, elle lui débita d'un seul trait:

– Si t'étais fin, Sam, tu m'laisserais aller à Montréal. Juste pour une semaine! Chez Jovette! Ça m'changerait les idées, pis ça m'permettrait de m'préparer pour le grand jour. Pis, dis-moi pas non avant d'y avoir pensé…

Sam était songeur, l'idée ne lui plaisait guère, mais comment lui refuser ce petit déplacement, elle qui allait accoucher de lui, vivre avec lui…

– J'ai pas dit non, Pauline, mais j'me demande comment ça peut s'faire…

– C'est ben simple, monsieur Gaudrin descend chaque semaine pour ses achats. J'suis sûre qu'y refuserait pas de m'prendre à bord un matin, pis de m'ramener la semaine suivante.

– Tu peux pas lui demander ça, Pauline, c'est s'imposer, pis dans ton état…

– Sam! Montréal, c'est pas les États! Une heure de route à peine, pis comme y voyage seul, j'dérangerai pas…

– Ouais… Pis Jovette, elle? T'es sûre que ça la dérangera pas? Elle travaille, elle a un p'tit logis…

– Écoute! Elle m'a invitée à venir n'importe quand! J'suis sûre qu'elle a d'la place! De toute façon, j'lui demanderais avant! J'arriverai pas là en sauvage, Sam! Pis, j'suis sûre qu'elle va être contente de me revoir…

– C'est pas qu'ça m'tente, j'vais m'ennuyer, Pauline, j'vais trouver l'temps long sans toi, mais si ça peut t'faire du bien…

– C'est pas l'mot, Sam! Ça va m'remettre d'aplomb! Pis, j'dis pas ça pour toi, mais faudrait pas oublier qu'on a un autre hiver à passer…

En plein la phrase qu'elle se devait de prononcer pour le faire céder.

– Vas-y, Pauline, t'as raison! Pis, même si j't'aime, ça va pas m'faire mourir, une p'tite semaine.

L'après-midi même, Pauline se rendait chez Gaudrin pour transiger son «affaire». Gênée, elle demanda à Ti-Guy d'intercéder auprès de son père pour elle. Ce dernier, après la requête de Ti-Guy, se tourna vers elle.

– Ben certain, Mam'zelle Pauline! J'vais à Montréal tous les lundis. Si ça vous tente, si vous êtes prête, vous pouvez être du prochain voyage.

– Merci, Monsieur Gaudrin, j'vous revaudrai ça! Pis, comme vous m'sauvez des dépenses, j'vous promets d'être votre meilleure cliente! J'achèterai pas ailleurs, j'vous l'jure!

Emma Gaudrin était soucieuse. Non pas du service que «la» Pauline réclamait à son mari, mais elle aurait bien aimé savoir ce qu'elle allait faire à Montréal. Ti-Guy, témoin muet de la scène, était le seul à le savoir, mais il n'en dévoila rien. De peur que la «paternité» lui soit attribuée et de peur de la perdre, après son accouchement, pour ses fantasmes qu'elle «manipulait» si bien. Et c'est sans avoir appelé Jovette pour la prévenir de son arrivée qu'elle dit à Sam en rentrant: «Ça y est! Tout est réglé!»

Le temps était plutôt nuageux en ce 23 mai alors qu'elle prenait place dans le camion de Joseph Gaudrin, avec sa valise, deux sacs et une boîte.

L'ayant observée lors des préparatifs, la veille, Sam, inquiet, lui avait demandé:

– Pars-tu pour un mois ou une semaine?

– Pourquoi tu m'demandes ça?

– Ben… avec tout c'que t'emportes, on dirait qu'tu déménages!

– J'ai pas grand-chose, t'en fais pas. Le reste, c'est du linge qui m'fait plus pis que j'veux donner à Jovette. J'en ai profité pour faire d'la place, Sam. On va en avoir de besoin pour les affaires du p'tit.

La croyant sur parole, Sam Bourque n'avait rien ajouté. Il l'avait conduite lui-même chez Gaudrin et, la lui confiant, il avait dit au marchand:

– Merci, pis prenez-en bien soin! Pis, allez pas trop vite, Monsieur Gaudrin!

– Vous en faites pas, Sam, mon *truck*, c'est pas une Cadillac! lui répondit-il en riant.

Ti-Guy, sur le perron, en salopette, les cheveux en broussaille, la démarche sensuelle, la faisait encore rêver. Pas de mariage, bien sûr, mais de ce dont elle était privée avec le ventre rond et l'enfant qui, déjà, se manifestait. Et, curieusement, Ti-Guy la regardait de ses beaux grands yeux bleus, comme s'il doutait de la revoir. Pauline avait décelé une certaine tristesse dans son regard. Mais, retrouvant son souffle, oubliant sa «démarche» et ses hanches, elle lui sourit sachant que Madeleine, la femme du conseiller du maire, allait prendre grand soin de ce qu'elle lui laissait… entre les mains. Le camion se mit en marche, Sam retourna au shack et, du rétroviseur de droite, Pauline vit disparaître peu à peu le gars en salopette qui la suivait des yeux.

Le voyage fut long et lent. La route du printemps, avec ses fentes et ses crevasses, lui faisait sautiller le ventre. Et le petit qui la ruait de coups ajoutait à ses désagréments. Monsieur Gaudrin parlait beaucoup. Beaucoup trop pour elle, qui aurait souhaité s'assoupir quelques moments. Il lui parlait de son commerce, du dévouement de sa femme, de son fils qui était un «p'tit gars» remarquable pour son âge, des projets qu'il avait pour lui, de sa conduite exemplaire... Et Pauline souriait d'entendre vanter ainsi le «petit ange» à son père quand elle savait à quel point il pouvait être «diable» avec elle. Le père parlait même de le «caser» plus tard avec la nièce du conseiller du maire. À ces mots, Pauline pouffa de rire, et à Gaudrin qui la regardait étonné, elle dit pour camoufler sa bévue: «C'est l'bébé! Y m'chatouille, pis ça m'porte à rire.» Ils arrivèrent à Montréal en début d'après-midi. Ne sachant trop où elle allait, il lui demanda:

— Je vous dépose où, Mam'zelle Pauline? Moi, j'descends jusqu'en ville.

— Ben... dans c'coin-là! Près d'la rue Ontario si c'est possible, j'vais m'arranger avec le reste. J'ai du temps à tuer pis après, j'vais prendre un taxi.

— Et pour le retour la semaine prochaine? D'habitude, j'repars à cinq heures...

— Ben, là... j'sais pas, mais j'vous téléphonerai, on va s'arranger.

Gaudrin la déposa au coin des rues Ontario et Saint-Laurent et, après l'avoir remercié, Pauline, avec sa valise, ses sacs et sa boîte, entra dans un petit restaurant pour se «bourrer la panse» avec l'argent de Sam.

Et, ce même jour, alors que Pauline était en route pour Montréal, Sam avait repris la bagnole et s'était rendu à Saint-Lin où personne ne le connaissait, pour ne pas éveiller les soupçons. Pour lui, conduire jusque-là était un réel défi. Il ne connaissait pas la route et ne s'était jamais aventuré plus loin qu'au village. Mais, n'écoutant que son cœur et sans permis de conduire, il s'y rendit sain et sauf pour stationner devant une espèce de magasin général. Il entra, et une charmante vendeuse s'approcha de lui.

— Vous désirez, Monsieur?

— Vous auriez pas des joncs et des bagues? C'est pour un mariage.

— J'en ai, mais pas en or. Pour ça, vous devriez aller chez le bijoutier.

— Non, non, montrez-moi c'que vous avez.

La jeune femme le dirigea vers un comptoir dans lequel étaient éparpillés des bijoux de toutes sortes. Puis, une petite rangée avec des alliances dans des écrins de velours.

— J'ai ici trois modèles de bague et de jonc pour dame et deux joncs pour homme. Mais, j'aime mieux vous le dire, c'est du plaqué.

— Qu'est-ce que ça veut dire?

— Ça veut dire que ça peut ternir si les gens ont de l'acidité dans le sang.

— Ben, c'est pas not' cas, pis c'est juste pour la forme, vous comprenez…

— C'est pour vous? Vous vous mariez? La dame n'est pas avec vous?

— Non, mais j'suis en âge de choisir, répondit-il en riant.

Il essaya un jonc plaqué argent qui lui allait parfaitement et, regardant un ensemble pour dame, il demanda à la vendeuse.

— C'est quoi, la pierre au centre de la bague?

— Sûrement pas un diamant, à ce prix-là! s'exclama-t-elle en riant. C'est une pierre de cristal taillée. Ça imite bien, ça jaunit pas…

— J'pense que ça pourrait faire…

— Savez-vous, au moins, la pointure de la dame? C'est important…

– Non, mais j'sais qu'elle a à peu près l'index comme c'te doigt-là, lui dit-il en lui désignant son doigt-fesses.

La dame prit des anneaux et mesura le doigt de Sam tout en lui disant:

– Vous parlez de l'annulaire, pas de l'index, sûrement…

– Oui, excusez-moi, dans l'énervement, j'les confonds, ces deux-là.

– Si j'en juge par votre majeur, la pointure est un dix, Monsieur. Ça me semble grand… Elle est assez ronde, la dame?

– Oui, pas mal grosse, gênez-vous pas, pis elle est enceinte à part ça!

La jeune femme rougit et mesura les bagues et les joncs des ensembles.

– Celui-là ferait l'affaire, mais c'est dommage, celui avec des roses est plus joli. Celui-ci n'a que des petites rayures seulement, voyez…

– Ça n'a pas d'importance! En autant qu'ce soit la bonne mesure. Bon, ça reviendrait à combien, toutes ces choses-là?

– Deux dollars pour le jonc pour homme, cinq pour l'ensemble de madame.

Sam se grattait le menton, puis, se rapprochant d'elle pour ne pas être entendu des autres clients, il lui demanda:

– Vous pourriez pas faire mieux? J'suis pas riche, vous savez, pis j'suis pas un client exigeant…

Prise de compassion, la jeune femme lui répondit:

– Attendez-moi un instant, je vais consulter la patronne et on verra ce qu'elle dira.

Sam attendit et aperçut une vieille dame qui le regardait alors que la vendeuse chuchotait des mots à son oreille. Elle revint et lui dit en souriant:

– La patronne accepte de vous faire un rabais. Cinq dollars pour le tout, l'écrin pour la dame inclus, et c'est une bonne affaire puisque votre jonc ne vous coûte plus rien.

Sam ne se fit pas prier, déposa la somme sur le comptoir et repartit avec les alliances dans sa poche, content d'avoir sauvé deux piastres en «bargainant». De retour au shack, stressé par la route, il s'ouvrit une bière, regarda les alliances et se dit: «J'espère que ça va lui plaire. Après tout, c'est juste pour la coutume. Plus tard, si la manne passe, j'lui achèterai un jonc en or.» Et il rangea les précieux symboles de leur amour dans son petit coffre de métal qu'il appelait son «tronc d'arbre».

Jovette venait à peine de rentrer de son travail et, manteau encore sur le dos, on sonnait à sa porte. «Pas un colporteur!» maugréa-t-elle en se dirigeant vers la porte d'un pas leste. Elle ouvrit et faillit perdre connaissance.

– Pauline? Toi ici? Si j'm'attendais à ça! Qu'est-ce qui t'amène?

– J'peux-tu rentrer au moins, Jovette? J'suis épuisée, j'ai tellement marché.

– Bien sûr, entre pis assis-toi! lui répondit-elle, tout en regardant, inquiète, la valise, les sacs et la boîte que Pauline traînait derrière elle.

– Veux-tu une tasse de thé? J'ai juste à l'réchauffer…

– J'prendrais plutôt quelque chose de froid, j'suis en sueur, regarde-moi l'ventre, ça pèse, un p'tit comme ça!

– J'ai du Denis Cola ou d'la bière d'épinette…

– Vas-y pour le Cola, ça va m'remettre du sucre dans l'sang!

– T'es-tu d'passage? Sam est dans les parages?

– Non, Jovette, j'suis venue toute seule, pis si ça dérange pas, j'passe la semaine avec toi! C'est l'père Gaudrin qui m'a voyagée pis c'est lui qui va m'reprendre lundi prochain. Ça t'dérange pas, j'espère?

Jovette était visiblement contrariée et Pauline s'en rendit compte.

– J'suis d'trop, c'est ça? T'aurais préféré pas m'voir arriver?

– C'est pas ça, Pauline, mais t'aurais pu m'appeler… J'me serais préparée…

– Je l'ai pas fait parce que j'avais peur que tu m'refuses. Depuis la dernière fois, j'ai pas eu d'tes nouvelles…

– Pauline! C'était à toi de m'rappeler! Tu m'as raccroché la ligne au nez!

– C'est vrai, excuse-moi, mais j'étais tellement en colère…

– Bon, puisque t'es là, on va s'arranger! J'ai pas fait un gros marché, j'attendais personne, tu comprends…

– J'vais payer ma part, Jovette! Sam m'a donné un peu d'argent…

– Veux-tu ben m'dire c'que t'es venue faire en ville, toi?

– Comme si tu l'savais pas! Trouver Marcel pis lui mettre mon ventre en pleine face! C'est lui l'père, après tout… J't'avais dit qu'y allait pas s'en tirer comme ça!

– Là, j'comprends pas! Sam t'a donné d'l'argent pour que tu viennes dire à Marcel… T'as mis Sam au courant de c'que t'allais faire?

– Non, non, Sam le sait pas. Y pense que j'te paye une visite, pas plus. Y'était même surpris de m'voir partir avec autant d'*stock*.

– Ben, moi aussi, j't'avoue! J'comprends d'moins en moins, Pauline…

– Laisse-moi reprendre mon souffle, Jovette, pis j'vais tout t'raconter.

– Ça va, gardons ça pour après souper, mais le p'tit, ça s'déroule bien? On dirait qu't'es sur le point d'accoucher! T'as pris du poids, c'est pas possible…

– Pas tant qu'ça! À peu près quarante livres, c'est normal…

– Pauline! Tu l'attends pour la fin d'août, pas pour demain! Fais-tu attention à c'que tu manges, au moins?

– Certain! Pis, c'que j'comprends pas, c'est qu'j'ai quand même des crampes dans l'bas du ventre!

Assises l'une en face de l'autre dans la petite cuisine de Jovette, Pauline se régala d'un pâté chinois que son amie avait préparé en vitesse. Non seulement elle se régala, mais elle s'empiffra, au grand désarroi de Jovette à qui elle avait dit qu'elle surveillait, dans son alimentation, les portions qu'elle mangeait. Puis, sans aucune gêne, elle avala deux grosses pointes de la *coconut cream pie* que Jovette avait dans sa glacière. Bien «remplie», rotant en s'excusant, elle dit à son amie en acceptant une seconde tasse de thé:

– C'est à mon tour d'être mal pris', Jovette, pis j'ai besoin de toi. Moi, j'ai fait c'que j'ai pu pour t'aider à sortir du trou, c'est à ton tour de m'prouver qu't'es une amie.

– J'veux bien, mais dis-moi c'qui t'arrive! J'peux pas deviner, moi!

– Ben là, c'est rendu loin. Figure-toi donc que Sam veut me marier!

Jovette, stupéfaite, loin d'être mécontente de l'idée, lui répondit:

– Et puis? C'est pas c'que t'aurais d'mieux à faire, Pauline?

L'autre, se retenant pour ne pas se mettre en colère, lui rétorqua:

– Pis toi, c'est c'que tu trouves de mieux à m'dire, Jovette?

– Ben, écoute, dans ton état, t'es mal placée pour faire des choix, Pauline. Sam est quand même un bon gars… Pense au p'tit, y s'en vient, lui!

– Ah ben, maudit! Moi qui pensais trouver du réconfort! J'te reconnais plus, Jovette! Faut ben être partie d'un camp comme tu l'as fait pour me demander de vivre dans un shack! On oublie vite, pas vrai?

– Moi, c'était une autre histoire, pis tu l'sais à part ça! Sans l'père à m'tâter, sans ce salaud à… J'me répéterai pas, j'essaye de l'oublier. Mais, sans lui, Pauline, j'serais encore là! J'me serais mariée comme toutes les filles du village pis j'aurais eu une famille! J'serais pas devenue le corps à vidanges des commis voyageurs! Compare-toi pas à moi, toi!

– Je l'sais qu'c'est pas pareil, Jovette, je l'sais c'que t'as enduré avant d't'en sortir, mais c'est pas une raison pour que j'accepte c'qui m'arrive. J'passerai pas ma vie sur la butte avec un homme trop vieux pour moi, ça, non! J'vieillirai pas là, Jovette, p'tit ou pas! J'aime mieux crever que de m'sacrifier à c'point-là! Y'a toujours des limites, Jovette! J'suis quand même pas venue au monde pour vivre comme la veuve, moi!

– Oui, j'comprends, Pauline, mais pour un bout d'temps… Le temps d'avoir ton enfant pis d'voir si, après, lui pis toi…

– T'es-tu sourde ou quoi? Y veut qu'on s'marie, Jovette!

– Ben, t'es pas obligée d'aller jusque-là! Dis-lui…

– J'ai déjà dit oui, j'ai accepté, c'est ça qui est l'pire! J'ai pas été capable de dire non, j'trouvais aucune raison! Pis, y m'aime comme ça s'peut pas! Si tu savais comme ça m'arrache le cœur de lui mentir en lui disant que j'l'aime aussi…

– Écoute, Pauline, tu dois quand même pas l'haïr, tu m'as déjà dit qu'avec lui, c'était mieux qu'avec Marcel…

– Sur ce plan-là, oui… Mais pour le reste, la vie qui m'attend…

– Comment veux-tu qu'y s'fasse une idée, lui? Tu joues avec lui, Pauline! Tu t'garroches dans son lit, tu lui fais l'amour comme une grue, pis après, tu t'laves pis tu t'essuies? J'pense pas qu'ça s'passe comme ça, moi! Excuse mes mots, mais si c'est pas prouver à un homme qu'on l'aime, ça, fais-moi un autre dessin, Pauline!

– J'ai eu tort d'agir ainsi, je l'sais, j'aurais pas dû lui dire en plus des mots d'amour dans ces moments-là, mais c'est plus fort que moi… Sous son emprise, j'me contrôle pas, Jovette! J'pense qu'y a quelque chose qui tourne pas rond dans ma tête… Des fois, j'te l'dis, j'ai peur de finir comme ma mère!

Jovette, malgré elle, fut bouleversée par les derniers mots de Pauline. Cette dernière, exténuée, le cou «rempli» d'urticaire causée par son angoisse, avait les larmes aux yeux. Jovette, compatissante, émue devant cette pauvre fille sans défense, lui dit:

– Bon, dis plus rien pour ce soir, j'te prépare le divan. T'as besoin d'repos, toi. Demain, j'travaille, mais à la fin d'la journée, on reparlera d'tout ça. T'es épuisée, Pauline.

Le lendemain, pendant que Jovette était au travail, Pauline se prélassa entre ses murs. Le confort, le doux confort dont elle rêvait depuis longtemps. Une salle de bain, l'électricité, la radio, un tourne-disque et les oiseaux qui chantaient dehors. Elle était même sortie sur le balcon et une voisine, du sien, lui avait dit: «Bonjour, Madame, vous êtes une parente de Jovette?» Ce à quoi Pauline avait répondu: «Oui, une cousine, mais en visite seulement.» La voisine, lui regardant le ventre, ajouta sans malice: «Oui, ça s'comprend! C'est pour dans pas grand temps, à c'que je vois!» Pauline, pour se sentir plus à l'aise d'envahir ainsi le logis de son amie, fit le ménage de toutes les pièces. Sur ce plan, elle était experte, et comme Jovette ne semblait pas prendre souvent le «torchon», ce n'était pas la poussière qui manquait. Durant l'après-midi, elle marcha sur la rue Ontario, entra dans quelques magasins pour fureter, mais revint sagement à la maison sans avoir rien acheté, sauf une Cherry Blossom et des caramels durs enveloppés.

Jovette rentra pour le souper, heureuse de retrouver Pauline et ravie de voir son logis aussi propre. Elle était accompagnée de Carmen, sa grande amie de travail, celle qui habitait juste en face, de l'autre côté de la rue. Une fille robuste et grande, les cheveux courts, les traits durs, mais fort aimable. Pas jolie pour deux sous, vêtue d'un pantalon et d'un blouson, des souliers noirs lacés aux pieds, Pauline la scrutait du regard et, sans le dire, trouvait que «la» Carmen avait l'allure… d'un homme! Quel contraste avec Jovette qui, blonde, élancée, maquillée, était plus féminine que jamais. Mais Carmen semblait avoir bon cœur et se montra pleine d'attentions pour la future maman qu'elle avait devant elle. Le temps des présentations, une brève conversation et Carmen prit congé pour rentrer vite chez elle. Ses deux chiens l'attendaient, le ventre creux, selon elle. Seule avec Jovette, cette dernière lui demanda:

– Tu l'as trouvée comment, Carmen?

– Heu… aimable, gentille, dévouée. Une bonne personne, mais…

– Mais quoi?

– Pas aussi belle que toi, Jovette! Le jour et la nuit! Mais j'imagine que c'est une bonne amie. C'est elle qui a été échaudée, tu m'as dit?

– Oui, pourquoi?

– Pour rien, j'demandais ça comme ça. Pis toi, Jovette, une bonne journée?

– Oui, pis c'est pas l'travail qui manque! En plus, j'suis solide avec les grands *boss*! On parle même de m'nommer surveillante dans peu de temps. Ce qui veut dire dix piastres de plus, juste à secouer les autres!

– Ben, dis donc, ça marche, tes affaires? Pis t'as pas d'homme en vue?

– Non, j'te l'ai dit, j'en veux plus! Juste à y penser, le cœur me lève! Tu penses pas qu'j'en ai assez eus, Pauline? As-tu déjà oublié l'camp?

– Non, mais c'était pas pareil, y'avait pas d'amour dans c't'affaire-là!

– L'amour? T'es mal placée pour m'en parler, toi! Pis tu sauras, Pauline Pinchaud, qu'on a pas besoin d'être en amour pour éprouver… des sentiments.

– J'comprends pas… Ça veut dire quoi, ça?

– Laisse faire, pis viens souper. Moi, j'me comprends!

Après avoir mangé copieusement, Jovette fit tourner des disques de Lady Patachou, Alys Robi, Léo Marjane et Annie Gould. Un à la suite de l'autre. Des disques que Pauline n'aimait pas sauf celui d'Alys Robi qui comportait un rythme sud-américain. Assise sur le divan, le ventre plein, des caramels entre les mains, elle demanda à Jovette:

– Où est-ce qu'y travaille, Marcel? Tu peux m'le dire?

– Aie! Tu vas pas recommencer ça, toi! J't'ai dit c'que j'avais à t'dire sur lui, j't'ai même fait son message! Dis-moi pas qu't'es venue ici pour régler des comptes avec lui, toi! Si c'est ça, Pauline, j'veux pas être mêlée à ça, moi! J'veux pas d'problèmes avec lui, moi!

— T'en auras pas, c'est moi qui veux l'voir! J'te demande pas d'venir avec moi, j'veux juste savoir où y travaille…

— Pis tu penses que j'vais t'donner l'renseignement? Y m'a fait promettre…

— Jovette! C'est l'père de mon enfant! Dis-moi pas que t'es d'son bord après c'qu'y m'a fait?

— Le père de ton enfant! Reste à voir, Pauline! Toi-même, tu l'sais pas qui t'l'a fait, ce p'tit-là! T'as décidé qu'ce serait Marcel, mais ça peut être Sam aussi, non? Pis lui, y'est prêt à endosser la paternité! T'as la tête dure, Pauline! Tu cours après les troubles! Ça pourrait même être Ti-Guy, maudit!

— Dis-moi juste où y travaille, j'dirai pas qu'ça vient d'toi. J'peux l'avoir su en cherchant dans le livre de téléphone, tu penses pas? Des Marcel Marande, y doit pas en avoir des colonnes, non?

— Son numéro, tu peux l'trouver, mais c'est chez lui, Pauline, pas où y travaille! Si tu veux aller l'attendre à quatre heures du matin…

— Non, c'est au club que j'veux l'voir! Dis-moi juste où, Jovette, pis j'lui dirai que j'l'ai su par un voisin. J't'en demande pas plus…

— Toi, tu lâches pas, hein? Ben… c'est sur la rue Papineau, près de Mont-Royal. Un endroit pas trop chic. À ta place, j'irais pas là…

Mais devant l'entêtement de Pauline, Jovette lui donna le nom du cabaret, en ajoutant après un long soupir:

— Pis, si ça tourne mal, viens pas t'plaindre, Pauline! J't'aurai avertie!

– T'en fais pas, ça tournera pas mal. Quand y va voir que j'porte son enfant, y va peut-être comprendre. Pis, comme y'en a déjà deux, y doit pas avoir un cœur de pierre, Marcel Marande? Laisse-moi ça, Jovette!

Et ce fut le mercredi soir, alors que le temps était doux, que Pauline se rendit en taxi à l'endroit que Jovette lui avait indiqué. Une petite enseigne lumineuse, quelques ivrognes sortant en titubant de la taverne voisine, et Pauline aperçut, dans l'entrée du cabaret, Marcel, vêtu d'un smoking, la moustache soignée, sourire aux lèvres, plus séduisant que jamais, qui accueillait quelques clients avec la main tendue pour le pourboire. De l'extérieur, porte ouverte, on pouvait entendre un chanteur s'époumoner dans une balade de Tino Rossi. Le genre boîte de nuit populaire, pas grande d'après le bâtiment, mais assez reconnue pour attirer les amateurs de *shows* avec un maître de cérémonie, une danseuse du ventre, un jongleur et l'artiste invité de la semaine, vedette de la radio disait-on, dont elle n'avait jamais entendu le nom. Tout ça dans un grand cadre avec une vitre, photos à l'appui des vedettes de la semaine. Marcel ne la vit pas venir et lorsqu'elle se trouva à quelques pas, prête à être accueillie, frisée et fardée en dépit de son ventre rond, il ne la reconnut pas. Puis, la scrutant de près, sourcils froncés, il se risqua:

– Pauline? Pauline...

– Oui, Pauline Pinchaud, Marcel, c'est bien moi! En personne à part ça!

Le ton était sec, ce qui mit Marcel mal à l'aise devant les autres clients.

– Ah! J't'avais pas reconnue... Faut dire que ça fait longtemps...

– Pas tant qu'ça, Marcel, pas même six mois, si tu vois c'que j'veux dire.

– Ben oui, j'vois. T'attends un enfant? T'es mariée depuis quand?

Pauline, insultée, humiliée, lui répondit d'un ton qui monta d'un cran:

– Non, pas mariée! J'suis en famille depuis qu't'as sacré l'camp, Marcel Marande! C'est ton p'tit qu'j'ai dans l'ventre! Joue pas à ça avec moi, Jovette te l'a sûrement dit! Pis là, j'ai-merais rentrer, moi aussi!

– Pas dans ton état, Pauline, pas de femmes enceintes ici. C'est pas un endroit pour toi. Pis, j'te prie d'm'excuser, mais j'ai des clients à m'occuper.

Elle attendit qu'il prenne soin des nouveaux arrivés, puis, revenant à la charge:

– Pis qu'est-ce qu'on fait, astheure? C'est ton p'tit qui te l'demande, Marcel!

– Aie! Va dire ça aux pompiers, toi! Y vont t'arroser! Pis, viens pas m'dire que c'est moi l'père, calvaire! Va dire ça au vieux ou au ti-cul avec qui tu t'es envoyée en l'air! Si tu pen-ses que tu vas m'faire avaler ça, toi, t'as besoin de t'lever d'bonne heure! Pis, pour c'qu'on a fait toi pis moi, ça fait pas des enfants forts, des affaires comme ça!

– T'oublies la dernière fois, Marcel! T'oublies tout, à c'que j'vois! Ton «j'vais revenir te chercher, j'ai juste une parole…», c'est dans la poubelle, Marcel?

– J'étais sincère à c'moment-là, mais les choses ont mal tourné. Pis là, sorti d'la cage, j'me suis refait une vie. J'sors sérieusement pis, si tu m'crois pas, jette un coup d'œil au bar, Sonia est là.

– Pauline regarda et vit une superbe rouquine en train de siroter un *drink*. Sans doute la fille qu'on avait vue à son chalet il y a deux ans. Une fille si belle, si bien tournée, que Pauline en fut estomaquée. Plus furieuse qu'à son arrivée, elle lui cria sans ménagement:

– C'est elle qui a pris la place de la mère de tes deux enfants? Menteur à part ça! L'homme libre, comme tu disais! Le gars qui n'avait jamais voulu s'marier à cause de son métier. Pis, bandit à part ça! On s'retrouve pas en dedans deux fois pour avoir vidé un tronc d'église! C'était quoi ton *racket*, Marcel Marande? Qui c'est qu't'es allé voir à Saint-Lin quand tu m'as fait poiroter dans l'magasin?

Marcel, rouge de colère, lui répondit:

– Toi, si t'étais pas enceinte, ça ferait longtemps qu'tu serais partie d'ici. Là, j'te l'dis poliment, mais juste une fois, Pauline, décrisse! T'as eu du bon temps avec moi? T'as eu du *fun* pis les mains pleines de linge? Ça t'a rien coûté? Colle ça dans ton *scrapbook* pis décampe d'ici. Parce que, enceinte ou pas, si tu cherches du trouble, tu vas en avoir avec moi, la Pinchaud! Des filles comme toi, j'en ai vu d'autres, tu sais. En famille, c'est toujours moi qui es l'père! Un beau cave! On couche avec un p'tit vieux, on couche avec un p'tit jeune, pis après on choisit celui du milieu, celui qui vit en ville pis qui a d'l'argent pour se faire vivre. Débarrasse, Pauline, j't'ai assez vue! Pis, si t'es pour être une mère, reste pas plantée là comme une fille de rue! Essaye d'avoir du respect pour ton enfant si t'en as pas pour toi! Pis, regarde c'que t'as fait! Sonia se demande ce qui s'passe… Veux-tu t'en prendre à elle, astheure que t'as fini avec moi?

– Elle? La prochaine sur ta liste? Celle que tu vas sacrer là un jour?

– Non Pauline, celle avec qui j'refais ma vie, celle avec qui j'vais m'remarier un jour. Celle que j'aime parce qu'elle est plus honnête que toi! Y'est pas à moi, ce p'tit-là, pis tu l'sais! Pis si tu l'sais pas, c'est qu'y peut être à n'importe qui! Trouve-toi un autre *sucker*, Pauline. Avec moi, ça prend pas!

– Tu penses que ça va être mieux avec elle qu'avec moi, toi?

– Aie! L'as-tu vue, Pauline? Pis, t'es-tu regardée? Enceinte ou pas, penses-tu que j'me serais embarqué avec une grosse comme toi? Pour qui tu t'prends, Pauline Pinchaud? Pour Betty Grable? Aie! Décampe pis sors de ma vie au plus crisse, toi! Sinon, j't'avertis, tu vas connaître l'autre portrait d'moi! Pis ça, j'te l'souhaite pas! Va avoir ton p'tit avec qui tu voudras, j'en ai déjà deux pis ça m'suffit comme ça! T'as du *guts*, toi, mais là, j't'ai assez vue! Décolle, tasse-toi, j'ai des clients à satisfaire, moi!

Hors d'elle, mais craintive face à ses menaces, elle se contenta de lui dire:

– Pis à part ça, Marcel, à part de faire des enfants comme passe-temps, t'écrases-tu encore des chats d'temps en temps?

Pauline revint chez Jovette plus morte que vive. Le Marcel Marande qu'elle venait de revoir n'était pas celui qu'elle avait aimé. Son regard était si dur qu'elle en avait eu peur. Et ses menaces l'avaient fait frissonner. Un bon-à-rien! Un suppôt de Satan! Un écœurant de la pire espèce! Voilà ce qu'elle avait dit de lui à Jovette, tremblante comme une feuille, agitée par la colère et la figure pleine d'urticaire. Elle disait ne plus jamais vouloir le revoir... et pour cause. Elle s'était rendu compte que le «sorti de prison» semblait ne rien avoir à son épreuve. Oui, elle allait sortir de sa vie en douce. Avec la peur à ses trousses. Et parce qu'elle ne pouvait pas jurer sur la bible que l'enfant qu'elle portait était bien de lui et non de Sam ou de Ti-Guy.

Elle se coucha songeuse. Elle n'arrivait pas à trouver le sommeil. S'il fallait qu'il revienne dans la nuit? S'il fallait que, néon éteint, il la rejoigne pour en finir avec elle? Elle regrettait de s'y être rendue, elle se haïssait pour la tête de pioche qui trônait sur ses épaules. Et elle rageait encore, humiliée des insultes quand il l'avait odieusement comparée à l'autre. Une «grosse», avait-il dit, lui qui l'appelait «la p'tite» aux beaux jours de leurs ébats. Et elle avait cru que, frisée, poudrée, avec son *top* de maternité vert à fleurs blanches… Jusqu'à ce qu'elle aperçoive l'autre avec un corps de déesse digne d'une actrice de cinéma. L'autre, si belle, si sensuelle, qui l'avait regardée comme si Pauline avait été la «grosse» servante de Marcel. Dieu qu'elle se détestait d'avoir ainsi couru elle-même à sa perte. Pauline se grattait les joues, le cou, ça lui piquait partout! Jovette avait tenté de la calmer, de la détendre, de lui faire comprendre… Elle avait compris! Et elle regrettait même le silence de la butte, son roman, le poêle à bois, Sam et son dictionnaire. Mais dans sa rage et ses déboires, elle ne parvint à se calmer qu'en pleurant à chaudes larmes. Rejetée comme une vieille savate, démoralisée, anéantie, angoissée jusqu'aux entrailles, elle sentit des crampes soudaines. D'abominables crampes qui la faisaient se tordre de douleur. Puis, à deux heures du matin, alors que le logis baignait dans le silence, elle passa sa main sur son ventre, sur ses cuisses, et alluma vite la lampe. Et de là, un cri strident!

– Jovette! Jovette! Je saigne! Les draps sont rouges de sang! Jovette, viens vite! J'me sens aller! J'suis en train d'crever! J'me sens mourir…

Jovette se leva, courut jusqu'à elle et faillit s'évanouir devant l'horreur qui s'offrait à elle. Le divan était en sang. Pauline était blanche comme le mur et son urticaire avait disparu. L'épongeant d'une serviette, l'encourageant de mots tendres, elle composa d'une main le numéro de Carmen qui se réveilla en sursaut.

— Vite, Carmen, trouve un docteur, c'est urgent, c'est grave, c'est Pauline!

Carmen en connaissait un qui habitait non loin de la rue Parthenais et qui s'amena rapidement au chevet de Pauline. Et ce, en titubant, parce qu'il rentrait d'une fête où l'alcool avait coulé abondamment. Constatant l'état de Pauline, il commanda d'une voix pâteuse une ambulance de toute urgence.

— Faites vite, c'est pour… pour une dame. Vite, c'est une fausse-couche!

On la transporta dans un petit hôpital privé où seul un médecin était de garde. Et c'est là, malgré tous les efforts du jeune diplômé, que Pauline Pinchaud perdit son enfant. Et c'est de justesse qu'on sauva la mère, quasi rendue au bout de son sang. Et ce n'est que le lendemain, après deux transfusions, encore faible, que Pauline apprit que «le petit» qu'elle portait était «une petite». Orielle! Sa petite Orielle du roman de Clarisse. La petite bergère qui ne serait jamais princesse. Une petite fille qui n'aurait jamais su si elle était la fille biologique de Sam, de Marcel ou de Ti-Guy. Un ange parti dans les limbes avant de naître. Parce que son destin, hélas, n'avait pas été celui du conte de sa mère.

Le jeune médecin avait demandé à Jovette, pour compléter son dossier:

— C'était là son premier enfant?

— Oui, docteur, elle n'avait jamais été enceinte avant, jamais de retard…

— A-t-elle subi un choc, récemment? Une telle hémorragie…

— Bien, elle se plaignait de crampes… Elle n'est pas d'ici, vous savez, elle vient de la campagne, elle était chez moi en visite. C'est en camion qu'elle a fait le voyage. Les routes sont pas belles au printemps.

— À ce que je vois, cette dame n'aurait jamais dû se déplacer si elle avait déjà des contractions, comme vous dites. Elle aurait dû prendre le lit jusqu'à la délivrance du bébé. Elle aurait pu, du moins, consulter son médecin.

— J'pense qu'elle n'en avait pas. Vous savez, à la campagne, on s'débrouille comme on peut. Pis, elle est arrivée ici épuisée, avec une grosse valise, des sacs, des boîtes... Elle avait marché plusieurs coins d'rue...

— Rien pour l'aider, Madame, mais un choc, une mauvaise nouvelle, vous n'avez pas la moindre idée?

Jovette, regardant ailleurs, répondit évasivement:

— Pas à c'que j'sache... Elle se reposait, c'est parti tout seul...

— Bon, de toute façon, c'est fait. Il faudra qu'elle soit mieux suivie la prochaine fois. Son mari va venir la chercher, je présume?

— Ben, elle est pas mariée, pas encore, c'était prévu pour cet été.

Le jeune médecin, refermant son dossier, lui dit avant de la quitter:

— Elle est robuste, elle va se remettre sur pied, mais d'ici quelques semaines, il faudrait envisager un curetage. Trouvez-lui un médecin et s'il a besoin du dossier, priez-le de me contacter.

— Merci, docteur, je verrai à tout c'que j'pourrai faire.

Le médecin prit congé d'elle, mais dans l'après-midi, la directrice de l'hôpital lui demanda:

— Est-ce vous qui allez régler les soins et le séjour, Madame?

— J'sais pas, j'sais qu'elle a pas d'argent, mais si vous m'faites crédit...

Voyant qu'elle n'avait pas affaire à une patiente fortunée, la dame ajouta:

— Il faudra la sortir au plus vite, Madame. C'est un hôpital privé, ici. Nos lits sont réservés.

Le lendemain, encore faible sur ses jambes, Pauline était de retour dans le logis de Jovette. Cette dernière avait pris congé de son travail et c'est à bord d'un taxi qu'elle l'avait ramenée chez elle. En laissant un acompte à l'hôpital sur les frais à payer. Et le soir même, étendue sur le divan encore taché malgré un rude nettoyage, Pauline avait trouvé la force de manger. Robuste, comme avait dit le médecin, elle retrouvait déjà des couleurs aux pommettes. Et le chagrin n'avait pas entravé... sa faim. Plus calme, détendue, elle dit à Jovette qui se tenait auprès d'elle:

— C'est lui qui m'l'a fait perdre! C'est Marcel qui est responsable!

Ne voulant trop la secouer après de si durs moments, Jovette lui répondit:

— Peut-être, Pauline, mais avec les crampes, le voyage n'était pas à conseiller... T'étais anxieuse, en plus... J'sais pas, mais j'pense que la fausse-couche s'en venait, Marcel ou pas... Même là-bas.

— C'est lui qui m'a foutue à l'envers! J'avais l'sang viré dans les veines!

— Recommence pas à t'agiter, Pauline. Ce qui est fait est fait... Je sais c'que c'est que de perdre un enfant... On m'en a déjà enlevé un...

— Mais tu l'avais rendu à terme, toi! C'est pas pareil!

— Non, t'as raison, c'est pire, Pauline! Parce que j'y pense encore et que j'me demande où il est! Toi, au moins, tu la chercheras pas...

Pauline sanglotait, se mouchait, essuyait quelques larmes.

— Je sais que t'as d'la peine, Pauline, mais avec le temps…

— J'ai d'la peine, c'est vrai, parce que j'la sentais déjà dans mon ventre. J'ai d'la peine pis d'un autre côté, j'en ai pas, Jovette… J'savais même pas d'qui elle était, pis Sam qui m'attendait… J'l'aurais aimée, j'l'aurais élevée, mais comme c'est là, c'est peut-être un mal pour un bien. J'ai plus à m'poser d'questions, à m'énerver, à m'angoisser. C'était pas facile de vivre dans l'mensonge… Là, j'aurai plus à l'faire pis j'vais m'reprendre en main… J'ai eu assez d'urticaire comme ça… C'est comme un poids d'enlevé sur ma conscience. J'l'aurais aimée, tu peux m'croire, mais comme j'l'ai pas connue… Là, j'vais penser un peu à moi.

— C'est pas c'que t'as toujours fait, Pauline? Pis là, Sam, dans tout ça?

— Tu penses quand même pas que j'vais retourner là, Jovette!

La pauvre Jovette était décontenancée. Elle n'allait pas l'avoir sur les bras…

— Alors, qu'est-ce que tu vas faire? T'as déjà un plan, j'suppose?

— Ben, j'vais rester à Montréal, c't'affaire! J'vais m'trouver une *job*, j'vais être libre… Pis, j'compte sur toi pour m'aider, Jovette. Solide comme tu l'es avec les *boss*, tu pourrais pas m'faire rentrer à la manufacture?

— Pauline! T'as rien à t'mettre sur le dos, t'as pas une cenne, pas un gîte…

— Tu peux m'garder ici, Jovette, non? Pour un bout d'temps… Pour le linge, j'vais m'arranger, pis dès qu'j'aurai ma première paye, j'te rembourserai…

Jovette Biron, malgré sa compassion, sentait déjà un bâton dans ses roues.

– On en reparlera, veux-tu? Là, y faut t'reposer. Pis Sam, Pauline, c'est pas un torchon! Fraudra y penser! Faudrait l'avertir… mettre des gants blancs. Après tout c'qu'il a fait pour toi, Pauline, tu peux pas juste tirer l'rideau! Y sait rien de c'qui s'est passé pis y t'attend, lui. Pour te marier, Pauline!

– Ça, c'était pour l'enfant… Astheure, c'est plus pareil.

Jovette, lasse de discuter avec elle, s'emporta quelque peu:

– Pareil! Pareil! Plus pareil pour toi, Pauline, pas pour lui! Avec toi, c'est plus jamais «pareil» juste pour toi, Pauline, jamais pour les autres! Même avec moi! La perte de ton enfant, comme tu disais, c'est pas «pareil» comme celui qu'on m'a enlevé, qu'on a donné! Toi, toi, rien qu'toi!

Pauline, les larmes aux yeux, lui demanda d'un ton sincère:

– Qu'est-ce que tu veux dire, Jovette? J'comprends pas, j'te suis pas…

Retrouvant son calme, désarmée devant la naïveté de son amie, Jovette murmura:

– Laisse faire, j't'expliquerai ça une autre fois, repose-toi, t'es fatiguée…

Pauline, dans un dernier sursaut, voyant que son amie était désappointée, lui dit:

– Pis pour Sam, t'en fais pas, j'vais lui parler. J'vais pas le laisser s'morfondre pour moi, Jovette. J'vais tout lui expliquer, j'vais être franche, y va comprendre.

Le samedi matin, avec Jovette pour témoin, Pauline téléphonait chez les Gaudrin pour s'entretenir avec Ti-Guy. Chanceuse, il était là, à la grande surprise d'Emma, qui lui passa le récepteur après les salutations d'usage.

– Oui, allô?

— Ti-Guy? C'est Pauline! Écoute, ce que j'ai à t'dire, c'est sérieux, j't'appelle de chez Jovette et j'ai un grand service à te demander.

— Qu'est-ce que j'peux faire? questionna timidement le garçon, sa mère derrière lui, l'oreille aux aguets.

— J'aimerais que tu t'rendes chez Sam et que tu lui demandes de m'téléphoner après-midi au numéro que j'vais t'donner. Dis-lui qu'c'est important, Ti-Guy. Et, en passant, dis à ton père de m'oublier lundi, j'prolonge mon séjour. Dis-lui que j'lui ferai signe plus tard... Pis là, si ta mère écoute, fais comme si de rien n'était, change pas d'attitude.

— Je... j't'écoute.

— J'ai perdu mon bébé, Ti-Guy, j'ai fait une fausse-couche. Pis j'veux qu'ça reste entre nous pour un bout d'temps, tu comprends?

— Oui, oui, pas d'problème...

— Alors, t'oublies pas Sam, hein? Ça t'dérange pas de t'rendre sur la butte?

— Non, non, ça prend juste cinq minutes.

— Merci, Ti-Guy, faut que j'fasse vite, c'est un longue distance. Dis à Sam de m'appeler au...

Puis, lui ayant donné le numéro et ayant refermé la ligne, Emma Gaudrin s'empressa de demander à son fils:

— Qu'est-ce qu'elle voulait, la Pauline?

— Ben... a prolonge son voyage. Le père aura pas à la ramener lundi. Pis, a veut que j'demande à Sam de la rappeler. C'était pour faire une commission, la mère.

— Ben, ça sent pas bon, cette histoire-là... Y s'passe quelque chose, Ti-Guy...

— Arrête donc de toujours chercher des poux, la mère! C'est normal de vouloir rester quelques jours de plus, non? Pauline veut juste le dire à Sam elle-même, pis j'vais m'rendre chez lui tout d'suite. J'veux en finir au plus vite, j'sors à soir.

Lorsque le jeune Gaudrin se présenta chez Sam pour livrer le message, ce dernier fronça les sourcils. S'emparant du papier avec le numéro, il demanda à Ti-Guy, pour se rassurer:

– Elle avait l'air d'aller bien, au moins?

– Pour ça, oui! Elle m'a juste demandé de faire la commission. C'était un longue distance... J'repars, Sam, j'ai des livraisons...

– Merci, Ti-Guy, c'est ben gentil d'ta part d'être venu jusqu'ici.

– Y'a pas d'quoi! Un service en attire un autre!

Ti-Guy repartit en direction du village et, resté seul, Sam sentit son cœur battre un peu plus fort. Il était soucieux face à cet appel, il craignait d'être déçu. Pauline ne l'aurait pas appelé si tout allait bien. Et pas juste pour lui donner de ses nouvelles. Il devint inquiet, pensa à tout, puis marmonna: «Faut quand même pas que j'commence à me mettre des idées dans la tête.»

En début d'après-midi, Jovette avait traversé la rue pour se rendre chez Carmen, afin de laisser le champ libre à Pauline. Cette dernière, installée dans un fauteuil, nerveuse, écoutait une émission radiophonique en attendant que le téléphone sonne. Plus le temps s'écoulait, plus son angoisse augmentait. Elle s'était promis de tout dire à Sam, de ne rien lui cacher, de l'affranchir une fois pour toutes sur la femme qu'elle était. Au risque de corrompre sa réputation à tout jamais à ses yeux. Il était presque deux heures lorsque la sonnerie du téléphone retentit, la faisant sursauter sur son siège. Le cœur lui débattait dans la poitrine. Elle laissa sonner quatre coups, hésitante à répondre, prise de panique, puis, dans un geste brusque, souleva l'appareil:

— Oui, allô?

— Pauline? C'est toi? C'est Sam! Qu'est-ce qui t'arrive?

— D'où m'appelles-tu? On peut parler en toute confiance?

— J't'appelle de l'hôtel, on m'a prêté un bureau, tu peux parler à ton aise.

— Écoute, Sam, j'suis bien portante, énerve-toi pas, mais j'ai une mauvaise nouvelle.

— C'est quoi, Pauline? Fais-moi pas attendre… J'suis là pour t'aider…

— J'ai… j'ai perdu le p'tit, Sam. J'ai fait une fausse-couche. J'sors à peine de l'hôpital. On m'a réchappée de justesse…

Silence. Aucun mot. Que des sanglots au bout du fil. Puis, reprenant courage…

— On a perdu not' p'tit, Pauline? On a perdu not' bébé? C'est effrayant…

Sam pleurait à chaudes larmes et Pauline avait peine à retenir les siennes.

— J'avais des crampes, ça allait mal, pis c'était pas un p'tit, Sam, mais une p'tite. On me l'a dit… J'ai passé de durs moments, tu sais…

— J'en doute pas, Pauline, pis ça m'fait d'la peine, tu peux pas savoir comment. Pour toi, pour le bébé, pour nous, Pauline… Mais j'vais tout faire pour que tu retrouves la forme, j'te laisserai pas d'un pouce, ensemble, on va remonter…

— C'est que… c'est que j'reviens pas tout d'suite, Sam. J'ai des docteurs à voir, Jovette va m'garder, j'suis pas forte sur mes deux jambes…

– Tu t'reposerais ben mieux ici, Pauline, pis j'serai là…
J'vais prendre soin d'toi…

Pauline ne parlait plus et Sam, de plus en plus nerveux,
sentait qu'elle lui cachait quelque chose. Pauline semblait distante et pas trop larmoyante pour une femme qui venait de
perdre son enfant.

– T'es toujours là, Pauline? Tu réponds pas…

– C'est parce que tu comprends pas, Sam, pis j'sais pas
par où commencer. Tu sais, sans l'enfant…

Il l'interrompit brusquement pour lui dire d'un ton ferme:

– Ça veut dire quoi, ça? Tu m'dis pas tout, toi! Y'a
quelque chose de pas franc…

Exactement ce qu'attendait Pauline pour retrouver son
cran, sa plus belle arme. Elle attendait d'être agressée, le
moindrement agressée, pour devenir agressive.

– De pas franc? Tu veux que j'sois franche, Sam? Ben,
j'vais l'être! Ce que j'veux dire, c'est que j'retourne plus à
Saint-Calixte. J'retourne plus sur la butte, Sam! J'reste ici pis
j'recommence ma vie!

Sam, chancelant, ne s'attendait pas à une flèche aussi
directe.

– Tu dis pas ça pour vrai, Pauline? Tu m'ferais pas ça…

– Sam, j'le fais parce que sans l'bébé, on n'a plus d'raisons d'être ensemble!

Un couteau en plein cœur ne lui aurait pas fait plus mal.

– J'ai-tu bien entendu, Pauline? Tu m'dis ça d'sang-froid?
Plus d'raisons? Pis notre amour, Pauline? Pis nos promesses?

– Arrête, Sam, fais-moi pas aller plus loin, ça pourrait
faire plus mal…

– Ben, tant qu'à être égorgé, vas-y, pèse plus fort, Pauline!

– Tu veux vraiment l'savoir? T'aimeras pas ça, Sam… Tu
s'rais plus regagnant d'm'oublier comme un mauvais rêve…

— Non, parle, va jusqu'au bout si t'en as l'courage!

— Ben, si tu m'pousses à bout, Sam, j'vais aller plus loin, pis j'vais t'dire que c'bébé-là, y'était pas d'toi! C'est ça que j'voulais t'épargner, Sam!

— Pis là, comme un dard, tu me l'garroches en plein cœur? Y'était d'qui, Pauline?

— De Marcel, si tu tiens tant à l'savoir! Mais comme j'l'ai perdu…

— Pis… pis tu disais qu'il était d'moi… T'as joué à quoi, Pauline? À m'faire mal? Tu t'es servi d'moi pis là, d'un coup sec, la roche en pleine face? J'te pensais pas vilaine comme ça… J'pense pas avoir mérité ça, Pauline.

— Je l'sais, Sam, j'ai pas été correcte, mais laisse-moi aller jusqu'au bout d'moi. Après, j'aurai la conscience plus tranquille, pis tu pourras m'juger comme tu l'voudras.

— D'autre chose que j'sais pas? Continue, Pauline, écrase, pile sur moi… Tant qu'à encaisser…

— J'ai jamais été honnête, Sam, c'était vrai l'histoire du vol du rouge à lèvres. Pis, à treize ans, j'couchais avec des débardeurs pis des *truckers*. Ma sœur a eu raison de m'sacrer dehors, j'étais une bonne-à-rien, la honte de la famille.

— Ça, j'm'en sacre! Le passé, y'est derrière nous, Pauline! Pis, avec l'enfance que t'as eue…

— Essaye pas d'm'excuser, Sam, j'mérite pas d'compassion. Pis, la dernière chose que tu sais pas, c'est qu'j'ai couché avec Ti-Guy aussi. La p'tite aurait pu être de lui, aussi.

Sam sentit ses genoux fléchir, c'était le coup de masse après les roches.

— Pourquoi tu m'dis tout ça, Pauline? Pourquoi t'as fait tout ça?

— J'te l'dis pour que tu t'rendes compte que tu perds pas grand-chose, Sam. Pis, si j'ai fait tout ça, c'est parce que ça marche pas dans ma tête. C'est d'famille, les maladies mentales, comprends-tu?

— Oui, je l'comprends, mais c'est drôle, plus tu t'cales pour que j'te laisse, plus j'ai envie qu'tu reviennes, Pauline. Tu parlais d'une nouvelle vie, ça pourrait s'faire avec moi si tu l'voulais. Moi, j'suis encore prêt à t'marier, Pauline!

— Es-tu fou, Sam Bourque? T'as-tu ben entendu tout c'que j't'ai dit?

— Oui, Pauline, pis j'suis prêt à fermer les yeux! J'peux l'faire, Pauline, parce que moi aussi j'ai abusé d'toi. J'ai pas manqué ma chance, tu sais, sauf que moi, j'suis tombé en amour avec toi!

— Ben, pas moi, Sam! Ça va jusque-là, mes aveux, aujourd'hui!

— Tu m'as jamais aimé? Jure-moi ça, Pauline! Sur... sur la p'tite!

— J'le jure, Sam! J'ai aimé faire l'amour avec toi, mais aimer et frissonner, c'est autre chose. J'ai aimé le lit, Sam, parce que j'suis une traînée!

Un long silence, des soupirs entrecoupés de hoquets, et Sam de lui dire:

— Reviens, Pauline, laisse-moi pas, j'suis pas capable de vivre sans toi. Marie-moi pas si tu m'aimes pas, mais donnons-nous une chance...

— Non, Sam, c'est fini! Pis j'pensais pas avoir à m'débattre comme ça! Si t'as d'l'orgueil, pis si t'es l'homme que j'pense, tu vas raccrocher pis m'oublier. Pis j'te rends service, Sam. Ça va t'sauver des ulcères!

— Mais j't'aime, moi, Pauline! J't'aime comme un fou! Laisse-moi pas comme ça...

— J'ai dit c'que j'avais à dire, Sam. J'oublierai pas c'que t'as fait pour moi, mais j'reviendrai pas. Tu m'reverras plus jamais, Sam!

Le vieux pleurait au bout du fil et Pauline, torturée, avait hâte d'en finir.

— Y'a encore bien des choses à toi, ici, Pauline... parvint-il à murmurer.

— Donne-les, brûle-les, Sam! J'ai emporté ce qu'y m'fallait!

— Si j'comprends bien, tu comptais pas revenir, hein, Pauline? Même avec le p'tit dans l'ventre?

— J'me tue à te l'dire, Sam! Non, j'comptais pas revenir, même si j'avais accouché du bébé! Parce qu'il était pas d'toi, Sam! Parce que j'savais pas qui me l'avait fait! J'l'aurais élevée toute seule, la p'tite, je l'avais dans l'idée. Mais comme ç'a tourné autrement, c'est un mal pour un bien...

— T'as pas d'cœur, Pauline! Pis si t'en as un, y'est dur comme du fer!

— J'raccroche, Sam, j'veux pas entendre tes reproches! Tu peux penser c'que tu veux d'moi, j'le prends! Mais va pas plus loin, c'est fini... fini!

— Raccroche pas, Pauline, parce que si tu changes d'idée, j'serai...

— J'raccroche, Sam! J'suis essoufflée! J'suis en chaleur! J'ai peut-être un cœur de pierre, mais c'est pas facile de vider son sac comme j'viens d'le faire! J'respire déjà mieux, Sam! Parce que pour une fois, j'ai été franche avec toi! J't'ai tout dit, j'ai rien à ajouter! Adieu, Sam, pis merci pour c'que t'as fait pour moi.

— Pauline!

Mais la femme de sa vie venait de raccrocher sur ce tout dernier cri.

Sam paya l'hôtelier pour son interurbain, puis, se dirigeant à pas lents jusqu'à sa bagnole, il démarra et regagna la butte et son shack. Il referma la porte, prit place sur le sofa et se mit à pleurer comme un enfant. Tous ses rêves venaient de s'évaporer dans une triste buée. L'un après l'autre. La p'tite qui n'avait pas vu le jour, la bassinette clouée de quelques planches, Pauline qu'il aimait et qui ne reviendrait plus. D'un coup raide, comme si le tonnerre était tombé sur le shack. Sam se retrouvait comme avant, seul, mais désemparé depuis qu'il avait réappris à aimer. Une fois de plus, quarante ans plus tard, il venait de perdre une femme et un enfant. Comme si le bonheur avait décidé de ne jamais le gratifier d'un arc-en-ciel. Et ce, depuis qu'il était né. Après Clarisse, morte dans la fleur de l'âge, son cœur se devait d'en enterrer une autre. Vivante cette fois.

Sam ne mangea pas ce soir-là. Assis sur le sofa, les yeux dans le vide, il tenait, sur sa poitrine, l'ourson de peluche de Pauline. Une bière à la main, le cœur en compote, il revoyait les jours heureux, les nuits divines, sans même s'arrêter au fait que tout cela n'avait été qu'un jeu. Sans même lui en vouloir d'avoir été odieuse. Sans ne rien voir... sauf son visage qu'il adorait. Comme si tout ce qu'elle lui avait dit n'avait été qu'un cauchemar qu'il venait de chasser d'une main moite. Mais Sam, un regard sur le panier d'osier blanc, se remit à pleurer comme un enfant. Démoralisé, anéanti, il ne ferma pas l'œil de la nuit.

Chapitre 13

Samedi 18 juin 1949, et Pauline Pinchaud travaillait depuis deux semaines à la manufacture où Jovette lui avait trouvé une place. Les premiers jours, c'était le bonheur, la liberté, la joie retrouvée. Et surtout la paix, puisqu'elle n'avait plus eu de nouvelles de Sam qui, elle s'en réjouissait, n'était pas revenu à la charge. Et ce, même s'il possédait le numéro de téléphone où la joindre. Jovette l'avait hébergée au détriment de son propre confort, tassant ses vêtements avec les siens dans deux petits placards. En attendant, bien sûr, que Pauline puisse voler de ses propres ailes, car Jovette lui avait clairement signifié qu'elle ne tenait pas à partager longtemps son petit logis avec elle.

Les premiers jours, c'était «peut-être» le bonheur, parce que Pauline avait la sensation de s'appartenir, de ne vivre que pour elle pour la première fois. Mais, rouler des cigares, Peg Top ou pas, ce n'était guère plus valorisant que de faire «des ménages». Et, n'ayant jamais été indépendante, elle paniquait peu à peu face à tous les frais qu'une telle liberté engageait. Un éventuel loyer à payer, la nourriture, les vêtements, les accessoires ménagers, elle avait beau compter, elle se demandait, malgré les heures supplémentaires, comment elle allait parvenir à joindre les deux bouts. À moins de louer une chambre, de vivre à l'étroit, de quitter sa table à cigares pour se rendre jusqu'à son lit le soir. Et ce, chaque jour et… seule. Car Jovette, en dépit de sa gentillesse souvent déguisée, n'était plus pour elle l'amie qu'elle avait été. Elle était plus distante, moins à l'écoute, moins encline au partage, et passait ses soirées libres en compagnie de Carmen beaucoup plus que de Pauline. Elles allaient au cinéma ensemble sans inviter Pauline à se joindre à elles et, maintes fois, Jovette traversait la rue pour aller souper chez sa compagne, laissant Pauline seule devant un macaroni vite fait. Et jamais Carmen ne traversait pour se joindre à elles. Comme si Pauline était de trop dans cette amitié… particulière.

Un soir, Jovette, élégamment vêtue, maquillée, était sortie avec Carmen pour se rendre dans une boîte de nuit. Pauline aurait certes aimé se joindre à elles, rencontrer des mâles, mais avant qu'elle en manifeste le désir, Jovette lui avait dit:

– On t'inviterait bien, Pauline, mais là où on va, il n'y a pas d'hommes.

Perplexe, Pauline lui avait demandé:

– Ben, quoi, un club où l'on danse et pas d'hommes?

Ce à quoi Jovette, mal à l'aise, lui avait répondu:

– On a pas besoin d'hommes pour danser une rumba ou une samba, Pauline.

Sans toutefois lui dire «qu'on» n'en avait pas besoin pour un *slow* également. Et Pauline comprit peu à peu que Jovette lui avait menti au bout du fil lorsqu'elle lui avait dit: «On fait payer les hommes puis on leur laisse un faux numéro de téléphone.» Juste à voir Carmen et son allure, Pauline se demandait bien quel homme aurait pu lui demander «son» numéro de téléphone.

De plus en plus, Pauline s'ennuyait. Seule la plupart du temps, ce n'était pas la radio, l'électricité ou l'eau courante qui allaient compenser pour sa dépendance affective... affectée. Au travail, on était certes gentil avec elle, aimable même, mais aucun gars ne l'avait invitée à sortir, ne serait-ce que pour boire un *milk shake*. Avec son tour de taille qui ne s'était guère amélioré, ses cheveux frisés dur, elle était plutôt du genre à les faire rire avec ses blagues qu'à les séduire. Et elle se rendait compte que «sa croupe» et ses rondeurs n'avaient pas le même effet à Montréal qu'à Saint-Calixte. Elle s'aperçut, de plus, qu'aucun jeune homme de l'âge de Ti-Guy la trouvait «ragoûtante» et que les hommes d'âge mûr, qui la regardaient avec désir, étaient ventrus, malpropres, avec des yeux qui trahissaient leurs vices. Aucun n'était comme Sam, aucun n'avait dans le regard cette flamme d'amour empreinte de respect. À vingt et un ans, Pauline savait déjà qu'elle ne serait plus la «Minoune» de personne, et encore moins, certains soirs, la proie d'un beau jeune homme.

De plus en plus seule, sans sécurité, malheureuse, il lui arrivait de revoir, dans ses pensées, ce passé qu'elle tentait d'enterrer. Ce village où elle était bafouée, la butte, le shack, le lac, le poêle à bois, ses romans, son ourson... et Sam. Cet homme qui l'adorait, qui fermait les yeux sur ses bévues, sur ses vilenies, et qui se pâmait pour la femme «bien en chair» qu'elle était. Elle se revoyait sur le sofa, à ne rien faire d'autre que ce qui lui plaisait, à manger ses *cup cakes,* à boire un *cream soda* avec un homme qui veillait sur elle. Aussi médiocre était la vie sur la butte, elle était moins minable que ce nouveau départ empreint de solitude. Et Pauline n'aimait pas rouler des cigares. L'odeur du tabac lui donnait des nausées et la «boucane» de ses confrères, des vertiges. Le soir, sa robe sentait le tabac, ses mains puaient la sueur de la fabrique où il faisait chaud comme «chez l'diable», avait-elle dit à une compagne de travail. Elle en vint même à préférer geler, emmitouflée dans sa couverte, collée sur le poêle à bois, avec les mains chaudes de Sam, en plein hiver, sur ses seins volumineux. Pauline dépérissait peu à peu et Jovette s'en rendait compte, sans pour autant tenter de la réconforter. Comme si, avec le temps, elle espérait que Pauline regrette son geste. Avec sa première paye entre les mains, n'ayant jamais eu autant de «piastres» dans sa «sacoche», Pauline n'était pas plus heureuse. Elle était allée aux «vues» une seule fois, et même si le film *Johnny Belinda* était bien, elle s'était ennuyée, perdue dans ses pensées. Parce que l'actrice principale, Jane Wyman, était celle que Ti-Guy avait épinglée sur son mur, celle qui lui ressemblait, selon ses dires. Et Pauline avait souri en voyant à l'écran cette actrice au corps superbe, même si, tout comme elle, elle avait le nez retroussé. Elle s'était payé un bon souper, un *sundae*, mais elle n'était pas heureuse ce soir-là, seule, dans cette liberté retrouvée. Avec des «piastres» dans sa «sacoche», elle regrettait même le «tronc d'arbre» dans lequel Sam puisait du bout des doigts. Parce qu'à ce moment-là, Pauline n'était pas responsable, Pauline dépendait et c'était là, elle le découvrait, un merveilleux bien-être. Elle avait cru vivre entourée, adulée, aimée, et après deux semaines, elle comprit qu'elle serait seule dans «sa paix» tant recherchée. Seule, sans amis, sans espoir et sans… amants. Ce qui la chavirait de tout son être. Pauline, vie nouvelle, vie en main, ne s'était guère départie de ses pulsions charnelles. Avec personne pour les assouvir, à moins de se donner aux ventrus de la manufacture ou aux truands de la rue. Mais, dans ses désirs sensuels, elle était également en quête d'affection. Comme avec Sam, comme lorsqu'il la prenait dans ses bras, comme… Mais Pauline se devait de chasser ces images de sa tête. Elle avait fait un choix, elle devait l'assumer. Et ce, même si l'indifférence de plus en plus marquée de son amie Jovette ajoutait à son désarroi.

À la manufacture, Jovette n'était plus la même depuis qu'elle avait été promue «surveillante». Comme si le titre lui avait quelque peu «enflé» la tête. Elle se promenait derrière les «rouleuses» de cigares et ne se gênait guère pour activer le rendement. Avec rudesse parfois. Et pour Pauline, aucun privilège, sauf que «les poussées dans le dos» étaient plus en douceur. Pauline n'était pas des plus expertes. Peu vaillante, son efficacité était de moitié celle de ses compagnes dans une journée. Une autre surveillante l'aurait certes congédiée, mais Jovette, sur ce point, la tolérait avec patience, tout en lui chuchotant parfois de se «fermer la trappe» et de se délier… les mains. Pauline voyait rarement Carmen, qui travaillait au même endroit. Cette dernière, œuvrant en comptabilité, avait son bureau à l'écart, loin de celles qui «trimaient dur» à tour de bras. Lorsqu'il lui arrivait de la croiser, Carmen la saluait poliment, pas davantage. Et Pauline comprit qu'elle était un obstacle à son amitié soutenue envers Jovette. Le vase n'avait pas encore débordé, mais la tension montait. Délaissée de but en blanc, à peine quinze jours après sa «liberté», Pauline Pinchaud sentit l'abandon et le rejet de son amie et, peu à peu, la moutarde lui monter au nez. Mais la goutte qui allait faire déborder la vase n'était qu'à quelques centimètres près, en cet après-midi du 18 juin 1949.

– Tu comptes sortir à soir, Jovette? J'te vois déjà t'préparer…

– Heu…. oui, Carmen et moi, on est invitées à souper chez des amies.

Pauline ne répondit pas, baissa la tête, se lima les ongles.

– Qu'est-ce que t'as? On dirait qu'ça fait pas ton affaire…

– Non, c'est pas ça, c'est juste que j'trouve le temps long. J'aurais pensé que d'temps en temps, on aurait pu sortir toi pis moi, aller aux vues, aller danser…

– Écoute, Pauline, y faut qu'tu t'mettes quelque chose dans la tête, lui répondit assez sèchement Jovette. Moi, j'vivais avant qu't'arrives ici! J'avais une vie! J'te reproche rien, j'fais d'mon mieux, mais faudrait qu'tu t'aides un peu!

– Qu'est-ce que tu veux dire par ça?

– Ben, j'sais pas, moi, mais tu pourrais t'faire des amies, te trouver un *chum* si ça t'manque tant, mais faudrait pas qu'tu penses que j'vais tout laisser tomber c'que j'avais avant parce que t'es arrivée.

– J't'en demande pas tant, Jovette… J'ai juste cru que d'temps en temps…

– J'voudrais ben, Pauline, mais j'ai pas l'temps… Avec la *job*, avec mes ambitions pis mes amies, j'ai plus d'temps libre…

– Pour moi? C'est c'que tu veux dire, hein?

– Non, c'est pas ça, Pauline. J'l'ai trouvé, l'temps, quand t'es arrivée par surprise. J'ai tout mis d'côté pour toi, mais j'pensais qu'c'était une visite, j'pensais pas qu'ça tournerait comme ça. J'ai été là pour toi, non? J't'ai épaulée quand t'as perdu ton enfant, j'paye encore l'hôpital, Pauline. Pis, j't'ai logée, j't'ai nourrie, j't'ai pas jetée à la rue. Pis, j'te l'reproche pas, mais faudrait pas ambitionner… J'ai ma vie, moi aussi! J'ai une vie privée, Pauline! J'suis pas sortie des pattes de mon salaud d'père pour m'enfermer chez les carmélites!

Tu pourrais en faire autant si t'arrêtais d'penser pis d'jongler. Y'a pas rien qu'Marcel…

— Ben là, tu t'trompes! Ça fait longtemps que j'pense plus à lui…

— J'espère! Pis y'en a d'autres, Pauline! Regarde un peu autour de toi…

— J'suis toujours ben pas pour aller dans les clubs toute seule…

— Tu pourrais t'faire une amie, non? La manufacture est pleine!

— J'ai essayé, mais ça marche pas. La plupart sont mariées ou pognées avec des enfants. Pis avec ma taille… C'est pas en étant avec moi que celles qui pourraient être des amies vont s'décrocher des gars. J'suis pas Veronica Lake, moi!

— Ben, maigris, Pauline! Suis un régime! Prends-toi en main pis arrête de manger comme si tu sortais d'un camp d'concentration! Commence par ça, Pauline, pis peut-être que le reste suivra!

— Tu y vas pas avec le dos d'la cuiller, hein, Jovette? Aussi bien m'dire de jeûner, tant qu'à y être!

— C'est pour ton bien, Pauline! Des fois, être secouée, poussée dans l'dos…

— Comme tu l'fais à la manufacture depuis qu't'es sur-veillante?

— Tiens! J'savais qu'ça viendrait sur le tapis, ça! J'suis payée pour ça, Pauline, pis tu peux pas m'reprocher d'être dure avec toi! Pis, t'oublies qu'c'est moi qui t'l'ai trouvée, ta *job*! Toute seule, t'aurais pas fait un pas! Pis, dire que là-bas, t'avais l'cran que j'avais pas… J'pensais qu't'étais du genre à défoncer des portes! Le portrait a changé, on dirait… Pis, avec une autre surveillante que moi…

— J'serais à la porte, c'est ça qu'tu veux dire, pas vrai?

– Tu l'sais pas, mais les autres se plaignent, Pauline! Elles mettent autant d'heures pis elles produisent deux fois plus! Si t'arrêtais d'faire rire les gens avec tes farces plates, si t'arrêtais d'parler, tu pourrais peut-être rouler plus! C'est drôle, mais on dirait qu'tu l'aimes pas, ta *job!*

– C'est pas ça, mais la senteur du tabac, les feuilles qui puent…

– Ben, si t'aimes mieux faire des ménages, c'est pas ça qui manque à Montréal, Pauline! Faudrait qu'tu t'branches, faudrait qu'tu saches c'que tu veux…

– Non, non, ça va, mais pour être franche, on dirait qu'ton amie Carmen est plus importante que moi.

– C'est à mon tour de t'dire «c'est pas pareil», Pauline. C'est différent… Pis, comme on est sur le sujet, j'ai des choses à t'dire. J'voulais pas t'l'annoncer trop vite, mais comme t'as abordé l'sujet…

– C'est quoi? demanda Pauline, soudainement inquiète.

– Ben, fais du thé, on va s'asseoir pis on va sérieusement s'parler.

Pauline fit bouillir de l'eau pour le thé et, encore en robe de chambre à deux heures de l'après-midi, pendant que Jovette était coiffée et maquillée, elle «s'écrasa» dans un fauteuil en attendant que «l'autre» entame la conversation. Jovette s'alluma une cigarette, se croisa les jambes et lui dit avec une certaine retenue:

– Au mois d'septembre, j'pars d'ici, Pauline. Mais t'en fais pas, j'te laisse le logement jusqu'au mois d'mai. Pour le propriétaire, que ça vienne de toi ou d'moi, pas d'importance en autant qu'son loyer soit payé.

– Pis, tu t'en vas où, toi? demanda Pauline d'une voix tremblante.

– Carmen pis moi, on a une p'tite maison en vue. Rien d'extraordinaire, mais une maison qu'on compte acheter à deux. On a décidé d'investir pis d'la partager. On s'entend bien, pis une maison, c'est jamais perdu. C'est un bon placement pis pour nous autres, ça va être un commencement. Qui sait si dans deux ans on aura pas un bloc à nous? On veut aller d'l'avant, pis là, avec ma promotion pis les économies d'Carmen...

Pauline venait de comprendre que «son chien était mort» et que Jovette venait de lui régler son sort. Paniquée, elle s'écria:

— Aie! J'pourrai pas payer le loyer toute seule, moi! Penses-y!

— Pauline... J'l'ai fait avant toi, moi, pis j'gagnais pas plus cher que toi. On va trouver des meubles usagés pis, avec d'la bonne volonté...

— Où est-ce que vous allez, vous deux? Dans l'coin, au moins?

— Non, dans l'nord d'la ville... C'est là qu'on a déniché la maison.

— Ça va t'faire loin pour te rendre à l'ouvrage! Y as-tu pensé?

— Oui, pis c'est arrangé. Carmen veut s'acheter un char usagé. On va voyager ensemble, revenir ensemble...

— D'après c'que j'vois, tu t'débrouilles bien, Jovette Biron?

— C'est-tu un reproche, ça, Pauline? J'aime pas le ton...

— Non, j'disais ça comme ça...

— Oui, j'me débrouille! C'est ça qu'y faut faire dans la vie pour avancer! Pis, tu pourrais en faire autant, Pauline, si t'avais pas les deux pieds dans la même bottine!

Pauline se mit à pleurer et Jovette, confuse de l'avoir autant secouée, lui dit:

— J'voulais pas t'faire de peine, Pauline, j'ai été raide, pis j'sais qu'la vérité n'est pas toujours bonne à dire, mais on dirait qu'tu l'cherches. Tu pousses, tu pousses, jusqu'à c'qu'on éclate… J'ai pas voulu t'blesser, mais j'aimerais ça qu'tu t'sortes du trou comme je l'ai fait, moi.

Pauline, s'essuyant les yeux, la voix entrecoupée de sanglots, lui répondit:

— Tu… tu vois bien qu'on est… qu'on est pas faites pareilles, Jovette.

— Y'a pas une personne pareille à l'autre, Pauline. On a toutes nos forces pis nos faiblesses… Pis toi, c'est pas juste c'que j'te dis qui t'chicote… T'es-tu heureuse à Montréal, Pauline? C'est-tu c'que tu cherchais?

Pauline, cachant ses gros bras en tirant sur ses manches, murmura:

— J'sais pas, Jovette, j'sais plus… Des fois, oui, d'autres fois…

— T'es pas heureuse, Pauline, hein? Sois franche! J'suis là pour te comprendre.

— Ben, pas tout à fait… Ça s'déroule pas comme je l'pensais. J'm'ennuie, c'est plus comme avant… Pis la *job*, ça m'fait pas sauter d'joie. J'sais pas c'que j'ai, Jovette, mais ça va pas…

— Veux-tu que j'te dise c'qui va pas, Pauline? T'es trop fière pour l'admettre, mais tu t'ennuies de Saint-Calixte. Pis d'Sam aussi! Là, à comparer, tu viens de t'rendre compte que c'était pas si pire que ça là-bas.

— Oui, j'y pense souvent, j'peux pas mentir, pis j'pense souvent à lui aussi…

— À Sam? Parce qu'y prenait soin d'toi ou parce que tu l'aimais, Pauline?

— Ben… les deux! Pas juste pour les soins, le shack, c'est pas une maison, mais j'y pense encore souvent. J'veux dire, à lui… Y m'manque, Jovette, j'aimerais ça être avec lui… Pis j'l'aime, Sam! J'peux pas m'l'ôter d'la tête!

– Dans c'cas-là, pourquoi tu restes malheureuse ici? Pourquoi tu retournes pas avec lui, Pauline? Si Sam est prêt à t're-prendre, bien entendu. Après tout c'que tu lui as dit…

– Pour ça, j'en douterais pas. Y'était encore prêt à me marier. J'sais pas si j'irais jusque-là…

– Pourquoi pas? C'est un homme sincère, y t'porte sur la main, pis comme y rajeunit pas, ça t'ferait une sécurité après… Le shack, comme y voulait l'transformer, Pauline, ça deviendrait un chalet… Moi, j'veux pas m'en mêler, mais j'pense que tu résisteras pas ici. T'es pas du genre à vivre seule, ça t'prend un appui, ça t'prend quelqu'un d'solide, ça t'prend un homme, toi!

– Pour ça oui, on s'l'est dit, on est pas faites pareilles, Jovette…

Sans relever la remarque, Jovette lui prit la main et, doucereusement, lui dit:

– Pourquoi tu y retournes pas, Pauline? Pendant qu'y'est encore temps?

– J'sais pas… Y'a peut-être changé d'idée… Y m'a peut-être oubliée…

– Pourquoi tu lui écris pas? On sait jamais… Qui t'dit qu'y attend pas qu'ça, lui? Y'est fou d'toi, cet homme-là! Tu l'sais, Pauline!

Exaltée, transportée, excitée à l'idée de n'avoir pas à se débrouiller seule, Pauline lui demanda vivement:

– Si j'le fais, vas-tu m'aider avec la lettre, Jovette?

– Ben certain! Penses-tu que j'vais t'laisser tomber? Commence-la pis quand j'vais rentrer après ma sortie, on va la fignoler à deux! T'as rien à perdre, Pauline! Mais, sois sûre d'une chose avant d'prendre le crayon; fais-lui pas perdre son temps si t'es pas sincère. Sam a déjà pas mal souffert...

– Je l'sais, pis c'est ça que j'veux réparer. Mais crains rien, j'le fais pas par charité... J'l'aime, cet homme-là! J'y pense tout l'temps!

– Pis si ça marche, faudra qu'tu changes, Pauline! Tu sais c'que j'veux dire! Ti-Guy pis...

– Va pas plus loin, c'est fini dans ma tête, lui! J'ai compris ben des choses, Jovette, depuis que j'suis ici...

Dès que Jovette fut rentrée, sans lui demander comment avait été sa soirée, Pauline lui dit avec des éclairs dans les yeux:

– J'ai écrit la lettre, Jovette! Viens la lire pis dis-moi si elle est correcte! J'espère que j'ai pas fait trop d'fautes... Moi, les verbes pis le pluriel...

– T'en fais pas, Sam, c'est pas le plus instruit d'la terre, tu sais. Pis, comme j'suis pas meilleure que toi... C'qui compte quand on écrit, c'est l'cœur...

Jovette s'empara de la lettre, la parcourut des yeux et s'écria:

– C'est parfait, Pauline! Y'a rien à changer! T'es pas mal bonne dans l'écriture, meilleure que moi, tu sais... T'as juste à coller un timbre pis à la maller!

Le tout, dit sur un ton rempli de joie. Car, si Sam ne restait pas insensible face à un tel émoi, Jovette allait être délivrée. Pauline quitterait enfin son toit! Une courte missive avec les mots du cœur de Pauline. Une missive qui se lisait comme suit:

Cher Sam,

Je regrette ce que j'ai fait, pas de t'avoir dis tout ce que tu voulais savoir, la vérité je veux dire, mais je regrette d'être partie. Depuis ce temps la je pense chaque jour a toi. Tu m'a dis que si je changeais d'idée que je pourrais revenir. Je m'ennuie de toi Sam et je t'aime encore. Si tu veux encore de moi je reviendrai vite. Tu me manque Sam, beaucoup, je voudrais retourné dans tes bras. Pour le mariage on en parlera quand je serai la si tu me reprend. J'ai compris que je pouvais pas vivre sans toi. J'atends ton appel au même numéro que je t'ai donné l'autre fois. Si je ne recoit pas de tes nouvelles, ça voudra dire que tu n'es pas intéressé à me ravoir. Je t'aime Sam.

Pauline

Mais le déroulement avait été tout autre sur la butte depuis le brusque départ de Pauline et de ses aveux qui avaient déchiré le cœur de l'ermite. Sam, après quelques jours, maigrissait déjà à vue d'œil. Il ne mangeait plus, ne dormait plus, et c'était la veuve qui, désemparée de l'état de son «bien-aimé», le forçait à avaler un bol de soupe et un croûton de temps en temps en lui disant: «Sam, pour l'amour, mange! Comme ça va là, tu vas t'retrouver aussi maigre que Piquet l'était, toé!» Mais Sam dépérissait de jour en jour et la veuve ne savait plus que faire pour lui remonter le moral. Sam, dans son désespoir, lui avait tout dit. Sans rien omettre. Parce qu'il avait besoin de se vider le cœur et qu'il savait que Charlotte garderait ces confidences pour elle. La veuve fut peinée de la perte de l'enfant, mais lorsque Sam lui apprit que la «p'tite» était de Marcel et non de lui, cachant sa joie, elle avait laissé échapper… un soupir de soulagement. Puis, apprenant qu'elle l'avait aussi trompé avec Ti-Guy, elle avait dit à Sam: «Ça, c'est écœurant! Pis lui qu'sa mère prend pour un ange! Y s'envoye même en l'air avec la femme du conseiller du maire! Chaque jour, en plus! C'est lui-même qui s'en vantait à Piquet, le p'tit verrat! Y'a pas à dire…» Mais elle n'avait pas osé blâmer Pauline devant lui. Parce qu'elle sentait qu'il l'aimait encore. Ce qui ne l'avait pas empêchée de se dire en son for intérieur: «La grosse truie!» Somme toute, la veuve n'avait jamais accepté cette rivale sur la butte. Elle s'était rapprochée d'elle à la mort de Piquet que pour se rapprocher de Sam. Elle avait eu si peur qu'il quitte la butte avec «elle» après la naissance de l'enfant. Et Charlotte ne pouvait vivre sans Sam, tout comme Sam ne pouvait vivre sans Pauline.

Sam s'était mis à boire, ce qui inquiéta grandement Charlotte. Plus que de coutume et dormant, parfois, du matin jusqu'au soir. Le shack était dans un tel désordre qu'on apercevait aux fenêtres les premières toiles d'araignée. Un matin, alors qu'il n'avait pas encore commencé à «lever le coude», elle lui avait demandé de sa petite voix nasillarde:

– Tu penses pas à partir, au moins, Sam? Tu vas pas quitter la butte…

Songeur, sans même la regarder, il lui avait répondu:

– Non, t'es encore là, la veuve, pis y'a les ours, les bêtes puantes pis le hibou…

Comme réponse, ce fut comme une claque en pleine face! Il l'avait mise dans le même sac que les sales bêtes qui dérangeaient sur la butte.

Une autre fois, «tiraillée» par ses sentiments, elle lui avait demandé:

– Pourquoi tu viens pas vivre au chalet avec moé, Sam? Juste pour un bout d'temps? Ton shack est tellement délabré, les coquerelles vont s'installer…

– J'préfère rester ici, la veuve. J'veux pas grouiller, pis chez vous...

– Quoi? Qu'est-ce qu'y'a chez nous d'pas correct?

– Rien, sauf que ça sent encore Piquet partout.

La veuve, le voyant de plus en plus dépérir, désintéressé à se rendre au village, était contrainte, même avec ses rhumatismes, à prendre la route avec ses jambes raides pour ses victuailles. Et elle revenait à pied avec ses sacs, même si le jeune Gaudrin s'offrait pour la raccompagner avec sa marchandise. Elle craignait qu'il se retrouve face à face avec Sam et que ça tourne mal dans un moment d'ébriété. Et Ti-Guy, affable et aimable avec elle, se demandait pourquoi la veuve affichait un air bête avec lui. Car Charlotte, secret ou pas, ne pouvait camoufler les apparences. Elle n'était pas hypocrite comme «la grosse», elle, et c'était plus fort qu'elle; le «mine de rien» ne faisait pas partie des rancœurs qu'elle ressentait. De passage au village, elle avait vu le docteur et, confidentiellement, lui avait avoué que Sam traversait une «grosse peine», qu'il ne mangeait plus, qu'il maigrissait... Le brave docteur aurait préféré que l'ermite le consulte, mais sur les objections de la veuve, il lui vendit un flacon de sédatifs en comprimés. Ce qui devait, selon lui, troquer l'angoisse contre la quiétude. La veuve remit les calmants à Sam en prétextant qu'ils étaient à elle et qu'ils lui avaient été bénéfiques après la «lourde perte» de Piquet, et Sam, crédule quoique indifférent, les avalait deux par deux avec ses verres de bière.

Les jours passaient, les nuits venaient et la veuve, assise sur son petit perron, n'allait jamais se coucher avant que la lampe de Sam ne s'éteigne. Elle l'entendait parfois geindre et se plaindre, gémir et pleurer. Elle l'entendait parler seul sans saisir ce qu'il disait, sauf une fois, où dans un cri de douleur, elle avait entendu: «Pourquoi m'as-tu fait ça, Pauline?» Au village, on se demandait ce que devenait l'ermite. On ne le voyait plus et l'on savait que Pauline n'était pas revenue. On présumait, on placotait n'importe quoi et Ti-Guy, tendu par tous les propos crus à l'égard de Pauline, vida un soir son sac entier à l'oreille de sa mère. Pour la faire taire. Sans penser que sa langue de vipère cracherait davantage son mépris. Il lui avait appris que Pauline avait perdu son enfant et que le bébé était de Marcel et non de Sam. Ce qui expliquait, on ne peut mieux, le séjour prolongé de «la» Pinchaud et l'absence dans les parages de l'ermite découragé. Et tout comme la foudre, la nouvelle traversa le village. De Gertrude à Hortense, du garagiste au marchand du clos de bois, de l'hôtelier aux commis voyageurs et, évidemment, jusqu'au curé. Tous savaient que Sam Bourque n'avait pas été que cocu, mais trahi. Tous savaient que «la Pauline» avait tout manigancé avec mépris. Tous le plaignaient tout en jetant sans merci la pierre à Pauline. «Un si bon vieux…» disait-on de lui, «une fille perdue…» disait-on d'elle. Mais Sam, ignorant que l'histoire avait fait le tour de la paroisse, se couchait encore chaque soir, ventre creux, pissant sa bière, anéanti par les calmants et le cœur rempli d'amour pour Pauline, sa «Minoune», qu'il ne parvenait pas à oublier.

Un dimanche, en plein cœur d'après-midi, alors que la veuve lavait un drap dans sa cuve, elle entendit un coup de feu provenant du shack de Sam. Apeurée, elle resta figée sur place, puis, retrouvant un certain courage, elle sortit et vit l'ermite assis sur ses marches, sa carabine à ses côtés, une corneille ensanglantée entre les mains. Se dirigeant vers lui à pas rapides, elle lui dit:

– Qu'est-ce que t'as fait là, Sam? Dis-moi pas qu'tu vas recommencer à manger d'la corneille, toé!

Sam la regarda, puis sans répondre se mit à déplumer l'oiseau dont le sang lui giclait encore sur la main.

– Sam! Pour l'amour du ciel! C'est d'la charogne! Tu vas pas t'remettre à ça?

– Ben… quoi? J'en mange depuis dix ans, la veuve, pis ça coûte rien…

– Arrête de la déplumer, jette-la, tu sais qu'ça m'a toujours donné mal au cœur de t'voir faire ça! Pis, c'est dur comme d'la roche, Sam! Même bouillie! T'es quand même pas dans la misère noire pour te nourrir comme un quêteux! Au moins, avec «elle», t'avais appris à vivre!

Sam, la regardant avec des yeux perçants, lui avait dit:

– Parle-moi plus jamais d'elle, la veuve, t'as compris? Plus jamais! Pis arrête de m'guetter comme le chat l'fait avec la souris! J'mangerai c'que j'voudrai, pis si ça t'dérange, t'as juste à sacrer l'camp! J't'ai pas invitée à souper!

Charlotte, feignant de retrouver son calme, lui dit avec douceur:

– Pourquoi tu m'traites comme ça, Sam? J'ai-tu mérité ça, moé? J'fais tout c'que j'peux pour t'aider… Pis, j'ai d'quoi manger si tu veux faire dix pas jusqu'au chalet. C'est sûr qu'y faut qu'tu manges, Sam, sinon tu vas tomber. Mais pas ça, Sam… Pas d'la corneille pleine de germes pis même pas lavée…

– Va-t'en, Charlotte, laisse-moi tout seul, va souper, chacun son assiette…

– Tu penses que j'ai d'l'appétit après voir vu ça? Ça fait dix ans que j'manque de vomir chaque fois qu'tu déplumes c'te rapace-là! Même Piquet en voulait pas! Ça s'mange pas, c't'écœuranterie-là! Tu viens pas d'la brousse, Sam, tu viens d'la ville! Pis, du foie d'porc, ça coûte juste quelques cennes!

– J't'ai assez entendue, j'ai mal à la tête, la veuve, fais-moi pas pomper, laisse-moi tout seul…

– Tu prends trop d'pilules, Sam! Un calmant de temps en temps, ça va, mais t'as toujours la main dans la bouteille…

– Va-t'en, la veuve! ou j'te… lui dit-il en levant la main avec l'oiseau en sang entre les doigts.

À la vue de la corneille avec le cou quasi arraché, Charlotte détourna la tête, puis les talons. Elle avait la nausée, elle tenait à peine sur ses jambes. Puis, sentant que Sam n'avait plus toute sa tête, elle eut peur de la carabine qu'il gardait en dessous de son lit. Elle eut peur pour lui… et pour elle! S'il fallait que, dans un moment de folie, elle qui couchait seule sur la butte… Et elle craignait aussi qu'il s'en prenne à Ti-Guy, si jamais il osait se montrer dans les parages. Elle était à peine rendue sur son perron qu'elle entendit Sam pleurer, assis sur les marches de sa cambuse. Se retournant, elle le vit se lever, lancer la corneille à bout de bras dans un arbre, se rasseoir et pleurer davantage, la tête entre les mains rouges du sang… de l'oiseau de malheur.

Le lundi 20 juin, Sam Bourque, confus, dans un état second, en proie à une violente dépression, se leva, avala trois calmants et s'habilla sans s'être lavé depuis plusieurs jours, pour ensuite se diriger vers la bagnole. La veuve, l'ayant vu venir de sa fenêtre, sortit précipitamment pour lui demander:

– Tu t'en vas où comme ça? Pas au village, au moins?

Sam ne répondit pas et Charlotte sentit une vive inquiétude l'envahir. Elle savait… qu'on savait. Et elle appréhendait le pire. Pour rien au monde, elle n'aurait voulu que Sam soit humilié. Que «son» Sam soit la risée des paroissiens.

– J'peux y aller avec toé, Sam?

– Non, tout seul!

Puis, la regardant, elle remarqua ses yeux vitreux et fut renversée lorsque, du doigt, il pointa quelques moineaux dans le ciel pour ensuite lui dire:

– Y manquait plus qu'ça! Des perroquets au-dessus d'la butte, astheure!

Sam démarra et, dans un élan, malgré les rhumatismes qui lui rongeaient les mollets, Charlotte se rendit jusqu'au shack. L'odeur la fit reculer de quelques pas, mais elle repéra vite à côté du poêle la carabine qui lui faisait si peur. S'en emparant, elle revint à son chalet et la cacha soigneusement au fond d'une armoire qui servait pour sa *moppe* et son balai. Non sans avoir saisi en passant le coussin qu'elle avait offert à Pauline et qui traînait par terre. Au moins, la veuve allait dormir en paix. Du moins, jusqu'à ce que «son» homme retrouve ses esprits et qu'il l'invite, tout comme «avant», à partager sa soupe et quelque peu… son lit. Car, malgré sa détresse, malgré la suie du shack, malgré son corps amaigri, malgré sa malpropreté temporaire, Charlotte était encore folle de lui. Beaucoup plus que «l'autre» qui, malicieusement, le lui avait ravi.

Conduisant mal, allant de gauche à droite tout comme s'il était ivre, Sam faillit défoncer la clôture qui longeait un tournant sur la route. Dans cet état second, dépité, déprimé, mais avec sa raison quelque peu retrouvée, il se rendit jusqu'au garage pour mettre un peu d'essence dans la bagnole de la veuve. Biron, le garagiste, l'apercevant dans ce piteux état, lui dit comme pour l'encourager:

– T'en fais pas, Sam, y'aura des jours meilleurs…

Sam, sortant de sa torpeur, lui demanda, les yeux givrés, la bouche croche:

– Qu'est-ce que tu veux dire par ça, Biron?

– Ben... on est au courant. Pis, faut pas prendre ça comme ça, Sam. Tu mérites mieux qu'une fille comme la Pauline, si tu veux l'savoir!

– T'as pas à parler en mal d'elle, toi! J't'avertis!

– Ben, voyons donc, Sam, entre amis... Tu l'savais bien qu'c'était pas une fille pour toi! Tu savais bien qu'c'était pas pour durer!

– J't'ai dit de t'mêler d'tes affaires, le garagiste!

– J'dis ça pour t'épauler, Sam! J'suis d'ton bord, pas du sien! T'aurais dû l'savoir, à ton âge, que d'coucher avec une p'tite jeune comme elle...

Sam, les yeux sortis des orbites, fixa Biron et lui répondit assez fort pour que son fils, tout près, entende:

– Coucher avec une p'tite jeune? C'est toi qui m'dis ça, Biron? Ben, t'as du cran! Elle avait peut-être juste vingt ans, la Pauline, mais c'était pas MA FILLE, elle! T'as-tu d'autres choses à m'dire, Biron?

Le garagiste, livide, la main sur la poitrine, avait laissé tomber sa pompe en regardant en direction de son fils. Sam remonta dans la bagnole sans même avoir payé et Biron, dans sa stupeur, n'osa pas lui crier qu'il n'avait pas été réglé.

De là, fier de son audace, riant comme un fou et ne craignant plus rien, Sam, agité et confus, se dirigea vers le magasin général où quelques clients se trouvaient, dont Gertrude et... le conseiller du maire. Le petit «pourceau», comme on le désignait, fouillait dans les chemises blanches les plus chères. Et sur place, Joseph Gaudrin, le nez dans son comptoir de viandes, Emma à la caisse et Ti-Guy qui rangeait des conserves au fond du magasin. En le voyant entrer, le marchand fronça les sourcils et sa femme recula d'un pas, face à l'allure de l'ermite.

Pas rasé depuis plusieurs jours, les yeux gluants, de longs cernes noirs lui descendaient jusqu'aux joues. Maigre, la ceinture détachée, il n'était plus que l'ombre de lui-même. Les quelques clients, mine de rien, prolongèrent leur fouille pour entendre ce qu'il avait à dire. Sam les regardant avec mépris, ils détournèrent la tête, sauf le «pourceau» qui ne le connaissait que de vue et qui, après l'avoir détaillé de la tête aux pieds, poursuivit sa recherche dans les chemises et les cravates à la mode. Et c'est en droite ligne que Sam se dirigea vers «la» Gaudrin pour lui commander un pain croûté et une caisse de bière. Elle le servit sans rien dire, pendant que dans un coin, Ti-Guy, presque caché, nerveux, étiquetait des pots d'olives.

— Autre chose avec ça, Monsieur Sam? lui demanda-t-elle sans lui sourire.

— Non, à moins que vous aimeriez savoir c'que devient Pauline?

Un silence de mort régnait dans l'établissement. Personne n'osait bouger.

— Ben, disons que c'est pas d'nos affaires, mais on l'sait, Monsieur Sam. Ici, c'est pas grand, pis les nouvelles, ça fait l'tour en peu d'temps.

— Pis, qu'est-ce que vous pensez d'ça, Madame Gaudrin?

— Heu… que voulez-vous que j'pense… Vous êtes à plaindre…

— À plaindre? Parce que l'bébé s'est pas rendu à terme?

— Non, j'parlais surtout d'elle, pas d'l'enfant, Monsieur Sam…

— Ben, y'a personne qui peut dire quoi qu'ce soit contre elle! Pas vrai, Ti-Guy?

Le garçon, accroupi, faillit tomber sur le derrière.

— C'est pas parce qu'elle se partageait entre Marcel pis moi…

– Tout d'même, Monsieur Sam, y'a des clients! de lui dire Emma Gaudrin.

– Ben, ça tombe bien, Madame, parce qu'y partiront pas les oreilles vides! Saviez-vous que vous auriez pu être grand-mère, vous aussi?

– Qu'est-ce que vous radotez là? Avez-vous bu, vous?

– Pas une goutte, pis j'radote pas, Madame Gaudrin! Parce que l'bébé, on l'saura jamais, Pauline elle-même le savait pas, mais l'bébé, y'aurait pu être de moi, de Marcel ou de Ti-Guy! Ça fait-tu votre affaire, ça?

– Monsieur Bourque! Pour l'amour du bon Dieu!

– Non, pour l'amour de Pauline, Madame! Pis, l'avez-vous vu disparaître, le p'tit verrat? Vot' p'tit ange, Madame Gaudrin, pis l'vôtre aussi, Joseph, y couchait avec Pauline pendant qu'j'avais l'dos tourné! Pis, pas rien qu'une fois à part ça! C'est elle-même qui m'a dit que l'bébé aurait pu être de lui! Trois dans l'même plat, Madame! Pis, si vous la jugez pis si vous m'plaignez, au moins, fermez-vous-la! Parce que Ti-Guy, y'a l'nombril sec depuis longtemps, pis si c'est ça un bon p'tit gars…

Emma Gaudrin, rouge de honte et de colère, lui cria:

– Vous pensez qu'on va croire c'qu'a dit, cette vilaine-là?

– Ben, si vous m'croyez pas que vot' p'tit peut s'envoyer en l'air, demandez-lui donc avec qui y couche l'après-midi?

– Là, vous allez trop loin, Sam Bourque! intervint le père.

– C'est lui qui est rendu loin, Joseph Gaudrin! Y'a même pas été capable de rester dans l'magasin. P'tit verrat! P'tit morveux! Y'a failli vous rendre grands-parents avant vot' temps, le p'tit sacripant!

Puis, se retournant vers le conseiller du maire qui jouissait de l'altercation tout comme Gertrude et les autres clientes, il l'apostropha:

— Hé! vous! C'est vous le conseiller du maire?

Le petit homme resta figé, insulté d'être interpellé de la sorte.

— En voilà des manières! Je ne vous connais pas, Monsieur...

— Ben sûr que vous m'connaissez pas, parce que vous m'arrachez pas d'argent sur la butte! On paye rien quand on appartient pas à la ville!

— Que me voulez-vous? Quel est le but?

— Votre femme s'appelle Madeleine, non?

— Oui... c'est exact, mais je serais surpris qu'elle vous connaisse...

— Sûrement pas, mais j'voulais juste vous dire une chose, Monsieur j'sais pas qui... J'voulais juste vous dire que pendant qu'vous poussez votre crayon sur du papier à l'hôtel de ville, Ti-Guy Gaudrin pousse le sien dans vot' femme chaque après-midi! Pis dans vot' lit, Monsieur, juste ça!

Et, sur ces mots, Sam sortit avec sa caisse et son pain sous le bras, laissant Emma, Joseph et le petit «pourceau» dans un vif embarras. Ce dernier aurait certes autre chose à «voir» que les fonds de poches des «crève-faim» du village, les pauvres payeurs de taxes. Gertrude, ravie, la langue noyée dans la salive, avait hâte de sortir pour colporter «les nouvelles». Même celles qui, Dieu lui pardonnerait, compromettraient Emma, sa confidente, sa meilleure amie.

Sam s'arrêta au bord de la route, s'ouvrit une bière et l'avala avec une autre pilule qui, d'après les effets secondaires, pouvaient dangereusement l'exciter, après l'avoir... décompressé. Pris d'un fou rire, on aurait pu croire à un début de démence. Un rire qui se mêlait aux pleurs. Un rire nerveux, un rire sadique, un rire soudain qui, entrecoupé de larmes, cherchait à combattre le drame. Et, dans cet état, des mots incohérents qu'il adressait à «l'ombre» de celle qu'il aimait. «Tu vas voir, Pauline, on va plus jamais parler en mal de toi… La mauvaise graine, c'est aujourd'hui, au village, que je l'arrache!» Puis, faisant demi-tour, il se dirigea vers le presbytère. À sa vue de par sa fenêtre, Hortense, la servante, n'ouvrit pas, lui indiquant à travers la vitre que le curé était à l'église. Sam y alla tout droit et après être entré, il ne vit personne, pas âme qui vive. Se dirigeant vers la sacristie, il entendit des sons de voix. C'était le curé et son enfant de chœur qui répétaient un mariage qui devait être célébré le samedi suivant. Toute une cérémonie! C'était un «nouveau converti» qui épousait la fille du notaire. Un Polonais ou quelque chose du genre, qui n'avait pas de religion avant et qui ne connaissait rien des us et coutumes catholiques. Le curé, revêtu de son aube, l'enfant, de sa soutane rouge, répétaient «la cérémonie» comme si elle se déroulait à l'instant même. Il se dirigea à pas feutrés jusqu'à eux et entendit le curé qui disait à son enfant de chœur plus grand que lui: «Et lorsque le marié se lève, tu lui tends le plateau. Il s'empare des anneaux et, s'il hésite, tu lui feras signe de les prendre sans trop le mettre mal à l'aise. Il n'est pas d'ici, tu comprends, il ne pouvait venir pour apprendre lui-même le déroulement. Et dans un cas comme celui-là, il est évident que ça peut se faire d'une autre manière…» L'enfant de chœur, soutane sur le dos, se prêtait de bonne grâce à la répétition lorsque l'ermite fit irruption. Le curé, l'apercevant, eut peine à croire que c'était l'ermite qu'il avait devant lui.

— Sam? C'est toi? Que t'arrive-t-il, mon pauvre ami?

— Rien! Comme vous voyez, j'suis là! J'suis venu vous voir!

— Désires-tu te confesser?

Sam éclata de rire et répondit devant le garçon qui avait reculé de peur:

— Me confesser? C'est vous qui devriez l'faire, Monsieur l'curé!

— Dis donc, es-tu dans un état normal, toi? C'est une église, ici!

— Je l'sais, j'voulais juste vous dire pour Pauline…

— Je sais, je sais, quelle infamie! Si j'avais su le genre de fille qu'elle était…

— J'vous défends d'parler d'elle comme ça! Elle a rien à s'reprocher, Monsieur l'curé!

— Je ne la juge pas, Sam, je compatis… Avec toi, surtout…

— Pourquoi?

— Parce que c'est moi qui suis à l'origine de tous tes tracas avec elle.

— Quels tracas, Monsieur l'curé? J'en ai pas eus avec elle! Je l'ai aimée pis j'l'aime encore!

— Bon, bon, c'est ton droit, mais il faudrait nous laisser, maintenant. Nous avons une répétition, l'enfant et moi…

— L'enfant? Y'est plus grand qu'vous, votre enfant d'chœur! T'as quel âge, le p'tit?

— Heu… quatorze ans, Monsieur.

— Sam Bourque, de quel droit oses-tu…

— Excusez-moi, Monsieur l'curé, c'est vrai que c'est pas d'mes affaires, mais depuis l'temps que vous l'avez, cet enfant d'chœur-là, vous devriez lui acheter une autre soutane! Si ça continue comme ça, y va l'avoir en haut du genou! Ou ben, r'commencez avec un plus p'tit! Qu'en pensez-vous?

Le curé, rouge de colère, très mal à l'aise devant «l'enfant» qui avait baissé la tête, faisant tout pour garder son calme, lui dit:

– Sors d'ici, Sam, dès cet instant! On ne commet pas de sacrilèges dans la maison de Dieu!

Sam tourna les talons, mais avant de sortir, lança sur un ton assez clair:

– Vous avez raison, Monsieur l'curé, des sacrilèges, ça s'commet sans doute mieux au presbytère!

Et, dans sa démence, riant, pleurant, conduisant gauchement, Sam reprenait la route du village en disant à Pauline dont il lui semblait voir le visage: «Tu vois, Minoune? Tout l'monde y a passé! Même le curé! Y'en a plus un maudit qui va dire quoi qu'ce soit contre toi, astheure! J'les ai tous bouchés, Pauline! Du premier au dernier! Y sont tous restés la gueule ouverte!»

Sam retrouva sa butte, son shack, sa bière, sa solitude, comme le vent doux de l'accalmie après une violente tempête. La veuve, qui l'avait vu venir, s'était précipitée jusque chez lui.

– Sam, où c'est qu't'étais passé? J'me suis morfondue… J'ai sué, moé!

– Ben, comme tu vois, j'suis là! Pis mes comptes sont réglés, la veuve!

– J'comprends pas…

– Ben là, j't'le dis, y'a plus personne qui va cracher sur Pauline! Plus un enfant d'chienne qui va la salir! J'ai tout réglé! Même le curé! Pis, quand tu vas aller au village, tu vas voir que c'est pas d'elle qu'on va parler, astheure! Pis les Gaudrin, y vont avoir la fale basse! Depuis l'temps qu'y s'pète les bretelles, lui, ben y'a fini! Pis elle, a va ramper, pis a va s'rentrer la langue dans l'tablier…

– Qu'est-ce que t'as fait, Sam? Rien d'pas correct, j'espère?

— J'ai juste vengé la peau de Pauline, son nom, sa p'tite qu'elle a pas eue...

La veuve, déçue de constater qu'il l'avait encore dans le cœur, insista:

— Rien pour qu'on puisse plus s'montrer la face là, Sam?

— Tu vas voir... tu vas voir, la veuve. Là, j'ai besoin d'une bière.

S'approchant de lui, mielleuse, souriante, elle lui dit pour le calmer:

— Faudrait qu'tu penses à toé, astheure. Faudrait t'remettre sur pied, Sam. Si tu veux, demain, tu pourrais venir déjeuner... Pis, si tu t'donnais la peine de t'laver pis de t'raser, moé, j'pourrais faire le ménage du shack... On pourrait r'prendre nos vieilles habitudes, Sam...

Sam la regarda avec compassion. Puis avec une infinie tristesse. La bouteille de bière dans la main, les yeux dans les siens, il lui répondit:

— On verra, la veuve. Peut-être bien... Toi, t'es une bonne personne, au moins.

Épilogue

Esclandre accompli, le scandale causé au magasin général se répandit de bouche à oreille. Au grand détriment de Ti-Guy qui encaissa durement le coup, et du conseiller du maire qui, en plus d'entendre sa femme menacer de le quitter, faillit perdre son emploi. Le maire acceptait mal que l'un des «siens» ait du trouble dans son ménage. Biron allait certes supporter longtemps les regards silencieux de son fils, et le curé, mal dans sa soutane, se promettait de changer d'enfant de chœur après le mariage de la fille du notaire. Tout ça, sans que Sam, sur sa butte, ne se doute du branle-bas de combat qu'il avait suscité dans sa hargne soudaine. Seul dans sa cabane, au milieu des bestioles et de la suie qui leur était refuge, Sam Bourque se sentait soulagé. Avec des gestes et des mots sortis de sa démence, il venait de venger celle qu'il aimait et qu'on avait, de coups de langue, lapidée. Il avait crié, tout comme eux, sur la place publique, ce qu'on avait craché sur elle, sans la connaître. Mais lui avait fait éclater des vérités, et non pas des mensonges ayant pour but d'empoisonner sa bien-aimée.

Seul dans sa cambuse, loin de la cuve rangée depuis des jours, puant la sueur et la crasse, Sam mordait dans son croûton de pain tout en buvant sa bière. Amaigri, les muscles de ses bras et de ses mollets semblaient avoir fondu dans le feu ardent qui lui brûlait le cœur. Les joues creuses, osseuses, les cernes noirs autour des yeux, le front plissé, la poitrine cambrée, il semblait avoir vieilli de dix ans en un mois. Pas rasé, les aisselles humides, il avait néanmoins retrouvé le calme après la vive agitation des dernières heures. Seuls ses yeux, enduits d'un givre jaune par l'effet des puissants séda-tifs, avaient gardé une certaine lueur qu'on pouvait discerner dans un filet de ses paupières lourdes. Une lueur qu'on perce-vait à peine sous le jet de lumière de la lampe à l'huile et qui lui permettait, fruit de son imagination, d'apercevoir dans la pénombre la silhouette de Pauline traverser les murs du shack. Et Sam pleurait d'amour et de chagrin quand il perce-vait un visage vers lequel, désespérément, il tendait une main. Une main qui, en vain, n'atteignait jamais rien, sauf le bras du sofa qui, sous le choc, se dégageait de sa poussière.

Des araignées tissaient leur toile, des coquerelles s'en donnaient à cœur joie sur les miettes de pain tombées par terre et Sam, perdu dans ses pensées, troquant la réalité contre son doux passé, pleurait dans sa solitude. Des larmes, des larmes «d'habitude» coulaient sans relâche sur ses joues humides depuis qu'elle était partie. Jamais Sam Bourque n'avait aimé… comme il l'avait aimée. Au point de demander pardon à Clarisse de l'avoir aimée plus qu'elle. Et ce, malgré la traî-trise et l'abandon de Pauline. Sachant qu'elle ne reviendrait plus, qu'il ne la reverrait plus, Sam ne pouvait se résoudre à l'idée de revivre en ermite, lui qui, durant dix ans, avait vécu reclus, régressant sans cesse, avec pour seul ami Piquet et pour seul écart, la veuve… de temps en temps. Lui qui avait enterré ses sous comme l'écureuil le fait de ses noix. Lui qui, autrefois généreux, était devenu avare sous la férule de l'insécurité. Jusqu'au jour où Pauline, avec ses vingt ans, ses rondeurs, ses seins volumineux et sa petite bouche en cœur, lui fasse perdre peu à peu la raison, au point de plonger la main, puis le bras, dans son «tronc d'arbre». Et voilà qu'il se retrouvait sans le sou, avec le sourire envolé de son ultime chance de bonheur. Car, les bons de la Victoire, contrairement à ses dires, pieux mensonge, ne s'élevaient guère à plus de cinq cents dollars, intérêts inclus. Ce qu'il n'avait osé avouer à Pauline, comptant bien reprendre sa cire et ses brosses pour assurer leur gagne-pain. Que cinq cents dollars! Pas assez pour survivre... sans elle. Juste assez pour un cercueil de bois et un carré de terre au cimetière, avait-il songé dans ses noires pensées.

Et Sam buvait bière sur bière, en avalant les deux seuls comprimés qu'il lui restait. Sans pour autant s'endormir, puisque ses yeux, chaque nuit, ne se fermaient jamais sur sa douleur. Il avait allumé la lampe pour regarder à travers un voile tous les objets inanimés qui traînaient ici et là sur le plancher. Une larme s'échappa à la vue du panier tressé avec l'oreiller de poupée et une autre la suivit quand il vit le cœur d'argent terni par le temps, abandonné dans un papier de soie sur la commode. Et une dernière larme, plus amère, sur le roman inachevé que Pauline avait laissé ouvert sur le divan. Par terre, tout contre lui, le dictionnaire échappé de ses mains le jour où il avait appris qu'elle ne reviendrait plus. Une étrange bestiole, trottinant de la reliure jaunie à une page ouverte, fut écrasée du pied sur le portrait de Jules Massenet. Humant l'air humide de son shack, Sam tentait, en vain, de s'enivrer les narines de l'odeur du Fresh Wind. Puis ses paupières, peu à peu, au gré de sa peine de plus en plus vive, se collaient l'une à l'autre. Et, yeux clos, sans encore dormir, il revoyait Pauline dans sa robe de chenille, les pieds sur le pouf, un *cup cake* dans une main, son roman dans l'autre, lui sourire. Puis, il la revoyait dans son costume bleu, juchée sur ses talons cubains, une valise à la main, le tout premier jour de son arrivée. Que de chemin, que d'amour… depuis. Que de chagrin, que de larmes, depuis… son départ. Sa bouteille de bière se renversa par terre, Sam sursauta puis, épuisé par l'effort, grisé de substances chimiques, le cœur en lambeaux, profonde dépression au cerveau, s'endormit comme le soldat qu'il était jadis, dans une tranchée, après avoir livré sa guerre. Il s'endormit paisiblement sur le sofa de son aimée. Comme si l'odeur de son corps y était à jamais imprégnée. Il s'endormit tout doucement avec, collé sur sa sueur, le petit ourson blanc. Tout doucement… doucement… Pour combien de temps?

La pluie avait tombé toute la nuit. Douce, limpide, sans faire de bruit, comme une musique imbue des sons de la harpe. Comme pour abreuver les oiseaux qui travaillaient ferme à tresser leur nid. La veuve s'était levée très tôt. Assez tôt pour voir le vieil hibou quitter sa branche. Heureuse, le cœur rempli de joie, elle mettait les couverts pour «leur» petit déjeuner. Puis, de sa fenêtre, elle attendit que celui qu'elle aimait daigne se réveiller et ouvrir ses volets. Le jour pointait de plus en plus et aucun signe. Pas même celui d'un vieux rideau qu'on entrouvre en guise de message. Impatiente, marchant de long en large, réchauffant le café, elle se disait que «son homme» cuvait sans doute sa bière et sa colère. Ou que les calmants avaient certes eu raison de ses nuits blanches. Charlotte préféra le laisser dormir. L'importuner lui aurait fait admettre son anxiété. Car, depuis Piquet, la veuve ne vivait que pour le jour où Sam reprendrait sa place sur sa peau et ses os. Les heures s'écoulaient et la veuve, de plus en plus, s'agitait. S'il fallait que Sam soit malade et qu'il ait besoin d'aide? S'il fallait que, dans son marasme, il ait besoin... d'elle? Prenant tout son courage, avec un tantinet d'audace, elle se dirigea à pas lents dans l'herbe encore mouillée jusqu'à la porte du shack. Et, fait étrange, la porte était légèrement entrebâillée. Juste assez pour entrevoir la lampe à l'huile encore allumée sur le poêle à bois débordant de cendres.

N'osant entrer, par pudeur, par gêne anticipée, elle préféra l'appeler d'une voix douce et feutrée.
– Sam... Sam, c'est moi, la veuve... Es-tu réveillé?
Aucune réponse, aucun son, aucun bruit.

D'une main frêle et maigre, elle poussa la porte et un cri s'étouffa dans sa gorge. À la poutre de son shack, celle qui servait pour étendre les draps, les yeux fermés, la langue sortie, les veines du front gonflées, les lèvres bleues, l'écume encore à la bouche, nu, Samuel Bourque s'était pendu! Avec la corde de la balançoire, le nœud bien serré autour du cou, le cœur d'argent de Pauline se balançant sur sa poitrine. Pétrifiée d'horreur, paralysée sur place, la veuve était rivée comme un pieu dans le marbre. Puis, sentant son sang glacé lui parcourir à nouveau les veines, elle sortit en hurlant, en courant, en tombant, en se relevant et en hurlant de plus belle, jusqu'à ce qu'elle tombe d'épuisement au pied de la butte. Et, comme par miracle, le camion de Gaudrin s'annonçait sur la route.

Sam était mort d'avoir trop aimé. Sam s'était tué avant que la vie ne le tue. Sam était mort, à défaut de n'avoir pu vivre avec «elle». Le corps encore chaud, le poing fermé sur son doigt-fesses, et à ses pieds, le tabouret renversé. Mais pas la moindre lettre et aucun mot d'adieu. Sur une petite table, à deux pas du corps suspendu, un écrin de velours avec une bague et deux joncs. Et sur le plancher, à quelques pas des pieds qui oscillaient par le souffle du vent, en guise de motif à son geste, le petit ourson blanc couvert de suie, les yeux de vitre arrachés, éventré!

Sam avait rendu l'âme dans la douleur du cœur. Le jour même où la lettre de Pauline, lui annonçant son retour, arrivait au village.

Achevé d'imprimer au Canada en août 2004